网上新娘

THE CYBER BRIDE

刘澳◎著

第三者何莉莉在网上征婚，徘徊在两个男人之间，由此招致杀身之祸……

作家出版社

Acknowledgement（鸣谢）：

This project has been assisted by the Commonwealth Government through the Australia Council, its arts funding and advisory body.

（本书由澳大利亚联邦政府通过澳大利亚艺术委员会提供资助。）

目　录

序幕 谁搬美人头？

1

汉学家查尔斯·霍歌教授坐在"澳航"空中客车的头等舱里，意念早就飞进他在悉尼的藏娇金屋。他的得意门生何莉莉任爱的种子在肚里生根发芽，如今都结了果儿，自己还乐不思蜀，忙着在北京的东方大学"带"女研究生呢。短短俩月工夫，那个混血儿已经在悉尼"噌噌"地疯长起来，小把儿一天比一天长。

这个三角关系本来被驾驭得游刃有余，这下可崴泥啦。这要是叫悍妻阿曼达探到私生子的猫儿腻，不把我的头拧下来当球踢，也得让我当上太监。课可以找人代代，后宫争宠的大事可不能等闲视之。我要出其不意，在二女还没揪断对方头发之前，杀它一个回马枪。

他的右下巴神经质地疼挛了一下，还有点儿发痒。他伸出粗长的中指，在白里透红的刀痕上蹭两下。那是阿曼达醋意大发时赐的"礼物"，像一道闪电打在他那阿汤哥般的俊脸上。虽说破点儿相，倒也为他的学者气度平添几分"鳄鱼邓肯"式的剽悍。他的嘴角向上一翘，露出惯常的嘲弄式微笑，自信阿曼达这条小鱼儿掀不起大浪。

包裹在海岸上的悉尼歌剧院像只看家犬，在他的视线里越放越大。巨型客机从北京的桑拿天一头扑进悉尼机场的小凉风里，给他一种换了星球的感觉。冬眠的太阳睡着大觉，懒洋洋从海面上露出一顶小红帽。他一瞥腕上的金表，才清晨六点多钟。

2

"计程车!"

查尔斯一甩金色的马尾辫,弯下一米八几的大个子,钻进一辆顶灯比警灯还招眼的黄色出租车。路两旁,棕榈树在渐渐发蓝的半空扭着苗条淑女的身子,给悉尼扇出一股股爽人的微风。曚昽旭日穿透车窗,传来早春的气息,点亮查尔斯那张人见人爱的大白脸上。

"下个路口,左转。"出租车拐进一条丁字小巷,沿竖街朝尽头的横街扑去。一座座民宅像夹道欢迎的老街坊,随风向他挥舞花木扶疏的红花绿叶。他扭过头去,给它们亮出一个"马尾松"。借着微露的晨曦,横在坡下的一座紫红色房顶映入他的眼帘。"娇妻"正在大床上好梦甜甜呢吧。他扭一下紧绷绷的屁股,忽觉软座硬了起来。宅前的参天大树恰似一对情侣,在空中交臂搂抱,遮住冉冉升起的朝阳。

"就在这条林荫道上。右转!"查尔斯伸出长臂向前一指。司机的右脚随即从油门踏板上抬起,踩到刹车板上。

3

出租车刚要转弯,查尔斯忽见一矮小华裔男子,像个猴子,从何莉莉住宅的院墙上一跃而出。

"停!"查尔斯一声大叫,让驾驶员误以为撞上一头袋鼠。出租车冲到路口前,点头停在竖街的左前方。

查尔斯透过挡风玻璃看去。嘿,那小子跳得也太猛了点儿,把坛子般的缩脖都给抻成面条啦。脑瓜子本来暗藏在灰运动衫的风帽里。这一蹦跶,那头板寸小脑壳儿可就暴露无遗啦。嘿,这不是手下败将卢杰吗?看,出溜得多快,跟只小老鼠似的,一闪身就钻进路边儿的紫红色"捷豹",朝丁字横街的右前方溜之大吉。

冤家路窄!虽说这小子曾是莉莉的未婚夫,但早被莉莉扔进往日的垃圾堆。难道何莉莉不甘寂寞,跟老相好重温一宿旧梦?好呀,何莉莉!你要红杏出墙,我就把你从悉尼大桥上推下去!

查尔斯像是一个自摆乌龙的足球先生,脑袋里运的气比足球还足。他拍拍脑门儿,刚拍出点儿气来,却见一辆黑亮的本田"里程"从丁字横街的左路杀来,骤然停在何宅门前。"见鬼!"他定睛一看车牌,吓得后脖子一挺,一头顶到出租车的顶棚上。

本田车像个老虎笼子。门一打开，放出一个虎视眈眈的红衣女郎来。一副大墨镜挡住半个石雕般的瘦脸，颇有几分俄罗斯女间谍的冷漠。一块红头巾蒙住大半头红发，随风舞动，宛如一团熊熊燃烧的烈火。女士迈开大步，两条粗长的白腿像大象一样交替移动。大胸如两只排球，在紧绷绷的衣扣里滚来滚去，看上去随时有可能向他扣杀过来。可是她裹得再严实，查尔斯也能从那大猩猩般的大屁股闻出一股野味儿来。这不是刁妻阿曼达吗？

阿曼达扭头张望一下。查尔斯慌忙用大手挡住半拉脸，但见阿曼达似一面红旗，"呼"地舞进何莉莉的宅门。

阿曼达怎么晓得何莉莉的住址？难道是卢杰点的炮儿？卢杰一直要勾搭阿曼达。阿曼达与卢杰，怎么一个前脚刚走、一个后脚就紧跟过来？是偶然的巧合，还是默契的配合？都是"探望"私生子的？

"先生，下车吗？"连操着移民口音的印度裔司机都等得不耐烦了。

"噢，不不不！左转弯，继续开。"

<h1 style="text-align:center">4</h1>

伴随收音机的摇滚乐，出租车把查尔斯带到国王十字街的一家露天咖啡馆。

闻到浓浓的咖啡味儿，他的肚子"咕咕"叫了起来。就着热气腾腾的牛奶加咖啡，他悠闲地享用了一盘蓝梅松饼、水果色拉和澳产鳄梨。海风穿过悉尼歌剧院，如一群美女扑到他的脸上，吹动他的金发，为他的臂膀轻轻按摩起来。

蓝晶晶的海面翻起白色浪花。生在这片上帝恩赐的金色岛国令他深感幸运。澳洲被大海包围，尽享南太平洋和印度洋的暖风，冬天也冷不到哪儿去。当年第一任总督亚瑟·菲利普船长选在悉尼港这片四季宜人的风水宝地建立殖民地，肯定是被玫瑰湾的灵秀之气止住的脚步。现如今，虽说考拉之乡也染上温室效应病，可是每次从北京回来，他还是有一种"解放区的天是明朗的天"的快意。

跟北京更加两重世界两重天的是，眼前这条闻名于世的红灯区一见阳光就装出清纯少女相儿。能瞒我的眼神？看那些阳光照不到的犄角，一会儿就有一只流莺投进"路虎"或"宝马"的怀抱。多少有妇之夫专在白天打野味儿，还不为的是下班吃顿平安家饭？他本想凑趣销魂片刻，可一思忖私生子的正经事儿，便把激光眼神从晃来荡去的露胸转到仿古大钟的表针上。

七点四十四分,再绷一会儿。

他从报架上抽出当天的《袋鼠日报》。新闻版醒目登出两起谋杀案。一起是一八〇后"唐璜"为夺朋友之妻,在咖啡里下毒,将铁哥们儿毒得七窍出血。另一起是一妻子给情郎甘当十五年"秘密夫人",终有一天被丈夫堵在被窝里。丈夫寡不敌众,反被妻子及其男小三儿联手掐死。哇,杀机无处不在。他又在广告栏里横扫几眼,居然捉到这样一则征婚启事:"寻觅三十至五十五岁男士,只要不打女人即可……"

哈哈,女人玩还玩不过来呢,怎么舍得打?他迈开八字步,在街上闲逛起来。一间间夜里震耳欲聋的舞厅酒吧眼下正做着白日梦。只有成人商店永无倦意,隆重展出花样翻新的电动玩具,以及各种供性变态标新立异的贴身行头。

他寻思起阿曼达的华丽变身,便抬脚迈进一家闪着"化妆师"霓虹灯的小店。等他出来,长脸被一顶澳式礼帽遮住三分之一,一副大墨镜又挡住另三分之一。笔挺的黑西服也被一身黄真皮大衣裹得严严实实,马尾辫也藏进竖起的高领里。万一跟太太对车,这些行头就能小施一回隐身术。

过了这么长时间,刁婆子也该人走茶凉了吧?他打出租返回丁字街。本田车果然已从门前蒸发。只剩下他给莉莉配备的那辆金色"悍马",正躲在前院的树荫里安安稳稳地睡大觉呢。

5

悉尼 A 区警署检察科副科长阎超的那辆"飞鹰"牌警车,白蓝两色相交,像一只投进铁笼子的小鸟,一头扎进世界上最大的单孔拱桥——悉尼海港大桥。"轰隆隆……"车旁的一列银灰色轻轨显得挺沉重,把大桥撼得浑身发抖,弄出的动静就跟地震似的。阎超加大油门,让警车像一支横穿隧道的火箭,把一片尾气丢给慢慢爬行的火车。

"嗒嗒嗒……"他抬起扫帚眉一看,一架红色直升机在桥顶的碧空中来回盘旋。他按下车窗玻璃,把右臂伸出车外,竖起奇长的中指,朝蓝蓝的天空比划上去。美式新概念直升机像是被他的指尖儿击中,斜着身子踉跄而去。

"哈哈哈哈!"他不禁偷笑出声儿来。这是他向同事打招呼的独特手势。巨大的漆黑鸟笼被灰蓝色海水托起,又受到头顶白色乱云的牵引,把他的"飞鹰"从静悄悄的北岸一眨巴眼儿就放飞到车水马龙的南岸。

"啊哈——"他打个哈欠,张开的三角嘴就像澳洲的小考拉那样憨态可掬。昨天夜里，他研究一个性侵犯疑案，只合俩仁小时的眼。说来也怪，这少女如今都长成三十三岁的少妇啦，却翻出二十年前的一本老账。她十三岁时，到一个女同学家参加生日派对，闹到很晚，就睡在女友的客房里。凌晨时分，女同学的老爸钻进她的被窝，从头到脚舔她的身体，把她弄得又疼又痒。半梦半醒中，她只当在"电影世界游乐园"玩"黑客帝国"游戏，升起一股股探险的冲动。后来，她在梦中回放这些镜头，那个色魔父亲的光头渐渐变成蹦极游戏的跳台……

今天，他要会会这个老爹，争取把压在孙悟空身上的巨石搬掉。

他冲出快车道，在路中间的白色实线上一路超车。来澳洲之前，咱就在天津当片儿警。老家那一条条斜街不比悉尼乱百倍？咱不是照样靠一辆没铃没闸的破自行车，把一个个小偷、流氓捉拿归案。尽管他身穿一身浅蓝色警服，可是他这麻秆儿般的身子骨却怎么也撑不起澳洲同事那种威武架势。

打来悉尼自费留学，他就养成节省粮食的习惯。他从 ABC 学起，狂吃四年方便面，恶补四年英哥力士。一拿到澳洲户口，他考上一般人不敢当的刑警。虽然他的脑袋成为歹徒的靶子，可是他的嘴巴倒用不着老嚼面条了。在职进修，他从悉尼大学混到一张法学士洋文凭。等他考研并获取警方起诉律师的资格，身上还是没长多少肉。

同事们都嫌他太嘻嘻哈哈。这澳洲的人权忒大，既不让吓唬，又不让耍态度。人活着多不易呀，干吗满脑门子官司？不过，对强奸犯可不能有好脸儿。对那个禽兽父亲，咱要把这三角眼一瞪，叫那老帮子放明白点儿，眼下上演的是悲剧。为了镇住那些杀人越货的亡命徒，他还特意留撮儿希特勒式的方块儿小胡子，起码能刺激一下犯罪嫌疑人的神经。

到了国王十字街，"飞鹰"展翅不开，只好在水泄不通的窄小街道跳起慢悠悠的企鹅舞步。

"喂，请注意，请注意！谁在国王十字街？"车上的对讲机陡然响起指挥中心的呼叫声。

"我是001，听到了吗？"他抓起话机用尖嗓子答话。

喇叭里冒出调度员的机器人嗓音："听到，请讲。"

"我在约克街。"

"收到！刚刚有人报警，声称维多利亚林荫道七四八号出了人命案。"

"我这就过去。"话音未落，他就拉响警笛。"呜——"，比空袭警报还刺耳。

他连掰轮带踩刹，"嗖——"地来个大转头。轮胎冲上中央绿化隔离带，横空飞出，一头扎进反向车道。

6

警车像条蛇一样爬进宁静的维多利亚林荫道。"七四八"这个门牌号码像生死簿上的一个扎眼符号，一下子抓住阎超的眼球。他打量宅子的外形，看出这是一座豪华的"澳洲农民房"。他轻轻推开车门，伸出豹子一般的头，拔出"格洛克17"自动手枪，低头弯腰，一步步往宅门逼近。正房的一对落地窗上挡着窗帘，给阎超一种杀机四伏的不祥之感。

他把左手伸进铁栅栏门里，扒拉开门闩，像只猫一样闪进院门。昨夜下过一场中雨，前院的绿地踩出几个大号鞋印。他把脚步踏在石板地上，小心不让皮靴陷进泥里。他蹑手蹑脚摸到正门，轻轻推一下，纹丝不动。

他顺着石板小径迂回房屋右侧。每过一扇窗户，他都把煽风耳贴在窗下的砖墙上，像是靠在回音壁前一样倾耳细听。宅子里静得出奇，连冰箱的制冷声都成了依稀可辨的回声。

游泳池向他泛起点点晃眼的粼粼碧波。他往池里探上一眼，水下看上去要比水面平静得多。他又朝后院另一侧的网球场瞥去。一对球拍坐在高腿儿裁判椅上，几十粒杏黄色网球如散兵游勇般躲在铁丝网的各个角落。

7

阎超轻轻一拧后门的把手，门不设防。他拉开一条小缝儿，像小偷一样侧身溜进。穿过后门厅，枪管最先指向空无一人的台球厅。

主卧房门半敞。他把眼睛够到门框里，看到堆放在床上的睡衣和内裤，连被子还没叠起来呢。他继续往前迈步，移至下一房间。门上挂个黄色维尼小熊玩具。

"劈劈啪啪……"嗯？这是吗动静？他把脚步收回来，眼珠子往隔壁的书房斜过去。"啪啪……"敲键盘的声儿？他在绛红地毯上踮起脚尖儿，一脚一脚侧移过去。

"砰！"他用枪管碰下紧闭的木门。"劈啪"声戛然而止。难道是老鼠缩回地洞？阎超瞄准房门大吼："吗人？谁在屋里？警察！"

"啊，我！是我！"屋里传来闷声闷气的男声，有如大提琴一般低沉。

"你是谁？"

"哦，房主。"屋里人鼻音浓重，像是患了感冒。

阎超猛然扭动门把，一脚踢开屋门，大喝一声："别动！把手举到头顶！"

只见一位巍巍如山的澳洲中年男子坐在电脑桌前，散开的金发披在半个后背上，猛不丁让阎超误以为是个长发女郎。

"手抱头！"阎超双臂拉直，双手紧握枪柄。

"啊，别开枪！"金发男子的白脸吓得白上加白，站起身来，做投降姿势，手指在脑后颤抖。

"双膝跪下！"

大个子刚一弯腿，阎超就一个箭步跳到背后，横声命令："把左手给我！另一只！""咔嚓"一声，他一甩手铐，就让这主儿来个左手摸右手。他举出警徽，晃了一下，问道："姓名？"

"查尔斯·霍歌。"查尔斯扭过半张脸来。

阎超绕过来，怎么看这鼻子怎么像大提琴上的 f 孔。"说，咋回事儿？"他扫一眼电脑的液晶显示器。一条曲线如蛇般爬出一道道曲里拐弯的三维管道，把他的脑子绕得弯了好几道弯儿。

"我一回来，就发现老婆倒在血泊里。"查尔斯跪在地毯上作答。

"你居然有心思打电脑！人呢？"阎超一推查尔斯的后背。

"客厅。"查尔斯的蓝眼珠往室外一瞟，像是要用眼神把阎超支出去。

"趴下！鼻子贴地毯。抬一下，枪子儿可不长眼睛。"他掏出另一把精钢型链式手铐，把查尔斯的一只脚腕子套在保险柜腿上。

8

阎超刚一出屋，查尔斯就抬起大脑袋，朝门口狠瞪一眼。

他把两个屁股蛋当成脚，任链铐死拉右脚腕子，倒背双臂，一点儿点儿向写字台挪去。长臂被板铐套在一块堆儿，像两根儿拉面，一寸寸向电脑拉去。

就差一个手铐的距离啦。他猛一绷劲，长手指总算够到机箱。他岔开食指和中指，就像夹住一支烟，使劲把一只粉色 U 盘夹出插口，收入手心。

9

阎超举枪往客厅挪去。一股夹着奶粉和香水的血腥味儿，最先迎接他的到来。还有一股吗怪味儿，像是测试他的嗅觉灵敏度，把鼻子刺激得直痒痒。首先进入他视线的是黄色真皮长沙发的侧面。再往前移两步，他看见一条细长小腿搭在扶手上，脚上吗也没穿。地毯上的两只粉拖鞋像是一对被打散的鸳鸯,东一只、西一只。

阎超把枪口转上半个圆,向三人沙发的正面步步紧逼过去。另一条小腿出现了,赤脚垂在紫红地毯上。一条黑网情趣内裤横卧膝关节处,粉底绿花的连衣睡裙开个口子。阎超一看死者半劈叉的姿势,脑海跟着闪出几个性攻击的小镜头。又是一起强奸案?

他抬眼往沙发另一头看去。嗯?那是吗玩意儿?再往前跨一步,阎超的眼球近乎惊爆,浑身猛一颤抖,单腿跪在地毯上。他看到斜躺在沙发上的上半身人体。可是,肩膀上却空空如也。

"啊!无头尸!"他勘察过无数杀人现场,从来没见过如此惊悚的尸体。脖子上是一个碗大的血洞!血浆染红颈线下的丰润白乳。

阎超好不容易才缓过神来,用左手撑起半拉身子,右手紧握手枪。他躬身又往前蹭过两步,把准星对准女尸的胸口。只见一把长约二十厘米的双刃刀插进死士的左胸。尽管他已从无头尸上冷静下来,可是他的双膝还是禁不住抖动了一下。

8　　　他扫一眼尖刀,刀把上刻着"燕国"两个金色篆字。凭多年的办案经验,他不难推测,凶手企图用尸首分家给警方出道难题,好让这个无头案成为永久的悬疑。这大澳洲也忒荒了,埋个人头,不就像往海里扔枚小针吗?好小子,够油,够狠!他把眼神转向半敞的书房。

阎超把手枪插进棕色枪套,往前挪一步,从上向下审视起来。

被害人左手捂胸,右手张开。啊?右手怎么残缺不全?食指和中指的上半截儿吗地儿去啦?他低头寻摸,在红地毯上找到横七竖八的惨白断指。一只玻璃奶瓶横躺在两截残指之间,滴漏的雪白奶粉散发出喷鼻香气。

他戴上无纹塑胶超薄手套,蹲下身来,跟做手术似的,小心翼翼捏起断指;又像收藏珍贵文物一般,把它们封进塑料小口袋里。

他扬起鼻孔,使劲吸吸气,从死者的下体闻到一股异味。他蹲下来一瞅,发现死者大腿之间有摊浓痰状的玩意儿。阎超掏出棉签儿,在黏液上来回抹抹,塞进另一塑料袋里。

阎超刚要直起腰来,脚下的一个疑点又把他的眼珠拉回来。深红的地毯上暗藏一个红不拉叽的小点儿,像粒红豆。他掏出兜里的微型放大镜。啊,是滴血迹?要是案犯的血,那可就万事大吉啦!他用小刀把这块儿地毯切割下来,小心密封起来。

地毯上还有一串十号男鞋脚印,是从门口延伸过来的。杀手显然把院儿里的泥土踩了进来,鞋码的大小也跟草地上的足印差不多。他顺着鞋印一步步跟过去,在沙发上方的一把刀鞘下停下来。刀鞘上镶嵌的红绿两色相交的龙凤图案，与插在女尸上那把"燕国"匕首刀柄上的图案正好首尾相顾。

他打开别在左肩的随身对讲机，一歪脑袋叫道："喂，我是001。马上派人过来！"

他跑回书房，冲查尔斯急吼："人头呢？"

"我哪儿知道！我儿子也不见啦！"查尔斯抬起耷拉着的脑袋。

"还有孩子？"

"嗯，被人给闷死啦。"

"尸体呢？"

"宝宝房！"

阎超掉头就冲进保育室，直奔摆在墙角的婴儿床。一只绣花枕头压在一块黄色毛毯上。他提起枕头，揪起毯子上角儿。啊！一个红得发紫的婴儿头像一只大茄子一样浮出水面，吓得他扔开枕头，手握枪把儿。婴儿双目紧闭，口中塞着一条围嘴儿。阎超再掀开毛毯下角儿，婴儿的手脚肿得像四个圆面包，指甲紫红。

他跳回写字房，指着查尔斯的宽脑门儿大吼："这么点儿的孩子，连话都不会说，竟然下如此黑手！说，你干的吧？"

"我要逮到凶手，非把他头拧下来不可！"查尔斯也发了脾气。

10

"嘟——，嘟——"寂静的小街警笛大作。

阎超把查尔斯押出凶宅，像扣篮一样，把查尔斯的大头按下警车门框，塞进茶色车窗里。

一辆接一辆竖着锅状天线的新闻转播车接踵而来。阎超拉上一条蓝白方格交错的警戒线，把记者和居民挡在凶宅外面。

11

凶宅里，阎超指指点点，让取证技术人员对凶宅进行地毯式排查，精心采集现场所有的指纹、鞋印、血滴、黏液和一切可疑之物。闪光灯发出一道道刺眼的白光，像一束束闪电打在血肉模糊的尸体上。身穿白大褂的法医把两具尸体用白单子蒙得严严实实，抬上担架车，推上红白顶灯交闪的救护车。

阎超刚要迈出铿锵正步，又转过头来，在凶宅里原地立正。他的小眼珠子往书房转过去，思摸起那台神秘的电脑。查尔斯为吗守在电脑前？他重回书房，戴上手套，在"进入"键上一击，平板显示器上亮出多媒体视窗。他点击视频播放器，一排录像片罗列出来。最下行那个代号"MOV011"的条目上显示的是今天的日期。他用鼠标一点，液晶屏上"呼"地闪出一张白页，显出"空白"的字样。

"谁干的？"他拔掉插头，抱起电脑机箱就跳出房门。

12

阎超刚一从宅门露出头来，等待多时的记者就像群鸟突见空中抛来面包，伸出长嘴，七嘴八舌地争起食儿来。阎超站在一棵大树下，干咳两声，对着长短镜头宣布："今天早晨，住在此宅的母子俩何莉莉及其新生儿奥利弗·卢连环遇害，死因不明。希望民众大力协查，请知情者拨打灭罪热线电话。据受害者的遗物显示，何莉莉乃海外留学生，年方二十八岁，某大学的文学博士生……"

13

阎超把查尔斯推进悉尼 A 区警署的审讯室，劈头就问："是你的'杰作'吧？"

"这俩人，一个是儿子，一个是女友。你说，我下得去手吗？"查尔斯使劲攥着拳头，把手心里的 U 盘塞进裤兜里。

阎超伸出食指，一指对手的大鼻子。"你不是说，是你老婆吗？"

"噢，莉莉给我生了儿子，我就把她当成媳妇儿啦。"查尔斯晃晃头，厚厚的金黄长发随之扇动。

阎超漫不经心地听着查尔斯的答话。他要从中找出破绽。贼喊捉贼的主儿多了去了，有一半以上的谋杀案系配偶所为。阎超隐约感到此人讳莫如深。这个嫌疑人一回悉尼，他的姘头和私生子就被杀掉。不早不晚，怎么这么巧？

"你的护照和机票！"阎超用食指抹下小胡子。

"哦，全在这儿呢。正好证明，我当时不在场。"查尔斯的蓝色眼神往蓝得发紫的护照封皮刺去。

阎超一看飞机抵达时间，心里一惊。何莉莉家离机场只有十几公里之遥,加上堵车,撑死半小时也到啦。这个查尔斯,为吗直到八点半才报案?他具备足够的作案时间。作案动机也显而易见。他怕在配偶面前暴露真相,便赶在回家之前杀人灭口,然后制造一个何莉莉被人强奸害死的假现场。阎超的眼里射出一道刀光,似乎非要把查尔斯的嘴巴给劈开不可。"那么,在七点至八点半之间,你人在哪儿? 在干吗?"

查尔斯的蓝眼珠左右移动一下。"噢,我去给何莉莉买了点儿礼物。你知道,空手是没脸见女人的。可是,我刚一到路口,就看见一小个子从凶宅窜出,跳上汽车仓皇而逃。"

"吗人?"阎超一抬眼皮,三角眼聚起两束黑光,直往查尔斯的蓝眼球刺进去。

"卢杰。"查尔斯使劲一踩脚,给自己加上一声助威的鼓点伴奏。

"何许人物?"阎超的鹰眼像只手,一把抠住对方的眼珠子。

"莉莉的死敌!"查尔斯把蓝眼珠子使劲往眼眶里缩。"我敢断定,莉莉的头,就是他砍下来的!"查尔斯把右掌当成一把乒乓球拍,举到半空,有力向下一挥,做出一个斩首动作,像是一记凶狠的扣球。

阎超掏出手机,就像横出一把球拍,一按"免提"钮儿,嗓子都喊劈了:"办犯罪嫌疑人——卢杰!"

11

第一章 网上寻花

14

　　上午十点半,阎超像关公鸡一样,把正在企鹅大学教课的卢杰塞进警车后屁股的铁笼子里。

　　在警署一番拍照之后,阎超又把他的指纹、鞋印、毛发、指甲、齿痕、唾液乃至笔迹等样本一一记录归档。从卢杰的耳垂上抽出几滴血之后,阎超发现卢杰的脊背有几道鲜红血印子! 真逗眼儿,哪有这么寸的事儿?

　　"早上七点,你在吗地儿?"阎超不等卢杰在审讯室坐稳,就用英语审问起来。

　　卢杰动了一下宽宽的腮帮子。"一屋人等我上课呢,凭什么抓我?"

　　"是我在审你。说,干吗来的?"阎超一摸腰带上的枪套,企图用国家机器的威严压住嫌疑人的嚣张气焰。

　　"你什么意思呀? 我要给律师打电话!"卢杰晃了一下枣核儿脑袋。

　　嘿,这小子玩起了障眼法,拉出一个挂名的律师替他把门儿。人犯罪之后就要拼命销毁证据,以掩盖犯罪真相、躲避牢狱之灾。他就是雇来世界第一门将,我也要把点球罚进去。当然,我要声东击西。"你有申辩权,不用白不用。只要把事儿掰扯清了,立马儿送你回大学。"

　　"噗——",卢杰吹口气,像是要把对方的话吹到九霄云外。

　　"其实,你干了吗勾当,全握在我们手心里。可是你自己说出来,跟我们问出来,完全是两种性质。懂了吗?"阎超把拇指搭到食指和中指上,像是要捻出一个"三"来。

　　"别这儿诈来诈去的。见律师之前,我不回答任何问题!"卢杰表面张狂,可是看他用厚手掌摸短下巴的相儿,就能猜出他有多心虚。

"嘿,我说你这个人呀,咋转不过筋呀!你要是足够聪明,就趁早把箱子底儿抖搂出来。"阎超把双手扶在粗粗的腰带上。

"警官先生,我不想冒犯你。但我有权保持沉默,你跟我的律师说好啦。"卢杰把眼神斜到屋角的监控器上。

这小子是怕越抹越黑?看来要对他动之以情,攻破他的心理底线。阎超把英语转换成天津味儿的普通话:"好嘛,卢博士,我不会让同胞吃亏的嘛。只要你把今早儿的行踪择清,有吗事儿,我给你罩着。"

"没事儿啦?那我回去上课啦!"卢杰欠起身子。

"嘿,你可真能逗闷子。"这个大学老师还真长着一个橡皮舌头。在四十八小时之内,如果捞不着证据,他就只能眼巴巴看这小子拍屁股走人。如果让律师掺和进来,那就更是吗实话也问不出了。他从衣兜里亮出一张驾照,用食指一弹上面的照片,眯起三角眼一问:"这女的,你总认识吧?"

卢杰把眼珠转过去,斜眼一瞟。"她?怎么啦?"

"说,你最后一次见她,是吗时候?"阎超盯住犯罪嫌疑人的脑门儿,恨不能给他做个开颅手术。

15

卢杰的意念飞回四年前的北京。那时他正在澳洲的企鹅大学读博士。刚一放圣诞节暑假,他就扎进北京的寒冬,踏雪寻梅。

来首都机场接机的是导师查尔斯·霍歌教授。查尔斯每年都来北京的东方大学讲学,好让他的"汉学家"头衔更有说服力。虽说查尔斯名义上是他的论文导师,可是却像猫不拿耗子一样不爱管他的"闲事儿"。这倒正中卢杰下怀,省得查尔斯瞎指挥。

查尔斯虽说是研究中国文化的学术权威,可是自己所搞的关于《史记》研究的博士论文,足够查尔斯学一辈子的。不错,查尔斯年轻时是在北外操练过几年汉语。可他的舌头毕竟还没将顺,怎能跟我这个北大高才生比试古代汉语?因此,卢杰从来没把这个只比自己大几岁的所谓导师放在眼里。好在澳洲人朴实,等级观念不强,师生关系倒更像伙伴关系。

"嗨,杰,还是一头板寸,在北京更凉快啦。"查尔斯开着大学的公车把卢杰悠上机场路。

"哇,查尔斯,还是那么飒!"卢杰每次看到查尔斯那张组合完美的面孔,就会升起一种造物主对人不公的感叹。自己长得本来挺"高大全"的,尤其咱这张英武的国字脸,逗出多少英雄气概来呀。可是这眼皮一单、鼻子一短、嘴唇一厚、个子一矮、肩膀一溜，跟查尔斯那双勾魂儿的双眼皮、通天塔般的挺拔长鼻子、新鲜得跟柠檬片似的薄嘴唇，还有那肩宽腰细的健美身材，这么一比，自己不成一陪衬了吗？

"查尔斯，你祖先是什么人种？"看，查尔斯笑了，翘起来的嘴角儿老是带有几分嘲讽意味。连同性人都升起一种性倒错的升降感，别说那些春心荡漾的多情女子啦。尤其是查尔斯一举一动都带出来的学者风范，还有从悉尼大都市熏陶出的洋派头，更叫卢杰觉得自己是个丑小鸭。

"英格兰血统是铁定了，兼有德意志的遗传基因，或许还有几分西班牙人的混血。"查尔斯穿一件蓝色的唐装棉袄，又显出几分中国做派。

卢杰怎么看他，怎么像个五颜六色的鬼。可是这个活鬼居然能说中国的"人"话。"我看呀，你更像阿得雷德的中国大熊猫。"

"我是一条中国龙。你呢，还是独行侠？"查尔斯凝神开车，蓝眼珠盯住前方，像个蜡人。

"澳洲的白妞儿，看不上我这身黄皮肤。"卢杰使劲睁睁棕色眼珠。

"哎，舍近求远。中国的美女，比澳洲的总人口还多吧。"

"谁说不是呀！这次，说什么也娶枝北京梅花，种在澳洲。"

"还结婚？哈哈，又一个往婚姻死胡同里钻的'婚'君！结婚就是找个管你的事儿妈。成年前老妈是管教，结婚后老婆是法官。合着这辈子别有自由啦？"

"要自由，你就孤独呗。"

"我宁愿孤独，也不愿与犹大为伍。结婚就是找个分你钱、分你地的人！二十一世纪，只有没出息的人还没离过婚。"

"那你怎么没离？"

"老婆就是地狱里溜出来的恶魔，可是孩子却是天堂里的天使。为了天使，只好与恶魔为伍啦。"

"师娘天天给你做好吃的，多滋润呀！"

"孩儿他妈就是个套餐，好吃不好吃，都得吃。自助餐多好，爱吃什么挑什么。"查尔斯一笑，耸起高高的颧骨。

"自助餐上尽是别人的哈喇子，小心食物中毒。"

"那也不能老吃家里的剩饭。"

"我连剩汤儿都喝不着。"卢杰的门牙凸显出来，拱起上嘴唇。

轿车被机场路的收费卡子挡住去路。查尔斯掏出一张大票，往窗里塞去。

查尔斯的手又回到方向盘上。"在我的人生字典里，没有美女的生活是残缺的生命。只有美女能让男人变成仙人。我几乎每分钟都闪性念头。我攀到令人尊敬的社会地位,图什么? 不就是要抓女人的眼球嘛。性驱动力是人生的根本动力。同性恋也好,异性恋也好,不论人类唱出多么伟大的爱情高调儿,到头来,还不都是归宿到性这个落点上?"

"哈哈,术业有专攻,你改教'性学'更对口儿。"

"我本来就是性'砖家':硬! 只有女性给男人无穷无尽的力量。"

"哎,太太语录:'路边儿的野花你不要采。'"卢杰唱道。

"过门儿要改成:'不采白不采!'"查尔斯哼哼。

"哈哈! 招猫逗狗是要挨罚的呀。"卢杰的鼻尖儿痒痒起来,用食指刮了一下。

"你没看全中国的网民都在玩偷菜游戏? 偷是隐藏在人类潜意识里的极大愿望。偷几只鸡算什么?"

"小心叫师娘逮个正着。"

"连收破烂儿的都有个傍家儿,我横是不能在北京当和尚吧。优秀男人岂能被一个女人捆住? 我不属于任何人,只属于我自己。甭管多白的脸,看久了,也会变成黄脸婆。换女人,应该比换内裤还勤。"

"哈哈哈哈! 你可真是个没熟的柿子——真涩(色)呀!"

"脱了裤子,不都一个味儿吗? 可是,要让每个女人坚信,你只穿她这一个内裤! 所有'媳妇儿'都以为我从不换裤衩儿呢。"

"哈哈,你呀,干脆连遮羞布都免。"

"有人信基督,有人信佛教,我信美女。网络时代让我们尽享帝王之乐。回头,我在网上帮你登个征婚广告。"

"哎哎哎,网上还能娶到好媳妇儿? 我看新闻,一个安徽的小科长,把五百多网女聊到床上,其中包括好多良家女子。一个墨尔本待业青年,也把八百多网络女孩儿忽悠进被窝。"

"这有什么。澳洲有一个富翁,夜夜当新郎。你猜猜,短短九个月,网上媳妇儿给他生多少孩子?"查尔斯把车拐上三元桥。

"九个?"

"胆儿这么小,怎么泡妞儿? 记住,胆大的战胜胆小的。"

"两打儿?"

"再往狠里猜。"

"半百?"

"六十二!"

"什么! 平均每个月生七个孩子。"

15

"所有网妻都跟他住在同一个大院里,彼此亲如姐妹,和睦相处。中国妞儿还达不到这么高的境界,我只好各个击破。上星期,来俩外地网友。我给她们安置到不同饭店,轮换'招待'她们。其中,那个上海妞儿就是个盘丝洞。临上飞机,非让我用高射炮把她送上蓝天。从机场回来,还有一块'绿茵场'等我'践踏'呢。当然,我从不亏待小妞儿。这两个大学生,我一人给她们三千澳元。"卢杰知道他这个导师爱显摆。

"哇,够她们活一年啦。"

"凡是给你性快乐的女性,都值得感激。那点儿小钱,是我对她们的一点儿敬意。与她们给我带来的快感相比,还抵不上一个零头。"看导师这张脸,红润得像是鲜猪肉。

16

卢杰回到北京的父母家,并没把太多时间花在孝顺老迈的父母身上,而是四处托人给自己说媒。亲朋好友都是"干打雷,不下雨"。

正在性苦闷,查尔斯以"小袋鼠"为网名帮他在"网上之友"注上册。他也不知道查尔斯怎么变的戏法儿,连自己都被网上的卓尔不群迷倒。那张一表人才的照片是从哪儿冒出来的呀?噢,对了,那不是去年在查尔斯家拍的吗!

17

那天,卢杰参加查尔斯的生日派对,站在小洋楼的观景平台把酒一杯,凭栏远眺。

楼台被后院的郁郁花木拱抱在半空。悉尼歌剧院那几片白里透黄的贝壳就悬浮在他的皮鞋尖儿上,像是给他的黑鞋打蜡。湛蓝的悉尼海湾放出一道道"青龙偃月刀"状的卷浪,推着歌剧院的白帆,朝他滚滚而来。千姿百态的白云轻轻拍打在悉尼跨海大桥的黑脑勺上,现出一幅仙女下凡的幻境。他在悬台上挺胸抬头,目光坚定,自信早晚他也能买下如是"庄园",与一位心心相印的仙女尽享雅静生活。

"咔!"他低头一看,只见查尔斯正把仰角镜头对准自己这张气冲霄汉的国字脸,以身后这些人上天堂的景物为背景,用快门捕捉到一瞬顶天立地的豪气。卢杰那身高档黑西服更把他托出几分高大挺拔之势,俨然是个澳洲华侨大佬。

"哎,阿曼达,认识一下,这是杰,我的博士生。"查尔斯对身边的妻子介绍。

"你好,杰,欢迎光临!"阿曼达彬彬有礼。"你爱人呢?"

"哦,没有。"卢杰一挠脑壳儿,把刚才那股托塔天王的劲头给搔成一副孙猴子的抓挠相儿。

18

卢杰在父母家的宽带上窃喜。嗯,有眼光,查尔斯把这么唬人的照片传上"网上之友",无异于为自己撒下一张渔网,就等大小鱼虾愿者上钩了。

问题是,除了那张照片还有几分似曾相识外,那些注册资料就像一部虚构作品。离异被美化为"单身贵族",好像他的"处男"身份比贵族还纯。他也排除母亲生他那天的万难,一下子晚产五年。生日像是中彩一样,恰巧就诞生于元旦的零点时分。不经任何大学考核,他就提前在网上戴上一顶博士高帽。无需苦做学问,他的职称也从助教一跃成为澳洲名牌大学的副教授。薪水从澳元直兑人民币,管叫那些物质小姐对此君刮目相看。

在他那张气宇轩昂的照片下面,查尔斯还为他配上一首求爱小诗:

众生芸芸,
只把你来寻。
网络一线牵,
空中把梦圆。
相遇不偶然,
那是好机缘。
眼球欲望穿,
将你网名唤。
网络虚拟,
只盼真你。
揭开网纱,
共筑一家。
等待纵然痛苦,
想你也是一种幸福……

19

虽说卢杰以留学名义混入澳洲,但是他眼睛所盯住的还是外汇。配偶说是来陪读,实际上在工厂苦打几年工。俩人好不容易才在悉尼郊区买下一栋破旧的老房,并没有实现大发洋财的黄金梦。他只好进澳洲大学回炉,重新用英语读一遍本科,这才挤进澳洲公务员之列。一数外钞,也没比当年干苦力多捻几张大票。

他不甘命中无财的命运,坚信书中自有黄金屋,又向硕士学位进军。自己在北京本来就是助教。没想到,旅澳数年,转个怪圈,原地踏步,又在悉尼回到助教的位置。要是留在国内,如今怎么也排到二级教授干干了吧?更让他汗颜的是,同事们几乎全有博士头衔。看来只有把这些博士生导师熬到退休,才能轮上自己当教授。

这天,卢杰兴冲冲妻子报喜:"哎,老婆,天大的好事儿,查尔斯收我为徒啦!"

"读博士?那要花很多外汇的。"妻子给他泼冷水。

"哎,我们可以先把房子卖掉。等以后我当上教授,再买好的!"

媳妇儿本来就对他的穷困潦倒哀其不争。"去去去!当年一块儿来的留学生,如今都靠打工买了第二座房子、第三套房产。唯独你这个书虫,一直像范进那样没完没了啃书本。范进好赖还中了举,你可是越学越穷。"

"不学无术,就只管物欲横流了。看来,不攀到世界首富的脚尖儿上,你的脚步是停不下来的。"

"废话!人活几十年,谁不想过舒服点儿?你要攀登博士高峰,那就上山当和尚去吧。我们娘儿俩可不陪你睡雪地。"

卢杰净身出户,搬进学生公寓,重温单身生活。跟她志不同、道不合,还不如短痛一下,别让她的近视眼毁掉自己的远大"钱"途。

20

卢杰拿起父母家的电话,给查尔斯拨通手机:"哎哎哎,我可不想当南郭先生啊。"

查尔斯从话筒里传来哈哈一笑。"你要是现出原形,就打光棍儿吧。"

卢杰听查尔斯说北京话,怎么听怎么像加拿大的大山。"那也不能瞎白话儿吧。"

"连那些介绍对象的还拣好听的说呢。在网上,没有不忽悠的,只有忽悠得不够的。"

"哎,咱们在澳洲,不都是实话实说吗?"

"澳大利亚崇尚诚信文化。你不实诚,没人跟你玩儿呀。"

"中国文化的好,你不学,净学坏啦。"

"这叫入乡随俗。学坏容易,学好难呀。中国自古以来就指鹿为马,上行下效。在中国文化的假大空氛围中,你能出彩的就是玩玩功夫那种故弄玄虚的花架子。"

"中国文化的终极价值体现于孔孟的中庸之道。"

"中庸之道的高明之处正在于似是而非。貌似真话的背后往往隐藏着更大的谎言。而且,实话往往把人引向偏激和绝对。有时,说真话是要坐牢的呀。"

"那也不能自欺欺人吧?"

"人们每天都拉着高尚、正义、神圣、宗教乃至爱国的虎皮大玩造假的游戏。人为了达到利己的目的,什么秀作不出来?尤其这里,骗子当道。说谎是人类的第二天性。起码,你比那些政客和商人诚实多了。要泡美女,先把自己包装好。买个耳麦,用甜言蜜语把美女的耳膜击穿。再配个电脑眼,演个脱衣舞都没问题。"

"哈哈哈哈,你这国际老玩儿闹!"

一封封电子邮件果然如蚂蚁般向卢杰的邮箱爬来。他连打电话,再接"网上信使",成天跟那些素昧平生的网上玩家套近乎。好不容易撞上个见面的机会,女士们仿佛碰上"猪流感",一去不回头。

女士们不仅被他的短小身材吓跑,而且还不难从他的神侃中发现,不是他的生日与属相风马牛不相及,就是他的职称与学位驴唇不对马嘴。连最老实的姑娘都能意识到,一个连属猫属鼠都搞不清的人,一个去办证小贩地下室买假博士文凭的家伙,不是骗子是什么?

21

卢杰顶着北京六十年以来最大的一场雪,邀查尔斯到海淀区的"夜来香"茶艺馆品茶取经。

他踏在厚厚的白雪上,感觉就像踩在沙沙作响的砂糖上。他的皮靴埋进松软的"白糖"里,觉得脚跟儿都甜,一直甜到脑门儿上。大雪如奔流的河水,直冲脸上横飞过来。在悉尼这个温室保暖多年,他都快想死北京的三九天啦。三十八年前的腊月,他生于斯。从小,北京的冬天性格就给他生活的勇气,让他敢于在刺骨的西北风中像眼摸前儿的雪花那样狂舞。多阴沉的天儿,只要让北风那么一吹,风过天蓝。蓝天、白雪、甜空气,啊,鼻子即使冻下来,也值。

服务员把俩人引入一间幽暗的雅座。里面封闭而隐秘,与澳洲咖啡馆的敞亮乃至露天的风格大唱反调。卢杰觉得不像来喝茶的,倒像是与"同志"地下幽会。

卢杰脱掉浅灰色羽绒服,为美男子导师倒上一盅香茶。那讨好的神态颇有几分初试同性恋的扭捏。"查尔斯,今儿你可好好给我当回'导师'。哎,我怎么见一个吹一个?"

"追姑娘嘛,就跟踢足球一样,见缝插针,不放过任何破门机会。没机会,也要削尖脑袋创造机会。进球,是男人的天职。"查尔斯把棕色真皮大衣搭在橘黄色沙发的扶手上,跷起二郎腿。

"老让女人把球扑出来,我腿都软啦。"

"泡女盆友(朋友)嘛,倒下九十九次,只要站起一次,你就一飞冲天。来,我手把手教你几招儿。"查尔斯从鳄鱼皮电脑包里掏出笔记本电脑,放在俩人之间的藕荷色茶几上,长手指像钢琴师那样潇洒地在键盘上弹出一面面色彩鲜艳的网页。

卢杰移过沙发,扭脖子一看,"阿哥网"、"处女网"、"红楼西厢网",还有什么"亚当网"、"夏娃网",如一片片爱的波涛,纷至沓来。一张张俊男靓女标准像涌上液晶屏,像是纷纷下凡的金童玉女。卢杰只恨没像《西游记》里的杨戬那样长上三只眼。

"哇,整个一个人肉大搜索呀。"卢杰还没饱足眼福,查尔斯就换了一个"异国之恋"网。一张张玉照比天上的仙女还多。

"看看我的广告词吧。"查尔斯点开自己的征婚启事:

悉尼教授,四十四岁,活脱脱一个施瓦辛格。浑身的肌肉没地儿使,就等MM在哥的二头肌上跳芭蕾。擅长用中、英两种语言打情骂俏,管叫你笑得跟见了卓别林似的。征求邮购新娘,邮资七个零以上。嫁妆费虽高,却保你过高品质生活,共筑爱巢,颐养天年。我在悉尼等你——大鹏鸟。

卢杰咂舌:"大鹏鸟?你的网名吧。哇,你明码标价,谁买账呀?"

"嘿,价格一天比一天飙升。有个小妞儿标价六百万,没几天就让一华侨'买'走。这网挂着多少出国的准妞儿,知道吗?起码十万!你看,追我的人多了去啦。"查尔斯把鼠标点在"追求我的人"一栏,后面的红括弧里标出三位数。

"哇,超高点击率,能组一个驴友团啦!"

"来,查查我的邮箱。"查尔斯说着快速输入一串密码。十三封神秘的短信有如一栋准备爆破的十三层大楼,就等按下遥控电钮。他把光标点在一封主题为"桃花为你盛开"的邮件,一排粉字夺目而出:

大鹏鸟,鲜桃只为一人品尝,不当百分之一哦。鲜桃。

卢杰被"鲜桃"吸引。"我怎么觉得跟吃了猕猴桃似的。"

"哈哈,看我将她一军!"查尔斯一抖手腕,"噼噼啪啪"地抖出一行行蓝字来:

鲜桃:你好! 你的人气儿比我高多了。哇,铁杆儿粉丝高达四位数。不过,我自愿加盟,与万众才俊分享一爱。大鹏鸟敬上。

鼠标器"咔"的一响,回信刚一发出去,查尔斯就对几个花里胡哨的彩标连击数下。"来,看看她长什么样儿。"电脑里发出"刺啦"的行军脚步声,徐徐推开视屏的神秘池门,迎出网络一仙女。

"啊!"卢杰的眼睛看直了。"鲜桃"紧裹黑纱,双臂交叉在挺翘的酥胸上,裸露的双肩和长臂露出滑嫩美肌。一双水灵灵的大眼睛柔情万种,像条美人鱼;一口饺子状的薄嘴似笑不笑,让卢杰看一眼都能动心一辈子。

"哇噻! 极品美人!"卢杰惊呼。

"看上啦?"查尔斯瞟一眼卢杰。

"巴掌脸上有那么双大眼睛。美! 她一出现,谁都变丑了。"

"送你啦。"查尔斯端起一樽金边儿茶杯,喝口茶。

"啊?"

炫铃响了一声,查尔斯把茶杯往茶几上一磕。"啊,'鲜桃'回信啦。"查尔斯点回邮箱:

大鹏鸟,你是那种飞翔蓝天而又脚踏实地的男子汉吗?如果你渴望唯美、浪漫、别致而又真切的爱情,我愿伴君飞往天涯。大鹏鸟:你想试试吗?

卢杰面带尴尬道:"你看,情话是写给你的!"

"回头你以'大鹏鸟'的名义给她回个信,不就成了吗?"查尔斯用叉子往嘴里送进一块"拿破仑"蛋糕,紧闭薄嘴皮,香香地细嚼慢咽。

"穿帮就现了。"卢杰扫一眼闪闪灭灭的指示灯。

"我不说,谁知道?"查尔斯点回"鲜桃"的彩照。

"够意思。这么盘儿靓的尖果儿,我见都没见过。"卢杰的眼睛勾住彩屏。

"网上大美妞,网下见光休。虚拟世界给大家戴上一副粉色眼镜,上了妆的照片能把妖精变成天仙。我先给你打个预防针,省得到时你太失望。"

"甭管怎么说,先照一面再说。"

"看,她的个人资料。"查尔斯一点鼠标。"嗯,标准 M 计划小姐:'见多识广,心地善良,厨艺超群。'看这儿怎么写的:'差一厘米一米七。虽说步入成年尚未几年,但是潜伏人生已然多时。三围恰到好处,既不缺斤短两,也不会被十二级台风刮倒。既有 A 型血追求完美的血性,又有 B 型血海纳百川的风范。虽属仙后星座,可还是尘世一凡女。'"

"学历呢?"

"这儿呢:'虽然正在攻读硕士,但戴上西方最牛大学博士帽才是牛事。您能帮我进入牛市吗?如是熊市,一切免谈!'"

"查尔斯,只有你这样的大教授,才能帮她圆这个梦呀。"

"傻小子,等你当上讲师,不也能带徒弟吗?"

查尔斯正在慷慨激昂,兜里的手机长鸣不已,显得挺执著。

"哪个美眉吧?"

"哎,'鲜桃'!"他一把卸掉手机的电池。"我不能接。一会儿抄下手机号,回头跟她直线联系就是啦。"

"瓷器!"

"好啦,现在上你的'网上之友',看看有没有上钩儿的龙鱼。"查尔斯把笔记本电脑推到卢杰那边儿。

"看到'鲜桃',我谁也不想看啦。"卢杰显得有点儿若有所失。

"瞧,还真有一条!没准儿更大。"

卢杰正要点开邮件,"嘣"的一声,电脑扬声器发出一声悦耳的电子鸣叫。

"嘿嘿,有人给你发即时信息啦。来,链接 MSN。"

卢杰一点鼠标,一行英文弹上眼来:"嗨,小袋鼠,在线吗?"

卢杰打出的字像蜗牛爬行:"嗨,在呀。你是哪位?"

"我叫劳拉,悉尼姑娘。我给你发的邮件,看了吗?"

卢杰对查尔斯说:"瞎啦,准是那封没打开的信。我怎么回答?"

查尔斯拉过电脑,手如穿梭地打出一句谎话来:"啊,我正要给你回信呢。"他扭头冲卢杰说:"真面!你这么手潮,捞上岸的鱼也会跳回海里。看我怎么逗她玩儿。"

"哇,真没想到,在网上撞上了你。我真高兴,宝贝儿。""劳拉"打出的红字如一团团火球,直往显示器上滚来。

查尔斯迅速还击："没有想不到的,只有做不到的。"

"对,我还没做到的,就是交个亚洲男朋友。"

"你喜欢亚洲人?"

"你的耳朵多性感呀,让我联想起倒卧在子宫的胎儿。宝贝儿。"

"我就是你的宝宝。"

"看我的照片了吗,宝贝儿?"

"噢,看啦,看啦,典型的西方美女,真叫我看不够呀。"查尔斯边打边向卢杰传授攻女绝招儿:"夸女人是赢得芳心的第一步。看我怎么勾她的魂儿吧。"查尔斯边说边敲键盘:"啊,你比梦露还迷人啊。"

"我好开心啊,宝贝儿。"

"我要冲进电脑,拥你入怀。"

"你真可爱,宝贝儿。"

"我一见你就发烧。"

"我对你也挺'感冒'的,宝贝儿。我过去交的网友,不是太乏味,就是太固执。还有一个,非拉我去加拿大。我哪儿也不去,就待在澳洲。"

"幸好没成,不然就没我什么事儿啦。"

"我有三个孩子呢。两儿一女。两个儿子都上大学了。只有小女儿还在读中学,跟我住一起。"

卢杰一脸失望。"啊?她都有那么大的女儿啦。"

查尔斯挤眼一笑。"花季少女。到时你把母女俩都给办了,不就齐活了吗?"

"哈,雷言。"

"还得雷人呀! 好莱坞电影《毕业生》,没看过呀?"

"我可不是洋人。"

查尔斯晃晃金表,继续给"劳拉"打字:"亲爱的,你可真有福气。"

"我十七岁就未婚先育啦。"

卢杰在一旁品头论足:"整个一失足少年呀。"

查尔斯向卢杰透底:"我十七岁时,起码有一个排的女朋友。要不是我节育,早就有一个连的儿孙啦。"

"哎哎哎,别人穿过的衣服,我可不穿啊!"卢杰拉拉袖口。

"哈,那你只能找十三岁以下的结婚啦。"查尔斯把食指竖在嘴前:"嘘,俘虏女人的要义是:宽容。认识你以前,她跟多少人上过床,关你什么事儿?"说罢他"啪啪啪"地打出字来:"你闺女即是我闺女。以后我们再播些种子,满院子都是咱们的爱情硕果。"

23

"这要看他爱我有多深啦。"

"比悉尼的情人港还深。"

"那就给他兜几个小袋鼠。"

"我希望我们的孩子像你——金发碧眼。"

"我倒更偏爱黑头发、黑眼睛。"

"正好互通有无。"查尔斯停下手来。"人不但最爱自己,而且还希望别人最爱自己。征服女人的第一步,就是学说'我爱你!'这三个字,是行刺女人心田的利器。一个'爱'字,能把她们蒙得五迷三道。人就喜欢听自己想听的话,即使是假话,也当真话听。"

"你是什么星座?"

查尔斯解说道:"这洋妞儿变相打探你的岁数呢。记住,网上生日,就是你的笔名。从此以后,你不再叫周树人,就叫鲁迅。"

"我每次约会,说的都是真生日。"

"打,还不招供呢。这就是你栽给网友的原因。女人天生就是特务,疑心最大,最会绕着弯子测谎。一句话走嘴,立马儿前功尽弃。"

"哎,虚构事实可犯诈骗罪呀。"

"这个地方,除了人还没克隆出来,什么假玩意儿造不出来?圆个谎算什么!记住,轻信是人性的一大弱点。"

显示屏上一再催问:"喂,小袋鼠,还在线上吗?怎么不回答……"

查尔斯赶忙翻动手腕,打出一行力挽狂澜的文字:"啊,甜心,我刚查到我的星座:天蝎座。"

"哇,诞生日呢?"

"一月一日。"

"真的?元旦?"

"这就叫幸运。你跟我在一起,肯定是好运不可阻挡。"

"这么说,你刚过三十三岁生日?"

卢杰见字赶紧向查尔斯声明:"嘿,我都三十八啦。"查尔斯并不理他,只顾埋头打字:"对呀。要是早相识几天,我的生日就不会过得左眼瞪右眼啦。"

"我都三十七啦,比你大四岁呢。你不会嫌我老吧?"

"女士四十最迷人。你现在恰到好处,还是一朵花骨朵,含苞欲放。"

"哈哈。你说得我心花怒放。你结过婚吗?"

"当然没有。我还是童男呢。"

"当真?"

24

"不怕你笑话。"

"你不会说你有病吧?"

"我壮得敢跟C罗抢球玩儿。"

"你有多高?"

"一米八六。"

卢杰急得跳了起来:"你这么写,到时我怎么见她?别的可以忽悠,个子可是一厘米也拔不高啦。"他一看查尔斯的魁伟身材,觉得自己就是好莱坞电影《龙兄鼠弟》中的那个鼠弟弟。

没等查尔斯说什么,"劳拉"就在电脑上赞叹道:"哇,那我得引颈仰望。我才一米六八。"

"你可真掰不开镊子。你说你一米五八,谁见你?记住,除太阳以外,都可能是假的。"他说着在键盘上欢快地敲出:"啊,太妙了!咱俩真是好路配好车啊。"

"哇。我越来越对你有感觉,真想在小镜头上吻你。"

"她想测你的外形,等混出感情再露面。"查尔斯嘱咐完卢杰,接着敲键盘:"电脑相机跟我闹别扭,罢工好几天啦。不过,你可以吻我的照片。"查尔斯从卢杰的U盘选出一张上半身挺举杠铃的照片,给"劳拉"发送过去。卢杰只穿一件跨栏背心,臂膀上的发达肌肉油光发亮,绷着劲儿的方脸显出一派力大无穷的硬汉气魄。

"哇,吻你胸肌。"

"用电流亲你美嘴。"

"什么男人能过我的电,知道吗?"

"舍我其谁也?"

"我的男人一要浪漫,二要幽默,三要长相守。你具备这三个条件吗?"

"嘿,宝鞘归剑,天衣无缝。"

"是其中之一?还是样样具备?"

"跟我在一起,你别想合上嘴;全是笑,全是意外惊喜。"

"敢在当街吻我吗?"

"当众跳脱衣舞都行。"

"哈哈哈哈!"卢杰大笑。

"投其所好,勾起她的兴头,是搭讪网妞儿的另一诀窍。"查尔斯教道。

"劳拉"的回言早已打来:"哈哈,现在就想见你。"

"快来北京,立竿见影。保你蜜月甜甜,爱意绵绵。"

"这杆儿立得也太快了吧。谁知这女的背后有没有男人?"卢杰自言自语。

"我尽地主之谊,包吃包住。"查尔斯把键盘打得山响。

卢杰看得脖子发酸。"嘿,你倒挺大方啊。"

"这叫真实版广告。鱼见食儿而不见钩儿,让她结结实实吞下诱饵。"查尔斯扔给卢杰一个白眼。

卢杰正欲争辩,一看"劳拉"打回的对话倒是不黑:"还是等你回澳洲吧。"

查尔斯一划拉键盘:"机票报销,只管火速裸飞过来。人生比飞机还快,我真等不及啦,我的爱。"

"不不不,这不符合我的做人原则。"

"那好。反正我已经跟你挂好'爱情'号,到时你可别不叫号呀。"查尔斯打完字,侧身嘱咐卢杰:"什么都应下来,给她画张大饼,是'取'妹的一大攻略。"

"我等你,宝贝儿。一回澳洲,就给我打电话呀。"

"飞机直降你家后院,我在草坪吻你!"

"啊,我都醉了。早点儿回来吧,宝贝儿。"

"放心,宝宝,我不会放过你的!"

"吻你的嘴。""劳拉"打出一个飞吻符号。

查尔斯也用键盘亲吻:"吻你的炫白牙齿,吻你的柔软舌头,吻你身上的每一根儿毛儿!"

"你真浪漫,宝贝儿。毋忘我!"

"我先在梦中与你相会,亲你爱你!"

"吻别啦!"

卢杰长出一口大气,才说出话来:"哇,真柳。不知道的,还以为你们是老夫老妻,生死离别呢。"

"这些澳洲妞儿来得急,也去得快。必须趁热打铁,尽快混熟。没有追不上的美女,关键看你敢不敢追、怎么追。女孩子,只要单独跟我待上三十分钟以上,我就有办法跟她们玩 do、re、mi'爱情三部曲'游戏:拉手,嘴对嘴,拥她入怀。"

"照这样下去,网上还剩几个好人呀?"

"这叫空手套白狼。上俩月网,你就全明戏啦。当然也有玩感情的,弄不好就把自己给玩进去。"

"我可是正经八百要找另一半啊。"

"啊哈,把希望寄托在网上呀,你就是一个短路电脑! 好花儿早让别人摘走啦。一个女网友，每天被成百上千的色狼逛来逛去的。哪怕有十分之一的花男约过这妞儿，其中再有我这样的摘花能手，一朵美人蕉，要被摧残成什么样儿?"

"你拉我上网，不往沟里带我吗?"

"你可真磨叽。网上终究是藏龙卧虎，万一碰上嫦娥呢。"

"别再出个妖娥。"

"不是冒出个'鲜桃'吗?"

卢杰一拍后脑勺。"噢，对对对! 就怕可遇不可求呀。"

"见面之前，好好捯饬捯饬呀。看你这头雪花儿，非把'鲜桃'给吓到南极不可。"

"这才本色嘛。"卢杰挠挠斑白的头发，头屑像雪花儿般飘落下来。

"染黑头发，年轻十岁。"

"弄那假干吗? 什么样儿就什么样儿呗。"

"粉饰自己是人的本性。迈克尔·杰克逊为了装成白人，连皮肤都给漂白了。你焗个油儿算什么?"

22

卢杰一回父母家，就拿出"鲜桃"的手机号码;刚摁下两个号码，他的手指就开始发麻。电话一拨通，就等于从蹦极游戏的跳台上迈出脚步，想收是收不回来的。给陌生人打电话，保险吗? 可是我胡汉三又回来了，不就是要背个媳妇回澳洲吗? 跳，摔个脑残也要跳出这一步。

"你好!"话筒里传来干巴巴的声音，像个女机器人。"请在此电话号码前加拨零，此呼叫为长途业务。"啊? 此小姐乃外地妹，见她一面，莫非还要翻山越岭不可?

他刚一撂下电话，那个美得让人捉不着影儿的水蜜桃就在脑海笑起来。他重新抄起电话，果断在号码键盘的"0"上扣动扳机。

"嘟——嘟——嘟——"，铃声在欢唱。"咚咚，咚咚……"，心脏敲出战鼓，就等听筒响起一声标准国语。

"撒宁啦(谁啊)?"话筒里传来的是方言，卢杰也听不出是四川口音，还是湖南口音。

就像在澳洲经常有人把他误认成日本人，他此时也生起一丝张冠李戴的慌张:"噢，您好! 请找'鲜桃'小姐。"

"我就是啊。"听筒里的佶屈聱牙方言换成柔软国语。

"非常冒昧,我叫大鹏鸟,一直想跟您交个朋友。"卢杰的声音有几分发颤。

"哇,大鹏鸟?从专家公寓打来的吧?""鲜桃"的语气如此热情,以至于叫卢杰的脑窦回响起邓丽君的《甜蜜蜜》。收缩的心脏终于恢复跳动。"啊,对对对。我是从北京打来的。"

"啊,大鹏鸟,你说的中国话比我还标准,真不愧是汉学家。""鲜桃"极力模仿播音员的吐字发音。

"啊,过奖,过奖。我怎么称呼您?"他赶紧把话题岔开。

"哦,叫我莉莉好啦。"

"啊,您好,莉莉。很荣幸认识您。"听她的柔声细语,卢杰就像喝了杯可口可乐一样甜在心里。

"我更荣幸,大什么鸟教授?"

"我?噢,查尔斯,跟英国王子同名,好记。"

"哇,欢迎'皇储'来上海参观访问呀。"

28

"噢,您住在上海呀。"

"阿拉上海的变化可大啦,侬来过吗?"她的上海口音越来越重,看来是乡音难改呀。

"做梦都想去。"

"侬来吧,阿拉帮侬圆这个梦。到时请侬逛城隍庙,吃正宗上海小吃。"

"哦,我都流哈喇子啦。"趁有人邀请,既见美人,又游吴越江水,岂不两全其美?

"以后去悉尼,侬可要请阿拉吃澳洲大龙虾呀。"

卢杰跟她越聊越投机,不知不觉聊了一个多小时,大有相识恨晚的依依不舍。煲完电话粥,俩人又继续在 QQ 上网聊。

"啊,那叫一个美!"卢杰打出的字像蜘蛛爬行。

"查尔斯,发张照片吧。"何莉莉打来的美术字像画儿一样。

坐蜡,手头没有查尔斯的相片呀。卢杰急中生智,从电脑里调出一个澳洲西人同事的人头,急发过去。

"老好呀!侬好有男人风度的啦。好福气的长相——大脸,大眼,大耳垂。"

"与你的美貌相比,我只算个猪八戒。"

"哈哈,侬比唐僧还面善。侬来吗?"

"来来来!"要是孙悟空多好呀,一个跟头就能折到大上海。

"面对面敞开心扉,才能擦出爱的火花。就让阿拉这个蓓蕾,为侬绽放出青春的芳香吧。"

卢杰被她的美声所感染。唉,可惜呀,这诗意是冲查尔斯来的。"只是,眼巴儿前我正赶学术著作。书一杀青,你不让我去,我也得去!"他只好在网上玩文字游戏。

"啊?查尔斯,好狠呀,要让阿拉等成老太婆吗?"

"查尔斯",又是"查尔斯"!他一看这个名字,火烙铁的心一下子就出溜到冰河上。真要以这副假洋鬼子的尊容接受女神的"面试",那不只能当个见死鬼吗?他既庆幸查尔斯把何莉莉转让给自己,又担心真相大白后失去这个美人坯子。他找出《易经》算一卦。青蛙见公主,怎样才能瞒天过海呢?

23

在审讯室,当阎超把何莉莉的死讯告诉卢杰时,卢杰的眼珠子定格不动,像个死人。

"案发时间,你到底在吗地方?"

卢杰愣在座位上,一言不发,像个哑巴。

"嘿嘿嘿,问你呢! 装吗傻呀?"阎超在卢杰的眼前挥挥手掌。

"我不知你在说什么。"卢杰的眼珠动了一下。

"嘿,玩儿花活儿?"这小子守口如瓶,滴水不漏,竟敢公然跟警方作对。难道他是教法律的? 这小子显然门清儿呀,一句话说错,就能招致杀身之祸。他在我这儿撂下的每句话,都将成为公诉的铁证。兵不厌诈。"何莉莉,是你杀的吧?"

"说话之前,把好门儿。没证据乱说,是要捅娄子的。"卢杰的眼珠飞转了一下。

"嘿,拒绝合作? 能有好果子吃?"阎超知道监控摄像机正对着自己,不好逼供。是呀,一旦抓错人,对方律师就是索赔个百八十万的,也不算什么狮子大开口。"兴许,你是出于正当防卫,才不得不下的手?"

卢杰用双手蒙住脸。"无可奉告。再说一遍,我要请律师!"

这小子分明是在掩饰做贼心虚的表情。"嘿,煮熟了的鸭子,嘴真够硬的!"

正在僵持,法医鉴定处的分析师怀特博士推门而入,向阎超扬扬手里的白色化验单。

阎超抢过单子一看,方块胡向鼻孔挤去,像一朵绽开的黑郁金香。何莉莉体内的精液样本,还有她指甲缝儿里的皮屑采样,与卢杰的 DNA 指数只有十亿分之一的误差率。

　　阎超返回审讯室,立刻把卢杰从座位上拽起来,把钢硬的手铐往他的手腕上一搭,发出的冷冰冰声儿比铐环还凉:"看你往哪儿跑?"

第二章　上海赴会

24

卢杰被押解到悉尼 A 区第一看守所，在一间黑糊糊的囚室滴水不沾。何莉莉像布里斯班河畔的摩天轮一样在他的脑海里转来转去。

25

那年卢杰回北京探亲，隔三差五以查尔斯的名义与何莉莉在网上约会，日近亲密。

他记得有一天晚上九点整，还没等父母家里的电脑预热，一片密密麻麻的绿字如一队士兵向显示器爬来："阿拉是个宜静宜动的女孩。出得厅堂，入得厨房。简简单单做事，明明白白做人。"

卢杰向来犯之敌投出一枚枚黑色手榴弹："本教授无所不知、无所不能，故谓之博士。本博士就是一部幽默小说。跟我在一起，你就笑吧。"

绿字又似一片机群袭来："我本深谷一幽兰，只有淡淡一幽香。"

卢杰像玩游戏机那样，用键盘支起高射炮，向飞机射去一枚枚重型炮弹："我本澳洲一桉树，深深扎根于幽谷。"

又有飞镖掷来："我是温室一嫩花。"

卢杰用盾接住："无论花开何处，我都是护花使者。"

何莉莉赞赏："侬不但是学贯中西的汉学家，而且还肯定是豁达开朗的洋绅士。"

"新南威尔士雪山就是我的气魄，塔斯马尼亚海就是我的胸襟。"卢杰心想，不把自己吹成神，是泡不到仙女的。

"哇,阿拉真向往澳大利亚的奇山异水。"

"我更倾心你这个人间尤物。"

"阿拉渴望闻到侬的气息。"

"我也想一饱眼福。"

"侬这就看到。"

卢杰对准视频对话框连击两下,一张以庐山为背景的风景照片如一卷油画般缓缓舒展开来。啊,美女惊现。何莉莉甩一头长发,向远方投去一抹明亮眼神。黑色的紧身衣裤绷出婀娜的身条儿。腰间勒紧一条白色束带,更把她的丰胸凸显成一座山峰的剪影。她的细白脖子像木偶那样光滑发亮,白里透粉的椭圆形脸蛋叫黑衣陪衬得恰似卢浮宫里的一尊雕塑。卢杰的嘴都张歪了,尽情欣赏这幅让他心醉眼亮的江山美人画。

何莉莉打来文字催道:"哎,继续聊呀。"

"哇,赏心悦目,再发一张!"卢杰尝到第一口大麻的滋味。

"电脑太硬邦邦的啦。侬过来一趟,不就见到真人了吗?"

"物联网的传感时代即将来临。那时候,即使你我远隔千山万水,我都能在网上感受你的呼吸、你的体温以及你的香艳。上海我是去定啦。还有其他照片吗?"卢杰一心巴望吸食第二口大麻。

"阿拉还有一张泳装的,没给别人看过的啦。"

"我已经把你当成女朋友了,理应享受这种特殊待遇吧?跪求!"

"侬要保证,看完就删。"

"这个眼福,我哪能与他人分享?"卢杰觉得美女就是养眼。

"西人最守信用,是不是,查尔斯?"

"必须的。"查尔斯,查尔斯,这个大美人心里思量的全是查尔斯。卢杰下意识模仿起查尔斯那带有讽刺意味的一笑,这才把妒意挤走。

"嘣——",随着电脑音箱发出的悦耳信号声,半裸可人扑面而来,更让卢杰的瘪屁股坐不稳。只见何莉莉站在海里,用细长的双手捧出一把海水,往自己的美脸上泼去,打出满面鲜花盛开样的浪花。万顷波涛拍溅在长长的大腿上,直往粉色泳装冲去。飘逸的长发被海风吹起,有如迎风飘扬的海军飘带。高胸圆挺上翘,中间深陷成一个 V 形乳沟。乳头喷薄欲出,撑起三点泳衣,有如丘比特射出的金箭,直刺卢杰心头。白嫩的肚皮下是纤瘦的腰肢,腰眼下撑起两轮半圆的肥臀。臀部与双腿浑然一体,把卢杰带进一片高山与河谷交织的梦幻仙境。尚未置身其中,他已被这折射的虚像陶醉得飘然若仙。卢杰用舌头舔舔嘴唇,真想把这块乳白色巧克力吞进嘴里,溶化心田。啊,大海为上帝创造的杰作而掀起巨浪,生活因莉莉这样的女神而大放异彩。

　　在何莉莉的一再催促下，他只好配齐音频和视频设备。每次上网前，他像演员一样，对着那个澳洲同事的照片精心化装一番。他要戴上金色的假发，粘上满脸金胡子；再安上塑料大鼻子，戴上黑框大眼镜，遮住大半个脸。他还要拉上窗帘，让光线暗淡下来。他特意买台廉价摄像头帮他打马虎眼。镜头颤颤悠悠、影影绰绰，反让何莉莉感到好奇。

　　在网络的另一头，电眼美女何莉莉像个电影明星，活泼可爱，柔情蜜意。卢杰越发欲冲进软件平台，把网上新娘揣进电脑，拎回澳洲。

　　"查尔斯，何时探望网上老妻呀？"何莉莉一催再催。

　　"我的魂儿早已飞过，外壳随后就到。"电脑的电流逐渐化成爱的激流。他真想直冲霄汉，够到天仙的脚趾。即使让雷电劈死，也在所不辞。

　　日子就在不经意中溜掉，卢杰不能眼看绝代丽人擦肩而过。哪怕亲眼一睹心中偶像，也不枉世上走一遭。就冲这些日子在网上的亲密交流，她也不至于翻脸如翻牌吧？不管那么多，先飞过去再说。只有迈步前进，城门才有可能被一脚踢开。

26

　　马上就要开庭，阎超急得团团转。卢杰那小子，嘴上戴个铁箍子，死活不吐口儿。仅凭间接证据也许重判不了。只有他自个儿供认不讳，才能万无一失。看来，不给这小子勒上马嚼子，是撬不开他的铁嘴钢牙的。

　　悉尼Ａ区第一看守所的警官健身房没有监控器，这会儿空无一人。他假意提审卢杰，一转身把他推搡进去。

　　"我说，这场猫鼠游戏也该结束了吧！"阎超戴上拳击手套。

　　"我不是老鼠。"

　　"顶撞司法人员？"

　　"没，没有！"

　　"砰！"阎超照卢杰的下巴就是一记上勾拳。"跟警察叫板？"

　　"你？你敢打人？我要告你。"卢杰摸着腮帮子大叫。

　　"啪"的一声，阎超飞出直拳，打在卢杰的搓板儿胸脯上。"还想乍刺儿？告警察，就等于告法律。跟警方合作，可以帮你减刑。说，干吗杀她？"阎超又把拳套伸到半空。

　　"谁杀自己的爱人？"卢杰的嘴被撬开一个小缝儿。

　　"恨人吧！你的暴力倾向极其明显。说，怎么杀的她？""我连蚂蚁都没捻过!"

"妨碍司法,打你白打!"

"砰!"又一速击拳打在卢杰的小肚子上。

27

卢杰飞抵虹桥机场,已经接近午夜时分。出租车把他带到"天上云乡"宾馆,何莉莉的大学就在附近。他已跟她敲定,明天上午十点半,咖啡厅将成为俩人初恋的地方。

他一进204房间,就打开淋浴喷头,把一路的汗臭冲洗干净。不等头发吹干,他就穿上睡衣,钻进被窝。一定睡个好觉。人与人的缘分,往往就在第一印象的刹那之间结下。

他闭上眼,想象明天跟何莉莉见面的美妙情景。是扑过去热烈拥抱呢?还是原地长久注视?要不就献上一朵鲜红的玫瑰,对她说一声:"我超喜欢你……"她肯定会原谅我。投进同胞的港湾,总比登上一艘异国的贼船可靠得多吧?

他兴奋得直在床上游泳。既然睡不着,他索性把何莉莉发给他的几十张玉照拼凑起来,像放电影一样在脑子里一张接一张转起来。她的脸像昙花,在他的脑际一开就谢,谢了又开,仿佛是一堆美女齐往一张脸上争相拼图。泳装那张还没定格,庐山那张又切换进来。卢杰好不容易捕捉到定型模样,这才像刑侦专家画出模拟像一般如释重负,渐渐进入满是花瓣的梦乡。

"丁零——"床头柜上的电话像火灾警报器一般突叫起来,吓得他双脚一踹,踢开半个被子。除了何莉莉,我在上海两眼一抹黑呀。她打来的?肯定凶多吉少。要取消明天的约会?还是突生什么意外?或是我冒充查尔斯的事儿露了马脚?千万别是她的电话。他的手指抽搐了一下。

"喂?"多坏的消息也要听听。

"喂,侬好,先生。阿拉这里的特色菜,侬要尝尝不啦?"电话里传来一个老太婆的声音,嗓音闷得像是从坛子发出来的。

"我刚吃完东西啊。"这么晚了,服务员还有夜宵送上?

"嘻嘻,先生,这里的小姐确实秀色可餐哟,像鲜桃的啦。"

"啊?鲜桃?哪儿呢?"卢杰一听这名儿,慌得忙从床上坐起来。

"哎呀,送侬一小姐,比鲜桃还要鲜的啦。"

"啊?真不着调!"卢杰挂断电话。他住遍澳洲的大小饭店,从未遇过暗门子。虽说他真想做回孤男寡女的艳梦，可是，大老远跑来，可不是来买笑的。明天，自己要像演员登台那样精神抖擞，岂能叫这些"野鸡"把自己折腾个人模狗样儿？

"丁零——"电话又响起来，卢杰再提话筒。

"先生，阿拉是妈妈桑的啦。七五折，好不啦？"电话里传来的还是那个发闷的嗓音。

"我说过，不要，不要！"

"先生，阿拉上海不仅风光美，更是出西施的好地方哟。来上海不尝上海小姐的鲜，不是跑空车吗？"

"什么仙儿不仙儿的，我要睡觉！再骚扰就叫警察啦。"性工作者也不能不讲职业道德吧，哪能随便打扰顾客？

"不识相！"对方"呸"了一声，总算挂了电话。

卢杰一看手表，零点已过。再不抓紧时间养精蓄锐，明天就别想以最佳精神状态在女神面前"试镜头"了。他继续在脑海转那些照片，叫何莉莉的幻影引他入梦。他的眼里越来越绿，慢慢飞入一座绿洞。一道白光打来，后边突然闪出一美女，貌似嫦娥，向他招手示笑。他稍一愣神，美女极速从身边擦肩超过。他一伸双臂，变成一蝙蝠人，扇动黑翅扑将过去。嫦娥在绿洞里越飞越快，他的翼翅也越扇越猛。绿洞前方突然电闪雷鸣，嫦娥瞬间化成一股青烟。正在可惜，他的耳边突然响起一声轻柔细语："嗨，我在这儿呢！来呀！"卢杰又抖双翼，奋力往雾里冲去。虽然他屡屡扑空，可是那声"来呀——"的悠长召唤在迷雾中不绝于耳。他拨开一片云层，捕到一张妩媚笑脸。啊，是何莉莉吧？卢杰穿云破雾，美人离他越来越近。他伸手一抓。啊！幻影顷刻变成一个面目狰狞的老巫婆。卢杰折翼，瘫倒在地上……

"嘭嘭嘭……"好像是敲门声。卢杰一翻身，女巫不见了。啊，何莉莉又踩在浮云上。接下去又响起一串金属撞击声。有人溜门撬锁？卢杰晃晃脑袋，眼皮勉强抬起，又被困意谢下幕去。

"砰——"一声关门的大动静又把他的眼幕提拉起来。射灯像盏灯塔一样亮了起来。他跟过光去，只见一高挑儿小姐，足有一米七八，像只长颈鹿一样把大腿移到他的鼻尖儿上。

"啊？谁？"卢杰用右胳膊撑起脑袋来，再把左手横在脑门上，挡住刺眼的光线，眯起眼缝儿看过去。一张圆圆的脸怎么看怎么像澳洲特产猫头鹰。何莉莉不该这相儿啊。

"嗯呐，咱是你整的小姐袁媛呀。"来人身裹裘皮大衣，浓妆艳抹，操着东北口音。

"圆圆？我要的？"卢杰睡眼惺忪。

"对呀,长夜漫漫,咱陪哥哥唠唠磕。"袁媛边说边解腰带。

"啊？怎么进的门儿呀你？"卢杰吓得坐了起来。

"人到门前必有缝儿。来来来,妹妹给哥松松骨。"袁媛像时装模特那样站出一个丁字步。

"不不不,我不缺钙,骨头不松！你请便吧。"卢杰扬扬手。

"既然来了,就不走啦。"袁媛又像京剧的小生那样一抖裘皮大衣,"啪"的一声,把一丝不挂的玉体亮示出来。

"哎哎,这是干吗？"卢杰的上身直挺起来。

"哥,你一人睡,多孤单呀。有大妹子陪伴,保哥一夜不寂寞。"袁媛坐在床沿,双乳乱颤,就像两袋即将卸货的麻袋。

"去去去,少套词,我只想睡个囫囵觉。"卢杰这才看清她的眉眼。远看,他还真让一对双眼皮大眼睛和肉乎乎的小红嘴给迷住。近看,他才发现扁平鼻子像是湖畔拔起的一根黑烟囱。

"嗯呐,咱也是来睡觉的。"袁媛像泥鳅一样钻进被窝。

卢杰掀起被子,一把将她推下床去。"出去！我没买你！"

"嗯呐。您不满意,包退包换！"袁媛又像东北虎一样钻进洞穴。

"嘿！下去！要不我就喊人啦！"这些风尘女子属于高危人群,弄不好染身艾滋病、性病,没准儿还嗝儿屁着凉了呢。

"小半拉子,咱要是告你强奸呀,一告一个准儿！"袁媛一挺腰杆,上身显得极其"胸悍"。

"什么？你这不是恶人先告状吗？"嘿,这主儿的脸变得比演员还快。

"不想整麻烦,就掏八八八,发发发！"

"给你？凭什么呀？"

"噢,姑奶奶的身子是白碰的吗？"

"嘿,想讹人？没戏！"

"这种事情,谁能整清楚？还是省点儿油吧,免得跟警察那嘎哒打交道。"

"这不是强买强卖吗！哎哎哎,你先把衣服穿上。"卢杰把大衣一扔。

她一伸猫爪子般的快手,披挂在身,从衣兜掏出一串钥匙。"待会儿回大堂还钥匙,要给那嘎哒一笔开门费呢。要是从顾客这嘎哒挣不到钱,就得自己掏腰包。整明白了不？"

"什么？大饭店,这么黑？"

"咱这嘎哒,干哈(啥)不黑呀？黑车,黑球,黑店,黑市……黑的跟白的一样，也得天天干黑活儿，才能天天整到钱。"

"你年纪轻轻，干个白活儿多好呀。"

"你甭小看人！咱可是大学的高才生。为供咱上大学，咱妈咱爸每天刨食儿种庄稼，比奥运会冠军流的汗还多呀。还不是背了一屁股的债！咱得替父母还吧。可毕业等于失业。没钱，咱吃哈（啥）？拿哈（啥）交房租呀？咋整呀？"

卢杰听得出，袁媛极力想用港台影星的腔调压住东北口音，却像港台歌星说普通话一样，怎么听都是大舌头。他用说相声的京腔回敬道："玩儿不了文的，您耍点儿武的也好呀？"

"不瞒你说，咱还真整过几个家政的差事，都是没干几天就被主人给欺负出来。哥，咱堂堂一大学生，受得了那份窝囊气吗？为了还债，不整这，整啥呀？谁天生是干这行的？哥，一看您就是善主。得，就给六六六，六六大顺，图个吉利。"

不就一百澳元吗？卢杰动了恻隐之心，嘴上却说："你也太宰人啦。我只能给你二百五。"

"哈哈，您也不想当个二百五吧？"

"反正我已经够二的啦。"

"那您就再加二百五吧，只当是支援灾区，还不行？"

"这样吧，三三三！一生二，二生三，三生无限。"

"不能够，至少五五五！大堂的姐们儿、妈妈桑，都等着分一杯羹呢。"

卢杰只想快点儿把这小姐打发走："就五百！多一分也没有。"

"好啦，好啦。有跟你费唾沫这工夫，咱还去别处抓钱呢。"她一甩长发，把大衣的腰带系紧。

卢杰从衣柜提出黑皮包，来回拨弄几下锁上的密钥。"嘭"的一声，锁闩弹开。他掏出一捆钞票，抽出五张，又扣上弹簧锁，把密码次序打乱。

袁媛两眼一聚光，比猫儿眼还亮。"啊，哥，听您这口音，不是本地人吧？"袁媛笑出了酒窝。

"我从北京来，专程会网友。"他把胳膊往门口的方向一挥。

"哎呀，哥，网上净是巨骗。您咋敢冒这个险呀？"袁媛原地不动。

"不会吧。社会上还是好人多。我在海外打那么多年光棍儿，没想到在上海淘到一个真宝。"

"哥，你是华侨呀。你在国外待着，哪知国内的日新月异呀。现在这年头，哪嘎哒还有爱情呀？男女凑一嘎哒，不就是互相借用一下吗？咱把话撂这儿，你要是去见那些骗子，非剩条小裤衩儿不可。"

"哈哈，你可真能编排。"

"哎呀，你以为天上掉馅饼，其实飞来一板砖。到处都是温柔陷阱。男人骗色，女人骗钱，冷不防就给你柔媚一刀。哥，与其叫那些网友把你骗个人财两空，还不如整点儿实在的呢。哥，您看咱咋样？年方二十五，青春貌美。咱看您是个厚道人。每月两万五，咱就是您的贴身小老虎。"

"老红军还挣不了两万五呢！"

"哥，您是明白人。这年头，干哈（啥）不说钱呀。现在的歌词都改啦：'你问我爱你有多深，我爱你有几分，这要想一想，这要看一看，你的钱包有多沉……'"

袁媛的抒情歌声让卢杰想起前妻。"哼！如今这世道，真是人不亲，钱最亲！"

"啊哈，您可真是过了时的好人。您包咱，保管随叫随到，服务到家。您上网泡妞儿，钱烧一大把，最后连根毛儿都沾不上。您还得伤多少神，搭多少时间成本呀。"

38   "不会吧？"

"哎哟喂，您看看，连咱这样的大学生都被逼无奶（奈），更别提那些网骗啦。您别看咱干这个，咋说也比那些伪君子实诚。那些人满口仁义道德，一肚子男盗女娼。不瞒您说，咱一见您，这心呀，就'怦、怦、怦'这个跳啊。"她说着一把脱掉裘衣，挂在墙上。手机露出衣兜，歪了一下头。

"心动不如行动，快离开吧。"卢杰连连挥手。

"哎，小仲马还爱上妓女了呢。您不会对咱一点儿感觉也没有吧。哥，为表诚意，这钱您拿回去，妹妹甘愿献青春。"袁媛像甩扑克牌一样把五张钞票甩在床头柜上。她把卢杰的平胸当成跳水台，准备登台跳水。

"别别别，到时我该不能自拔了。"他双手吊在她的白肩上。

"放心，跳得下去，就浮得出来。"她把两只小熊般的高胸贴紧他的鸡胸脯。

当了这么多年的太监，他哪里抵挡得住这般刮骨的温情柔意。袁媛越来越温存，卢杰越来越觉得身体不是自己的了。袁媛像赌场里的大转盘一样在他的心里越转越快，由茶花女渐渐变成梦中情人何莉莉。他翻身跃起，脱掉身上的睡衣，一口咬在袁媛的美胸上。

"嘭"的一声踢门声，把正在丢魂儿的卢杰招回魂儿来。只见两个身穿深蓝色警服的壮小伙子冲进门来。前面的小眼睛警察拧亮吸顶灯，后面的大眼睛警察手持一台最新款 DV 摄像机，把床上的亚当和夏娃拍个正着。

卢杰吓得一把推开袁媛，在床上打俩滚儿，抓起内裤，挡住下身。

"起来，跟咱们走一趟吧。"小眼儿警察抽出别在武装带上的警棍。

"去哪儿呀？"卢杰滚下床来，手脚乱哆嗦地套上裤衩。

"你说去哪儿？全国都在扫黄打非。你们一个嫖娼、一个卖淫，自然是去你们该去的地方。"大眼儿警察一眼扫彩屏，一眼瞪卢杰。

"没，没有！我没有！"卢杰抓起白汗衫，右胳膊往衣袖里钻了两回才穿进去。

"小样儿，还想耍赖？摄像机可不会说假话。人证、物证俱在。你还是快穿裤子吧。"小眼儿警察右手紧握警棍。

袁媛披上裘衣，系着扣子问："警察哥哥，咋处置咱呀？"

小眼儿警察用警棍轻轻击打一下左手掌。"根据《刑法》第三百多少条来的？引诱、容留、介绍他人卖淫什么的，判五年以下。情节特重的，还要判无期或死刑呢。这要看你们具体干了什么。"

"啊？"卢杰刚穿上裤子，就吓得尿湿了裤裆。

袁媛双手插兜："别别别，警官哥哥。咱是按摩技师，顶多也就是有偿陪侍，不算犯罪吧。"

"这么说，是你招来的？"大眼警察一瞪卢杰，扣上镜头盖。

"我没引诱，是她自己送货上门！"卢杰穿上西服上衣。

袁媛跳起脚来。"哎哎，你怎么满嘴跑火车呀？你不点戏，咋进这个门儿？"

"你走后门！"卢杰系上衣扣。

"本小姐走就走正门。看，这是干哈（啥）？"袁媛从衣兜里掏出手机，按动键钮。

彩屏上映出毛片，卢杰正在她的裸体上蠕动。

"啊？你偷拍？"卢杰双手捂脸。

"这叫证据。够判你五年的！"袁媛把手机塞回衣兜。

"你你你……"

"你什么你？"小眼儿警察一眯虾米眼。"容留了吧？连这个小姐都坦白啦，你还装什么江姐！"

卢杰的脸色越来越惨白。"警官先生，是妈妈桑撺掇的。"

"你不容留，谁拉皮条也拉不成。这是嫖款吧？还想狡辩，罪加一等！"小眼儿说着用警棍把床头柜上那五张钞票扒拉进公文包。

"哎哎哎，警察哥哥，念咱们是初犯，就饶了咱们吧。"袁媛拉紧腰带。腰一细，胸部随之隆起。

"政府正在严厉打击'黄、赌、毒'，一个也不放过。"大眼儿说话干脆。

39

袁媛把高胸挺在大眼儿鼻子下说:"警官哥哥,咱们商量商量,私了行不?"

大眼儿差点儿把眼珠子瞪出来。"公了还公不过来呢!市局党委已经下大决心,打掉社会丑恶势力,还百姓一个绿色和谐环境。今儿正好抓了个现行的。"

小眼儿一乐:"这回有奖金拿啦。"

袁媛并不怕警察:"哎,警察同志,你们是人民的勤务员,既抓坏人,也得保护好人呀。这位大哥可是爱国华侨呀。"

"华侨?竟敢在社会主义国家涉黄?"

"警官先生,这位大哥在海外自由惯了,不懂哈(啥)扫黄不扫黄的。您要是把他关进去,还咋回去呀?"

"这是中国地盘儿。谁在这里犯事,谁就要在这里劳教。"小眼儿用警棍顶顶头上的大檐儿帽。

"啊?警官先生,您就给圆活圆活吧。"卢杰一听,裤子又湿一片。

"怎么个活法?"大眼儿斜眼问道。

袁媛冲卢杰挤了下眼,把脸转向大眼警察道:"罚罚款不就完了吗!"

"对,我们认罚,我们认罚!"卢杰知道,人们常常因钱犯罪,又往往用钱抵罪。

"要花多少钱,才抵上五年的牢狱之苦,晓得不?"大眼儿摇着头问。

"多少?"卢杰一天大牢也不想坐。

袁媛替警察抢答:"哎呀,自由无价啊,哥。再者说啦,人民警察出生入死,一个月才挣那么点儿死工资。咱就是给他们捐点儿款,不也是应该的嘛。"

小眼儿接道。"就是。警察专跟罪犯打交道,属于高危行业。我们上的保险,少说也得保个十来万吧。"

"十万,每人才摊五万。拿钱消灾,不多,不多!咱交五万,你呢,哥?"袁媛拉拉卢杰的衣角。

"什么?五万?"

"要不你就干五年苦力。"小眼儿提醒道。

"您行行好,我随身只带一万块。这么晚了,您叫我上哪儿取钱?"卢杰拍拍手提包。

袁媛也苦着脸说:"咱也没带那么多。警察哥哥,你们先收一万,算是首付款。行不?"

"既然认罪态度还不错,那就从轻发落。记住,明儿早十点整,还是这个房间,补齐余款。晚一分钟,就进局子。"大眼儿宣布。

卢杰点头说:"啊,您放心。宁早一分,不晚一秒。"

大眼掂掂手里的摄像机。"嘿,机场、车站、宾馆,到处都有咱们的探头。畏罪潜逃,抓住就是无期。"

"啊,不敢,不敢!"唉,法网恢恢呀。

袁媛拉拉卢杰的胳膊说:"哥,那一方,就先交给人家吧。"

"得嘞!"卢杰把手提包放在大腿上,扭动锁上的数码。

"就算诚意金吧。"两个警察互相对视一眼,用眼珠碰出一个胜利的眼神。

卢杰见状,突然停下来说:"刚才那段录像,能不能给抹掉?"卢杰指指大眼手里的DV。

"现在不行,回头你该不认账啦。明天,咱们一手交钱,一手交带子。"大眼把摄像机塞进兜里。

卢杰又把头转向袁媛。"你的那个三级片呢?"

"哥,咱俩呀,就是骑在同一辆自行车上的连体儿,跑不了。哥,赶明儿咱一起抹,行不?"

"你们说话算话?"卢杰开包掏钱。

"哥,就是骗咱妈咱爸,也不能骗海外同胞呀。"袁媛夺过卢杰手里的钱,传到大眼警察手里。

小眼儿一指袁媛。"离这儿远远的。再敢卖身,交一百万罚款,也得入狱。晓得了吗?"

"晓得,晓得!"袁媛飞也似的逃出门外。两个警察随后扬长而去。

卢杰锁上房门,用睡衣擦掉一脑门子汗,进洗手间大口大口灌自来水喝。啊,国内怎么这么乱呀。他越想越怕,真想逃离这个鬼地方。不行,佳人有约。跑得了今天,跑不了约会。明天不还得回来吗?不辞而别,岂不无功而返吗?见何莉莉是重中之重。再说,毛片还攥在人家手心。要是叫何莉莉发现"嫖鸡门"事件,美人梦就彻底破灭啦。破财免灾,岂能让小钱儿贻误终身大事?

28

次日,海滩银行一开门,卢杰第一个跳到柜台前,用七千澳元旅行支票兑换成四万两千人民币现金。他把两捆两万一沓的钞票塞进西服内兜;再把剩下的两千元扔进手提包。唉,这点儿碎银子,将成为泡妞儿的"最后晚餐"。

29

十点钟过了,仍不见两个警察的影子。卢杰在"天上云乡"的 204 房间来回踱步,把光阴一秒秒踩踏过去。

十点四十分,梦中人已在咖啡厅等候十分钟之久! 不,决不能再耗下去。宁可让那俩警察小子当场揭丑,也不能让美人赌气离去。他抬腿就往门口冲去。正要开门,门抓手却被两个姗姗来迟的警察一把扭开。

"啊,我还以为不来了呢。"卢杰吓得忙把手缩回来。

"哪能呀?"大眼警察步子紧捯,横进身来,用胸肌顶着卢杰的脑门儿,逼他向屋里退去。

"夜里办个大案。"小眼警察紧随其后。

袁媛打个短暂的时间差,几乎是接着他们的风尘探进胸来。她"啪"地打开绿坤包,向警察亮出五沓八成新的粉色钞票。

"你的'毛老头'呢?"小眼儿瞪眼问卢杰。

卢杰张开手心反问:"录像带呢?"

大眼儿从裤兜里掏出带子,举到胸前。

"你的呢?"卢杰盯住袁媛的手机。

袁媛在键盘上连按"删除"电钮。"瞧,没了!"

卢杰伸手就抓录像带。

"慢! 罚款呢?"大眼儿把带子移到腰后。

卢杰转身去拿他的手提包。

"嘭嘭嘭!"急促的敲门声突然响起。

"谁? 还有谁来?"大眼儿眉头一皱,像个侦探。

"不许开门!"小眼儿伸手摸腰。

"是,警察哥哥!"袁媛拔腿奔向大门。

"砰"的一声,门外人抢先推开房门。

卢杰一看来客,吓得右手一软,任手中包落在墨绿地毯上。

袁媛伸出手臂,挡住去路。"你谁呀?"

"警察?"来人身穿紫色皮衣,体态妖娆,双眸亮得照人。

"你是干吗的?"大眼儿的大眼珠子像只乒乓球,猛抽过去。

"请问,查尔斯住在这个房间吗?"来人带着吴语口音,用软软的国语把球削了回去。

多么熟悉的甜音，好似邓丽君的一首情歌。不正是何莉莉在电话里响起的金嗓子吗？"对对对！何莉莉小姐吧？请进，请进！"

袁媛只好把路让开，扭着肥猫般的胖屁股跟在何莉莉的后面，凑到卢杰身旁问道："哥，你认识她？"

卢杰连点小头。"认识，认识！"哇，何莉莉的真人，比她给自己发过的照片更加风采迷人，更加美艳鲜活，更加叹为观止。

"侬是何方神圣？怎么认识阿拉的啦？"何莉莉的黑眼珠在柳叶眉下一横，像两个李子打在卢杰的脸上。

"啊，是这样，何小姐，我是查尔斯的博士生。他在澳洲的家突然出事儿，昨天急着飞了回去。"卢杰把事先编好的话当成见面礼送给何莉莉。

"家？查尔斯在澳洲有家呀？"何莉莉的黑头发浓密得像一泻瀑布，比上好的家具油漆还亮。

"啊，他的房子让人给撬了。我正好来上海出差，他托我一定把信儿带到。"卢杰真怕飞进笼子里的鸟跑掉。

"这么说，查尔斯不来啦？"何莉莉斜眼看看窗帘，看样子不相信这是真的。

大眼儿把胖手掌竖在小眼儿的耳朵旁："这小子是洋人的马仔。"

小眼儿把眼珠往何莉莉身上一斜。"不来啦，不来啦。还有别的事吗？"

"那好吧，打扰啦。"何莉莉的双眼似两条美人鱼，从两个警察的大檐儿帽游到袁媛的裘皮大衣，又游到卢杰的脸上。她的窈窕腰身潇洒一扭，往房门探去。

"哎，等等，何小姐，查尔斯有东西给您。"卢杰赶紧提溜起脚旁的手提包，冲到门口，用身体挡住大门。

"什么东西？"何莉莉转下鱼眼，旁若无人。

她的表情和动作多么优雅。即使她斜眼藐视，也让卢杰感到万分着迷。"哦，您先坐一下，我跟两位先生有事儿要说，说话就好。"

何莉莉把不屑的眼神转向两个警察。"怎么？出什么事了吗？"

卢杰使劲向两个警察挤眼。

小眼警察一扬手说："哦，没事，来拿东西。"

"啊，阿拉有事，恕不奉陪。"她抬起藕荷色高跟儿鞋。

"哎，别别别，就等一秒钟！"卢杰一手夺过大眼手里的带子，一手把提包塞进小眼的手里。"东西全在里头。请吧！"

小眼儿一拉提包拉锁，却被密码锁封住口。"密码？"

"啊，五五五，三个五！"卢杰伸出五指。

"阿拉可耗不起这个时间。"何莉莉扭起紧绷绷的皮衣,伸手拉门。

"啊,我们闪啦。"小眼儿警察夹住手提包抢先往外走去。

大眼儿警察和袁媛跟着鱼贯而出。

何莉莉转过身来。"东西呢?"

卢杰满脸堆笑。"何小姐,查尔斯叫我请您吃顿饭,算是代他赔罪。"

"侬是陌生人,凭什么跟侬走?"她的嘴唇娇嫩得像草莓,他真想一口吞进自己的嘴里。

"我不是坏人。瞧,有'通关文牒'为证。"卢杰从西服上兜里掏出一个深蓝色的小本子。

"澳籍华人?"何莉莉对着护照上的照片核验真人,比海关官员还认真。

"当然,我真正拥有的,还是一颗中国心。就赏海外同胞一个面子吧,何小姐,我也好向查尔斯交差呀。"他觉得她的下巴颏比三寸金莲还叫他着迷。

"查尔斯带来了什么?"

"一到餐馆,立马儿献出。好不好?"卢杰拍拍西服大兜。

44　　卢杰用查尔斯的"礼物"牵住何莉莉的鼻子,带她乘电梯下到一层。他刚要迈出电梯,却见大、小眼警察和袁媛正在旋转玻璃门里往大厅里张望。小眼儿用食指一指卢杰,三人齐往电梯这边冲来。

卢杰用胳膊拦住何莉莉,急按电钮。"咣当"一声,电梯门一合,两人又升回二楼。

"干吗?"何莉莉满脸狐疑。

"何小姐,不瞒你说,刚才那俩男的是追债的。"

"侬逃债?"

"回头我再跟你解释。"

卢杰带头跑出电梯,改走楼梯。何莉莉跟在后面,端庄地迈下一级级台阶,像是刚下飞机的皇室成员。卢杰急得在楼梯扶手上连做俯卧撑。

等袁媛他们乘电梯追到楼上,卢杰已经带着何莉莉从饭店后门溜号,招手截住一辆白色出租车。他拉开后门,绅士般把何莉莉请进后座。他刚在司机旁的座上坐稳,袁媛的圆脸就从小门露了出来。

30

出租车刚一起步,袁媛他们就钻进路旁的一辆黑色"蓝鸟",如一只黑天鹅一般死叼白计程车的屁股不放。

"老兄,后边那只'鸟',甩得掉吗?"卢杰说着往"的哥"的大腿上拍上两张百元钞票。

"小意思，马上叫它找不着尾巴！""的哥"一抖双肩，出租车如鸽子般飞上层层叠叠的立交桥。

卢杰回头一看，"蓝鸟"也像飞碟般旋飞上来。两车在立交桥上升升降降，转起八卦阵来。

"蓝鸟"的子弹头越逼越近，眼看就要射进出租车的后腰。

"啊！"何莉莉坐在后座上双手抱头。

出租车的刹车灯突然亮起。"蓝鸟"像个娇小姐，生怕对方的屁股沾上自己的香嘴，赶紧缩回舌头。出租车又像一架节节攀升的战斗机，一溜烟消失在前面的车海里。"蓝鸟"四轮猛转，忽扇扇飞到出租车的侧翼。

"毙掉它！"卢杰大喊，又掏出两张钞票。说什么也不能被逮住。只要他们把"嫖鸡"小电影一放，身后这个笼中鸟非吓飞不可。那些毛片肯定还有备份。

"的哥"一侧身，出租车也跟着一横身子，猛不防滑出立交桥的出口。"蓝鸟"来不及转舵，扑个空，像是被人射中，一头往一望无际的高速公路扎下去。

出租车跨过南浦大桥，接受东方之珠电视塔的检阅，从世博会的建筑群中缓缓穿过。

31

"请，何小姐。"

何莉莉扭脸一看，出租车停在海风大酒楼门前。卢杰为她拉开车门，站在车外冲他微笑。

何莉莉低头捂脸，只觉比玩上一圈过山车还晕菜。"哎哟，妈呀！"

卢杰冲酒楼门厅的服务员一招手，两个身穿蓝色旗袍的小姐小跑过来，把耷拉脑袋的何莉莉一步步搀进酒楼。

进了包间，卢杰拉出餐桌前的高背椅子。"何小姐，让您受惊了。"

"搞晕。干吗逃跑？"何莉莉抬起头来。

卢杰拍拍椅背。"来，坐下再说。"

何莉莉瘫坐下来，又抬抬高跟儿鞋说："阿拉可坐不住呀。"

"好好好，何小姐，一切听您的。"卢杰像个战俘，恭恭敬敬坐在她的对面。

"查尔斯的东西呢？"她的胸脯仍在起伏。

卢杰小心从衣兜抽出一个小红包，藏在餐桌下面，显得挺神秘。

"什么吗？"何莉莉皱眉问道。

"嗒嗒——"卢杰用嘴奏出欢快的音符，猛地把右手举上餐桌，有如近景魔术，让一朵红玫瑰盛开手心，推到何莉莉的胸前。

"就这个？"何莉莉越来越没耐性，不去接花。她知道，笑容呈现在表面，私心却深藏不露。好样子往往是装给别人看的，坏才是人的本来面目。

卢杰赔笑叫上一壶绿茶，扬起剑眉，为她斟满一杯。"冰糖茶水最能解晕。来，提提神儿，容我如实道来。"他先喝上一口，嘴咧得比糖水还甜。

"说，查尔斯为何放阿拉的鸽子？"何莉莉密切观察他的一举一动。网上的坏人比真实世界的歹徒还多。要等对方先吃先喝，才碰碗碟。自己曾被网骗下过多少回春药呀。二十分钟以后，药劲一发作，不由得侬不跟男人走。

"我就是查尔斯！"卢杰咽下一口茶，露出大板牙来。

"侬？"何莉莉刚抿一口茶，嗓子就被噎得咳嗽起来。她真想把热茶泼到对方的脸上。

"我这样做，全是为您好！那个洋教授有老婆、有孩子。"卢杰抖抖手腕上的瑞士表。

"什么？真的啦？"卢杰的话就像一把尖刀，着着实实扎在何莉莉的软肋上。

"我是怕，回头被他骗进狼穴，还以为是进了皇宫呢。"

"侬到底是谁？"何莉莉急喝一口茶。

"确实，我作了假。可是，我毕竟也是查尔斯的大弟子呀。"卢杰赶紧推销自己。

"是吗。"她庆幸躲过洋教授的陷阱，又意外捡个留洋博士。土的虽没洋的好，但总归也算见过洋世面。倘若阿拉当不上洋太太，起码也要骑匹假洋马穿洲越洋。"侬是海归？"

"我是海鸥，在太平洋两岸飞来飞去。"

"哇，好叫人羡慕呀。"

"你的征婚广告，看到啦。在下不才，愿做羽翼，助你飞进'牛市'。"卢杰殷勤续茶。

她知道，礼下于人，必有所图。"阿拉一直要读个博士，让知识呈爆炸式增长，提升能力，开阔眼界。"

"好，求上进。你是学什么的？"卢杰一晃西葫芦头。

"本科是中文，硕士是古典文学。"

"哇,你要是去澳洲读个比较文学,就成'铁人三项'啦,天下无敌。"

"阿拉又没钱钟书那两下子,拿什么比较的啦?"

"有我当翻译,保管你的英语不比中文差。"

"留学每年要花好几十万的啦。阿拉父母既不是大款,又没有灰色收入,读不起的啦。"

"谁说只有富二代、官二代才能留学?只要嫁给我,就等于嫁给澳洲。一切都包在我身上。"

"逼婚?"

"啊,不不不,托福,托福啦。"

餐厅里响起轻音乐,何莉莉的心情也轻松不少。"刚才追侬的是谁?"

"那个小姐叫什么圆圆。"

"肯定是仙人跳(托儿)的啦,也就给外来户下下套呗。"

"也没准儿真是黑警察。出门在外,谁不图个平安?"

何莉莉用食指抹着茶杯口转来转去,作关心状问道:"损失惨重吗?"

"幸亏你一来,把他们吓跑了。你可是大吉星呀。我要好好报答您,有恩不报非君子。"

"侬真是君子吗?"何莉莉用纤细的小拇指勾勾鬓发,终于正眼扫看卢杰一眼。她虽然猜不透故事的虚构成分有多少,可是送个顺水人情又不花一分钱。

"至少不是小人。哈哈。"

"侬到底叫神马(什么)嘛?"何莉莉开始对他好奇起来。

"啊,我叫卢杰。"他受宠若惊。

"路劫?网名吧?"人在初相识的时候,往往露出一张天使的脸,而屁股底下却藏着一条撒旦的尾巴。

"真名。看,这是我出国前的身份证,你可以'验明正身'。"卢杰从真皮钱包掏出卡片。

她一举身份证说:"哎哟,侬都'奔四'啦?比阿拉大十四岁呢!"

卢杰给她夹过一块虾肉。"最新西方心理学研究成果显示,男大十五岁,是婚姻组合的最佳点。尤其岁数一大……"

"亲爱的,你慢慢飞……"何莉莉的手机突然奏响一首流行歌曲。"撒宁啦(谁啊)?噢……没空的啦。以后再说吧。"

"啪"的一声,她扣上手机盖。每天都有数不清的网友打电话约她。谁能让阿拉过上好日子,才值得一见。这个卢杰看样子不是冒牌货。何莉莉嚼着鲍鱼,嘴角终于向上翘了翘。

47

卢杰喜笑颜开。"那个小眼儿提走我的包,害得我连换洗的衣服都没啦。"

"走,阿拉导购。"何莉莉耸起微微上翘的鼻子,拎起她的红包包。

"哇,你太好啦。"卢杰美不滋儿地说。

何莉莉一笑:"阿拉就爱逛商场。"

32

在购物中心,何莉莉跟卢杰肩并肩走在一起,顿感高大成女排队员。刚才坐在餐馆里,这人还像个堂堂的男子汉。是骡子是马,这一出来溜溜,一下子就在阳光下现出原形。虽说他只比自己矮十几厘米,可是眼看武大郎在下巴前颠来颠去,别人准以为阿拉也是半残呢。唉,上帝干吗让女的显得比男的高?

她有意把他往品牌店引,在一套最抢眼的"紫禁城时装系列"前流连忘返。他掏出信用卡,摸摸卡芯,又塞回钱包。她让导购小姐拿来样品,大大方方试穿起来。

她摆出模特的姿势,在镜子里为他现出一幕幕天女下凡的奇观。她从试衣镜里瞥见卢杰的嘴巴越张越大,垂涎欲滴。她伸伸细细的白嫩脖子,足以叫他翘首企足。她向他投去一个闪亮的眼神,就像鼠标点击电脑,让他再掏腰包。

一连几天,她陪卢杰四处光顾大上海的时尚场所。每当她看中某种首饰、礼品时,纤纤玉手就勾在他的短粗胳膊上,让他屁颠儿屁颠儿地从屁兜里一次次抽出信用卡。

33

何莉莉在"天上云乡"餐厅与卢杰共进离别晚餐。她盘起长发,浮起一团云鬓,让他升起一种直上云端的冲动。

"莉莉,嫁给我吧。"他盯住她的鬓发。

"玩闪电战?"她扭过头,耳坠像随风摆动的两颗倒挂金钟,动感无穷。

"就跟我去澳洲,放飞天涯吧!"

"澳洲有什么好的?土得掉渣子。美国才是阿拉的梦中恋人嘛。"她好欣赏好莱坞梦工厂的那个片头:心中的王子坐在弯弯的月牙上,在银河里晃脚钓鱼。老浪漫啊!

"澳洲虽不是天堂，却是少有的理想国，又文明，又富有。"

"有人要带阿拉去加州，阿拉才不冒这个险呢。外国那么荒凉，要是对阿拉不好，连个说贴心话的人都没有。阿拉大上海，要什么有什么的啦。何苦跑到澳洲受洋罪？人生地不熟的啦。"有一个美籍华人正在拼命追她。可是她一看此君，就联想起"9·11"被掩埋在双子塔废墟里的商界精英。

"来，张嘴。"他往她嘴里塞进一粒葡萄。"甜吗？"

"啊，酸死阿拉啦。"她闭闭比葡萄还鲜美的大眼，更显可爱。

"哈哈，那就酸甜苦辣都尝尝吧。我承认，国内的硬件越来越棒。可是，那些软件呢，诸如精神文明啦、民主与法治意识啦、平等精神、人道关怀，还有国民的整体素质啦什么的，我看呀，恐怕还有一个世纪的追头呢。"

"太夸张的啦。"这个假洋鬼子，真能替洋人吹嘘。

"国人的思想觉悟呀，刚刚走到'解放'这一步。离自由女神那把火炬呀，还差半个地球呢。'生命诚可贵，爱情价更高；若为自由故，二者皆可抛！'"

"这么说，侬把自由看得比爱情还重？"考验考验他。

"不不不！我当然把你放在第一位。可是，出国，起码享受一下自由的思想，培养一下独立的人格，也没什么坏处吧。在中国，不管你有多大权、有多少钱，也买不到澳洲的寸土必绿吧。这么跟你说吧，澳洲就是一巨肺，新鲜空气甜得跟冰糖水似的，你爱吸多少，就吸多少。自来水，比咱们买的矿泉水还爽口；要多纯净，有多纯净。你把家搬过去，能活一百五！"

"哈哈，澳洲政府没派侬当形象大使，真是有眼无珠呀。"何莉莉在座位上扭扭腰，胸部随之耸起。

他咽了一下口水，就像一个就要到站的乘客那样挺了挺身子。"出国起码长见识。悉尼是世界上最宜居的国际大都市。"

"阿拉大上海的摩天大厦，恐怕比悉尼还要多吧！"何莉莉虽然也想领略澳洲的大好风光，但也深知"在家处处好，出门事事难"。

"这我不否认。可是，你知道我每次回国是什么感觉吗？活像蹲监狱！囚在十八层的小鸡笼子里，悬在半空，上不去，下不来，就像闷在一个铁罐子里。"

"阿拉上海的住房条件，已经更上好几层楼的啦。"这小子出国就说母亲丑，难道他是从石头缝儿里蹦出来的？

"在澳洲，家家户户被花木包围，那是什么感觉呀。上海的居民大楼活像侵入地球的外星怪物，把人类塞进一个个小格子里。你就是住个三居、四居，家里没有庭院，就等于关在牢房里。人住在小盒子里，能不抑郁吗？"

"澳洲人不住楼?"这小子夸澳洲都没了边。

"你想想,要是让上海这点儿人住在澳大利亚那么大地方,能没花园吗? 能没后院吗? 能没车库吗? 能不宜居吗? 上海人都快超过澳洲的总人口啦。别看悉尼歌剧院往海里扩张,其实,澳大利亚有百分之四十的内陆还是原生态,人类从未涉足。昆士兰有个内陆地带,花一澳元就能买块儿地皮,比足球场小不了哪儿去。澳洲本是神仙住的地方,每平方公里合两个人。在那种人间仙境里,哪怕活上一天,死了都不冤。"

"好到天上也没用! 阿拉的洋泾浜英语不够用呀,出去有的苦吃啦。"何莉莉觉得,语言障碍就像一座大山。

"澳洲前总理陆克文,中文说得多溜呀。凭你的语言天才,英语水平肯定比大多数澳洲人还高。"卢杰用手轻轻拍着她的大腿。

"去,吃豆腐呀?"她使劲扒拉开他的手。她跟网友约会,经常碰到这种做小动作的色鬼。要趁乌龟还没伸出头来,就叫它缩回去。

"我喜欢吃肉,不吃豆腐。"卢杰来回搓搓手掌。"你想呀,澳洲人能读到硕士的,就算好样儿的,怎么能跟你这个大博士同日而语?"

"哈哈,侬发的博士文凭,谁认呀。读博士要花一大笔钱吧?"

"你跟我移民澳洲,就是澳洲人。不但不用交一分钱学费,而且还能享受澳洲的所有高福利。澳大利亚当初是一张白纸,福利建国。后来又渐渐形成'平等伙伴'精神,就是 mateship。有我的就有你的。反正政府不让谁饿着。你想呀,我够弱智的吧,都蒙到全额奖学金啦。你这么优秀,有什么说的?"

"奖学金有多少呀?"她越听越感兴趣。

"一年三万澳元,三年读下来,合五十四万人民币呢!"他张开熊掌一般的胖手,伸出五个粗手指头。

"这种美事,怎能落到阿拉头上呢?"她一看他的肥手就没好感。

"当然有戏。澳洲是个年轻国家,崇尚公平,机会均等。等你拿下博士,在澳洲当个教授,收入不亚于一个小资本家呢。好多中国移民,都在澳洲实现了在国内想都不敢想的人生梦想。"

"中国越来越强大的啦。"

"中国是我们的父母之邦,越强越好。可是中国确实人多了点儿,竞争忒激烈,人为因素太大。"

"国外那么好,怎么还有那么多'海归'和'海待'呀?"她马上就要毕业,就怕找不到工作。

"不瞒你说,那些人在海外打漂儿,这才捏着鼻子回来找出路。当然,国内经济形势好,也是一大因素。退一步讲,你拿个洋博士回来,不是更值钱吗?"

"侬在澳洲有房子、车子吗?"何莉莉最关心他的经济状况。

"敝宅坐落在悉尼的富人区。前有喷泉吐水,后有假山环绕。我开的'捷豹',只有中产阶级才开得起。有我在澳洲照顾你,你就乐吧。"卢杰伸伸大拇指。

"照侬这么讲,澳洲确实挺有吸引力的啦。不过嘛,老妈、老爸越来越老,不愿让阿拉离开他们身边的啦。"何莉莉找到挡箭牌。

"只要你先移民,自然就可以担保父母过去啦!"瞧他说话那口气,就像澳洲的移民高官。

"老好呀。阿拉回家跟他们讲讲的啦。"何莉莉不愿再啰唆下去。

"好,那我等你的好消息。"

"好啦,再会吧。"何莉莉撑起一对长腿。

"我还有礼物呢。"

"什么吗?"她身上散发出一股股芬芳的女性气息。

"到屋里,你就知道了。"

34

一进204房间,卢杰给她戴上一条金项链,拉着她的手央求:"今晚就别 51
走了!"

"不行,妈咪该说的啦。"何莉莉抽出手来。

"抱抱,抱抱!"卢杰钩住她的棉花手,往自己的怀里拉。

"拜拜啦。"不等卢杰拥抱自己,何莉莉就把他领到门口。

他突然伸出双臂,如箍桶一般抱住她的柳腰,像个非洲饥民,把她的白脖子当成饭碗,张嘴乱啃起来。

何莉莉一扭小腰,照着他的脸颊就是一记耳刮子。

"啊!"卢杰的小脑袋被抽成一个大木瓜。

何莉莉转身拉门。

"哎哎哎,莉莉,别介,别介呀!"他推上门,跪在她腿前。

"揩什么油!"

"莉莉,嫁我不亏。我的责任就是让太太幸福一生。所有经济负担、所有家务活儿,全由我包圆儿。你就在家里听听音乐、看看书就行啦。"

"哈哈,阿拉可不想养得太胖。"

卢杰"噌"地站起来,一把抱住何莉莉的后背,抬起脚跟儿,撅起厚嘴唇,朝她那仙桃般的粉嘴唇努去。何莉莉用右手往他的肩上一压,让他的嘴努不上来。她又把左手伸到门把儿上,拉开一个小缝儿说:"酒酿的时间越长,才越回味无穷嘛。"

卢杰从兜里掏出一把钞票,塞进何莉莉的手里。"早订机票,我在北京等你。"

"催命鬼!放心,是侬的,跑不了的呀。"何莉莉握钱跑出宾馆,钻进一辆顶灯闪亮的出租车,在夜幕里划成一颗流星。

35

卢杰终于盼来开庭的日子。

他被法警押进悉尼 A 区法院被告席的围栏里,有如一只被封进笼子的塔斯马尼亚虎。秃瓢儿法警就像野生园里的一个守望师,别上小门的插销,坐在他身旁严加看守。

身后的旁听席坐满观众。他芒刺在背,没回头就能感觉到后脑勺成了众矢之的。他微微把头向右扭过一点儿,瞥见一排记者在媒体席隔岸观火,像是一群狗仔队。

在卢杰的右前方,阎超正襟危坐在控方律师席上,扭头瞪他一眼。卢杰避开阎超的敌视眼神,把眼睛移向阎超左侧的一位心宽体胖的白发老者身上。他的辩护律师菲利普·福特就坐在一张有如台球桌大小的长条桌前,稳如泰山。

正前方是审判台,背后的墙上挂着新南威尔士的州徽:一只袋鼠和一只雄狮用前爪扶起一尊红十字架盾牌。卢杰不禁联想起各种国徽和党徽来,也是这样高高悬挂在世界各地的建筑物里。然而,甭管这些"徽"看上去多么庄严、多么神圣,也禁止不住人类在其眼皮底下大玩睁眼说瞎话的游戏。

左面的墙上有一幅伊丽莎白二世女皇的画像,向他露出慈祥的微笑。他往前探探头,画上的目光像探照灯一眼死跟不放。卢杰感到浑身不舒服。建筑物上与其到处挂这些老头子、老婆子的头像,还不如把法庭秘书的照片贴上去更耐看。那个叫露丝的法官助理一头浅棕色头发,叫卢杰想起电影《泰坦尼克号》里的露丝。她正在法官席前的围栏里忙得团团转,与两个看上去像她姑妈的法庭记录员鼓弄计算机和幻灯机之类的电器插头。卢杰觉得这三个女士更像戏院打扫卫生的服务员。

"全体起立!本庭由玛格丽特·凯恩大法官主持!"随着露丝的一声清

脆高叫，一位身披黑色长袍的高个子中年妇女，迈着轻盈的步履走上高高的法官席。

卢杰下意识随众人起身向法官鞠躬致敬。玛格丽特虽然头戴一顶老成持重的银白色法官头套，可是卢杰觉得她也就四十出头。一头深棕色的烫发翻卷在头套四周，有如万顷波浪。她的双眸交闪出聪慧而又善意的光芒，就像一双骏马的眼睛，使她那张娃娃脸显得更加和蔼可亲。卢杰的嗓子眼这才有了点儿水分。这个法官看上去不那么威严，倒是动人得颇有几分电影明星的风采。

玛格丽特伸出胳膊，双手往下一压。

"全体就座！"

玛格丽特气定神闲，用眼神巡视一周法庭。"案件第001800号，现在开始审理。"哇，女法官的嗓音像小号一样嘹亮。

"卢杰先生，请起立。"露丝的青紫色眼神如电光一般打在卢杰的脸上。

四周的看客像鸭子一般，伸长脖子，一齐往中间的被告席探过头来。

卢杰应声站起来，身子往前探了一下，像是要鞠躬的样子。他能感到观众向他投来的一片疑惑眼神。他的手心都湿了，心"嘣嘣"跳得比刘翔冲刺的脚步还快。

露丝像个播音员，对他大声宣读警方的起诉书："被告卢杰先生，警方控告你于七月三十日早六时许到八时许之间，在悉尼A区维多利亚林荫道七四八号，蓄意将何莉莉和奥利弗·卢母子两人先后杀害。卢杰先生，你认罪吗？"

"我无罪！放我出去！"卢杰咆哮公堂。

第三章 莉莉捕获"大鹏鸟"

36

54

何莉莉逃课,躲进申海大学的图书馆上网,从"异国之恋"网上调出"大鹏鸟"的征婚广告,这才看清他的庐山真面目。

这人长得既有几分阿汤哥式的英俊,又颇具法国影星"佐罗"的帅气。她从小就幻想走进西方世界的童话仙境。她盯着"大鹏鸟"的网上照片,觉得洋帅哥长得就是充满男子气概:宽长的下巴像悬崖陡壁,粗粗的脖子像顶天巨柱;凸显的眉骨显得那么有棱有角,还有那深陷的眼窝似无底的山涧。尤其那双蓝得跟玻璃球似的亮眼睛,更让她有一种被雷电击中的麻酥感觉。

"哇噻,谁呀,这么帅?"邻桌的女学生把眼珠子斜到她的液晶屏上。

"哦,一洋教授,学富五车!"她边应付,边心中暗喜。这真是理想得不能再理想的佳偶啦。阿拉原本要嫁的正是这样的大洋马,绝不是卢杰那种小土鳖。"大鹏鸟"就像一辆货真价实的原装车。卢杰嘛,充其量也就是个组装车,哪有原装车那种优等的品质?然而,一停二慢三通过,先把查尔斯的婚姻状况澄清再说。

"哎,这个网站,洋教授多吗?"那女生又扭过头来。

何莉莉瞥她一眼,抄起椅子背儿上的书包,出了图书馆。

37

何莉莉上了闹市,钻进"流星网吧。"里面浓烟滚滚,像是着了大火。她透过烟雾看去,玩家嘴叼烟卷,"杀"声四起,脏话连篇,手如穿梭地敲打游戏键盘。

何莉莉从这些"愤青"身旁穿过,躲进单间,边玩"斗地主"边在网上蹲守查尔斯的行踪。

时间总算没有白费,她终于在卢杰的"非死不可"(facebook)交友圈拦住在线的"大鹏鸟"。

"大鹏鸟,还不下马投降?鲜桃在此等候多时!"她打出的字像一把大刀,横在液晶屏上。

"鲜桃?还雪梨呢。胡阿友?你是哪方仙女?"

"侬明明家有妻室,却在网上招摇撞骗。小女子这就举报!"何莉莉先给他一个下马威。

"家室?长这么大,我只在小时候摸过我妈的乳房。"

"哈哈,你可真卑鄙!"她觉得真好笑。这些洋人呀,连骗人都是明着骗。

"Baby?宝贝?"

"哈哈哈哈,活宝!"何莉莉一乐,只把查尔斯的谎话当笑料。

"嘣儿——"一个即时信息插进电脑。是卢杰打来的,又在催阿拉去北京。不理他。"大鹏鸟"不抓就飞。而卢杰那条癞皮狗,赶都赶不走。这会子,想想卢杰都脏阿拉的脑瓜子。

38

"大鹏鸟"在网上神出鬼没,必须把他从网络海洋打捞进自己的"非死不可"港湾。何莉莉拿出"碰瓷儿"劲头,碰上他就聊个没完。她要跟他混熟,熟得无话不说才好。

网吧太乌烟瘴气。趁妈妈马英不在家,何莉莉拉上小卧室的窗帘,接通摄像头和耳麦,向"大鹏鸟"发出在线信号。

"啊,莉莉,你真是个万人迷啊!我在网上苦苦求索,找的就是你这样的东方娇娃!"

这句甜言蜜语就像一杯美酒,直往她的血液渗透进来。"啊,阿拉哪里美呀?"她的金嗓子像是用杯中之物润了一下,发出的美妙声音都有一种飘然的醉意。

"看到的美,看不到的更美!我愿拜倒在看不到的地方,在你面前跪生一世。"查尔斯单腿下跪。

美酒继续敬来。她喝口茶,为自己醒醒酒,明知故问道:"别油腔滑调的啦。大鹏鸟,姓甚名谁叫什么?"

"查尔斯是我的本名,就是'有男子汉气概'的意思。"

"贵姓?"

"不贵,姓霍歌,Huge,意思是'巨大'。"查尔斯伸开长臂,在胸前画个大弧。

"伟岸?"她觉得他像个篮球中锋。

"超长!"

"是吗?"她沉醉于他的浑厚嗓音,像是欣赏"猫王"的金曲情歌。"嗯,侬老有男人味的嘛。"

查尔斯的男中音穿透网上电波,向她的耳膜直冲进来:"你要是看见真人,就更能感受我的阳刚之气啦。这几天我夜夜梦见你,还在梦里闻到你的雌激素气味。"

"做梦还能闻到味道?"她努努嘴。

"我的鼻子超级灵光。隔着电脑,我都闻到牡丹花的香气啦。"

"狗鼻子吧!"她要看他怎么挑逗下去。

"你是万花丛中的王魁,你是我心中的玫瑰。啊,你宛如悉尼的玫瑰湾,用你生命的源泉滋润我心田。啊,你是昆士兰的珊瑚岛,给落海的男儿以鱼儿得水的逍遥,你比塔斯曼海还深幽,任我在你的怀里激流万丈。你鲜花盛开,我纵情四海。啊,玫瑰,玫瑰,我的最!"液晶屏上流动出一行行让她兴奋的红色字节。

"阿拉不醉(最)的啦。"她的春潮开始涌动。

查尔斯那富有磁性的男中音又在她的耳麦里回荡起来:"我的肾激素已经不容我再沉默下去。快进我怀!要知道,我对你的爱早在胚胎里就开始孕育。"

"哈哈哈哈,开什么玩笑?侬也太早熟了嘛。"

"我的胚胎早在十二个星期就产生雄性激素,完全可以与成年男子所生的量一比高低。也就是说,早在娘胎里,我的生殖器官就开始长成。现在我才知道,当初它正是为你而生。自从与你相识,我的性激素就像暗流一样在我的身体里涌动不已。"

"哈哈,噱头真多。"她明知他在调侃,却听得津津有味。

"性是艺术的母题。MJ 的月球舞步,最能助兴。哦——"

"哇,惟妙惟肖!"只见他解开白衬衫上的衣扣,学起迈克尔·杰克逊敞胸露怀的潇洒舞姿。背景音乐传来 Billie Jean 的舞点。她仿佛真的看到那个乐坛舞王载歌载舞。看查尔斯模仿机器人的动作,伸平双臂,双肩来回扭动,像是回放的慢镜头。再看他的黑皮鞋,看似向前迈步,实则往后滑去,营造出一种时光倒流的太空漫步意境。

"Billie Jean…"查尔斯的劲爆歌声从耳麦传出。

她死盯电脑屏幕,见他脱掉白衬衫,露出杰克逊那样的白色跨栏背心。啊,看他的三角肌,滚圆得像岳云打金兵用的两把铁锤。瞧,他举起双臂来啦,向胸前一挤!哇,宽厚的胸大肌在网状背心上凸显出来,像两块铁饼,直向她的眼球飞来。她两眼泛起一汪秋水,嘴上却说:"嘿嘿嘿,没人要看脱衣舞的啦!"

"是澳洲民族舞。看!"

她睁大眼睛,看到他居然学着迈克尔·杰克逊的样子,用右手抓住裤裆,上下扳动。啊,这个大流氓。看他那副大方劲,又挺肚皮又收腹。手一移开,两排腹肌在他的肚皮上上蹿下跳,活像一只只小兔子。她只看得两眼湿润、浑身燥热、嘴唇发烫,放出的却是一句冷话:"好啦,表演该结束啦!"

"好戏还在后头。"

哇,这家伙脸皮真厚,连机关枪也打不透吧。看他,又扭屁股,又摇胯骨。听,还唱起什么英语歌曲来:"Oh,sex…"

"大鹏鸟,阿拉下网啦!"她的脸涨得比朝天椒还红。

"好吧,爱人,情郎这就谢幕!"

哈哈!这个大洋骡子马失前蹄,来了一个大劈叉。

她伸出小手,一把拔掉电脑插头,提早让查尔斯下课。

她叫查尔斯的激情表演给弄得浑身发软,频频在脑海回放他的性感劲舞。啊,他的身体就像施瓦辛格那样健美,没有一块多余的闲肉。他的舞姿也像摇滚天王,一举目、一投足,都那么激动人心,撩人心火。洋人就是活泼,不像我们那样压抑自己。她整天看着电脑发呆,什么也干不下去。要是能与如此浪漫的男人在澳洲地久天长,那样的人生该有多么绚丽呀。

那个卢杰仍在催她。她本想写封绝交信,让他死了这个心吧。然而,这个"大鹏鸟"像风一样让她捉摸不定。这几天,他比年糕还黏人,发来的情话让多产作家都自叹弗如。过几天,他又突然挂靴封笔。她只能扼腕叹息,翻出他的"遗作",像解读回文诗一样,来来回回反复回味,以至于倒背如流。

每当这时,何莉莉只好打开卢杰的电子情书看上几眼,聊以自慰。她这才意识到,卢杰好赖是条后路。就像去澳洲读博士一样,虽说查尔斯是第一志愿,但怎么也要装个备用胎吧。中外合资的组装车总比那些国产车好使。于是,她施一缓兵之计,给卢杰发出短信:"妈咪突染禽流感,正在家里隔离。阿拉这个当女儿的,总不能丢下老妈不管嘛。耐心是金。"

果然奏效,她很快就收到他的回函:"啊,莉莉,你对母亲如此孝顺,我真没看错人。这年头,子女不逼父母交房交钱,已算善主。像你这样的大熊猫国宝,越来越荒。我真是三生有幸。你专心留守病床吧。这段时间,我正好在图书馆苦读书本。"

有看空话的工夫,还不如在网上搜搜"大鹏鸟"呢。她在网上漫游多时,始终不见他来串门。等着等着,她枕在电脑桌上打起盹儿来。

一个蓝色世界出现在她面前:这里有大海、有蓝天、有网络,还有查尔斯的蓝眼睛。突然,天阴下来,泼墨般的乌云如海啸般压上她的头顶,把蓝梦染成一片灰色。啊,有一双黑眼在云雾中时隐时现,突然亮成两道闪电,直往她的身上打来。她纵身跳进蓝涛,任海浪推身漂流。

啊,远处冉冉升起两片风帆,一白一黄,徐徐向她驶来。她两腿发软,踩不起水来。按兵不动的海盗,究竟藏在哪艘船里?

39

在审讯现场,法官助理露丝小姐像是一台录音机,重复问道:"卢杰先生,你有罪吗?"

"我无罪!"卢杰模仿电影中的革命者,一扬头,伸直胳膊,把手往前方甩出去。一些观众投来同情目光,另一些则皱起眉头。

"警方指控你犯有杀人罪,你承认吗?"露丝对着麦克风重复。

"我连罚单都没吃过!"卢杰的嗓门提高八度,如蒙奇耻大辱。

阎超向他投来一个厌恶的眼神。

大法官玛格丽特占据法庭的制高点,俯视律师席,向阎超扬了一下手。"请控方进行开庭陈述。"

阎超把三角眼睁成火眼金睛,射出两道咄咄逼人的光点。他举起一本比《花花公子》杂志还厚的案情报告,把三角嘴对准圆圆的麦克风,声如警笛:"这是一起令人发指的谋杀案,引起社会各界的广泛关注。警方连夜奋战,终于侦破此案。凶犯先奸后杀,作案手段血腥残忍,丧心病狂。请看大屏幕。"

阎超把右手食指往手提电脑的键盘上重重一击,位于审判台右侧的白屏跟着映现出一张幻灯片。"这是警方在现场拍摄的照片。一把双刃刀将被害者的心脏扎穿……"

"啊——"每换一张幻灯片,都引发观众的一声声平地惊雷。战国匕首与血肉模糊的胸口交互闪现,连卢杰看了都不寒而栗。

阎超举起一个透明塑料口袋,一把血迹斑斑的匕首被灯光反射出刺眼的白光。"看,作为本案的直接证据,这把锋利的尖刀就是扎死何莉莉的作案凶器。"

"哇噢!"卢杰听到身后又传来一阵大惊小怪的呼声。

"持刀人充满攻击性,用力极猛,目的性极强,蓄意杀人。凶手持续发泄心头的恨意,在何莉莉的胸口上连扎三十七刀!"

"哇——"全场人惊呼。

"这分明是一种主观的故意。加害方把利器一刀又一刀戳进生命之躯,放任被害方的生命终结,显然不是为了自卫,而完全是出于仇恨、报复或是嫉妒。凶手有预谋地制定了杀人计划,并将被害人的头颅割下,逃避追查。更为凶残的是,凶犯连两个多月的婴儿也不放过。请看这张照片。"阎超打出一张特写照片,奥利弗的脸像一个大紫茄子。

"啊——"图片雷倒一大片旁听者。一位法庭记录员吓昏过去,被法警搀扶出去。连卢杰的眼珠子都要瞪出眼眶了。

阎超继续打出两张幻灯片,像个推销员一样卖劲儿叫道:"从照片上可以看出,婴儿胸部的细嫩皮肤上有多处挫伤,背部一片红肿。据法医怀特博士鉴定,凶手先是用围嘴儿堵住婴儿的哭声,然后再用枕头狠命挤压婴儿头部和胸部,长达数分钟之久。"

"啊!"有人发出一声惊叫。

"是谁对一个可爱的婴儿如此刻骨仇恨?不难判断,肯定是一个跟婴儿的生父生母有不共戴天之仇的人。"

"终身监禁!"有人小声替法官出主意。卢杰转头斜视过去,掠到一张张震惊与愤怒相互交织的表情。

"制造这出灭绝人性悲剧的不是别人,正是坐在被告席上这个貌似斯文的男子:卢杰!"阎超回过头去,转身把右臂用力一挥,将食指落在卢杰那张扑克牌般的呆脸上。

阎超脖子上的青筋凸显。"被告的杀人动机再明显不过。何莉莉作为被告的未婚妻移居悉尼,本来就对自己与被告的草率结合后悔不已。再加上被告对她施以家庭暴力,迟迟不为她解决居留问题,何莉莉忍无可忍,离家出走,搬进导师查尔斯·霍歌教授为她安排的住所。被告对此怀恨在心。未婚妻不仅跟别人跑了,而且还为情人生下孩子。更让他心理不平衡的是,何莉莉还有分他一半财产的权利。于是乎,被告乘霍歌先生从海外归来前夕,潜入何的住宅,先肆意强奸,再乱刀捅死;最后,将其私生子用堵塞物活活窒息而死,以解心头之恨。"

卢杰闭上眼皮,努力回忆最后一次与何莉莉在一起的细节。

"凶手在作案前制定出一箭双雕的杀人方案。既要报复背叛他的何莉莉，又要除掉她跟情人私生的骨肉，使霍歌先生同时失去两个心爱的人。最为关键的是，他要把这一切罪责都嫁祸于即将进入凶宅的霍歌先生，给警方一种谋杀私生子的错觉，以报夺妻之仇。两条好端端的生命被冷血杀手无情夺去。何莉莉眼看就要拿到博士学位，正值人生的黄金时光。尤其是婴儿，刚刚出生就被这个嗜血恶魔夺掉活下去的权利。此案的犯罪动机极为卑劣，犯罪情节极其残暴。根据新州《刑法》，我代表警方起诉卢杰犯有故意杀人罪，请法官阁下依法重判。”

卢杰从阎超的三角眼转到玛格丽特的双眼皮上。

玛格丽特盯着阎超胸前的一堆物件说：“请警方出示证据。”

阎超从桌子上拿起一个文件夹，大步流星走到审判台前，抽出两个塑料袋和一本检测报告，双手捧给玛格丽特。“这是警方在现场采集到的物证及其化验结果。DNA 司法鉴定显示，遗留在何莉莉身上的男性体液，还有残存在她指甲缝儿的皮屑，正是卢杰的产物。这些证据足以证明，何莉莉在遭到卢杰的性袭击之时，曾奋力反抗，从卢杰身上抓下这些皮屑。”

60　　　卢杰隐约感到后心窝子有点儿痒痒。何莉莉的小手确实搔过自己的后背。

玛格丽特扫了一眼报告书上的 DNA 基因图谱。数据和符号密密麻麻，就像一排排黑蚂蚁一样往她的眼里爬来。她把报告书扔在案台上，抬起眼皮宣布：“请辩方应诉。”

菲利普缓缓站起身来，“啪”的一声，用拳击手套般的胖手一击另一只手的厚手掌。“首先，我要恭喜这位警官先生。他十分敬业，出色完成了起诉的重任。”

卢杰一脸诧异，嘿，菲利普怎么替警察说话？

“说实话，我刚才还真被控方的慷慨激昂所震住。只可惜，警官先生没有把正义感用对地方。”菲利普用诡秘的小眼环视一周，似乎是向法庭里的所有人行注目礼。

卢杰点点头。嗯，这还差不离儿。他瞧瞧菲利普那张富态的脸，紧张的神情松弛许多。

“法官大人！这是一起违反司法程序的起诉，从一开始就不具备合法性。我请求法庭撤销此案。”菲利普也许吃得太好，两个脸蛋被过剩的营养鼓成一个大葫芦，使他那原本就不宽的脑门儿窄成一个葫芦嘴。

“理由呢？”玛格丽特向前探探身子。

“本律师通过查看警方与卢先生的谈话记录，发现警方压根儿就没向我的当事人宣读权利。卢先生曾四度求见律师，警方却置若罔闻，一再剥夺他的合法权利。因此,该案根本不能成立。"菲利普的下巴短得只剩下了嘴。

阎超起身回应:"如果警方真能阻止卢先生寻求律师服务,那么福特先生现在就不会站在这里了。对不对,福特先生?"

菲利普脖子上的一团赘肉松弛得像一块大面包,直往他的嘴上喂来。"更有甚者,在长达数小时的盘问中,警方干脆就把嫌疑人当成杀人犯对待,一再要求卢先生承认杀了何莉莉。遭到卢先生的拒绝后,警方不惜威逼利诱,用所谓的正当防卫理论套供。"

"警方的办案程序始终处于合法状态。"阎超吹了吹胡子。

"合法?法官大人,正是这个所谓的合法警官,在看守所对我的当事人私刑拷打!"

玛格丽特挺身而问:"有伤情证据吗?"

"打人证据被警方一手遮天。但是,审讯录音可以证实,警方一再逼供,用高压手段迫使我的当事人作出违反本人意愿的表白。因此,卢先生的供词没有法律效力。"菲利普缩缩粗脖子。

阎超伸伸细脖子。"实情往往就在非自愿性表白中流露出来。没有压力的审讯是不存在的。压力越大,得到实话的概率越高。即使这样,卢先生到现在也不供认杀人事实。"

"他本来就没杀人!警方执法犯法,本律师请求当庭释放卢先生。"菲利普掏出手帕,擦干脑门上的汗珠。

卢杰盯着菲利普那张胖脸,眼看他的另一颗汗珠从太阳穴上滴落下来。

玛格丽特低头划拉几笔,放下笔,抬眼往菲利普的葫芦脸看去。"驳回辩方关于撤销本案的动议,审理继续进行。请现场第一目击证人出庭作证。"

哎呀,我怎么找这么一个草包律师。卢杰心里这份不满。他朝法庭正门看去,只见查尔斯跟在法警的屁股后面,大模大样地走到审判台右侧的宣誓台前。

"请把左手放在《圣经》上,举起右手!"法警站在查尔斯对面,拉长板儿砖般的方脸。

查尔斯伸出左手,接住法警平移过来的蓝皮《圣经》,握住一角。

"你愿意作证吗?"法警把右手抬到半空。

"是的。"查尔斯挥起右臂,像是行纳粹党礼。

"请向上帝发誓,你的证词真实可信,否则将受到法律的惩处!"法警看了一眼《圣经》。

查尔斯跟着法警鹦鹉学舌:"我以《圣经》的名义宣誓,决不在法庭上作伪证。上帝与我同在!"

　　他坐上证人席,向被告席上的卢杰射去一束恶狠狠的凶光。卢杰吓得眨了一下眼,好在法警像一条看家犬一样守在查尔斯一旁。"七月三十日早晨七时左右,我亲眼目击卢杰从凶宅落荒而逃……"卢杰盯着查尔斯的薄嘴皮子。那张嘴似乎成了一台电视机,在卢杰的脑海放出一幕幕情景再现的小片儿。他的脑袋越来越沉,索性闭上眼皮。终于,法庭里没了声音。他睁眼一看,只见玛格丽特手心向上,向律师台的方向指去。"请控辩双方向证人交叉提问。"

　　菲利普鹅行鸭步,凑到证人席前,把奶牛般的大头贴近查尔斯的长白脸,像是警察抓到了通缉犯。"哈哈,霍歌先生,要我看呀,在这场桃色案件中,你的杀人疑点和杀人动机更大!"

第四章　马英亮出"燕国"刀

40

这些日子,何莉莉在网上跟查尔斯学到不少英语。她不但尝试用英语传情达意,还把一首首英文情歌挂在嘴边儿:"Waltzing　Matilda..."

"哇,字正腔圆！行,就冲这口好歌,一到袋鼠之乡,你比袋鼠跳得还远。"查尔斯在线路那边夸她。

"哈哈哈哈！You　are　not　alone..."她引吭高歌。

"砰砰砰！"闺房门突然地动山摇。讨厌,肯定又是妈咪马英。她什么都好,就是天天给阿拉制造听觉疲劳！妈咪刚刚退休,难道已经提前步入老奶奶之列？

"莉莉,怎么？家里来外宾啦?"房门被拉开一条小缝儿,露出妈咪马英的双眼皮大眼睛。

"嘘——"何莉莉把手掌捂在迷你麦克风上,门总算合上。她继续跟他学唱英文歌曲:"I　still　call　Australia　home..."

"砰砰砰！"敲门声宛如伴唱的鼓点。

"妈咪,干什么嘛……啊,查尔斯,不是……妈咪,别敲啦,烦死人啦……哦,查尔斯,回头再聊吧。拜拜！"

"莉莉,老妈能进来吗?"马英像一条蛇一般钻进门缝儿。

"搞什么嘛,妈咪?"她关了电脑。

"何时会唱洋歌啦?"马英移过一张椅子,坐在女儿身旁。

"洋人教的嘛。"

"怎么,跟洋人搞上啦?"

"妈咪,洋人有什么不好的啦?"妈咪可真土气。

"莉莉,妈咪供侬读书,给侬包月上网,可不是叫侬乱来的啊。网上鱼龙混杂,什么臭鱼烂虾没有啊。"

"妈咪,这人可是正版澳洲大龙虾!"

"哎呀呀,莉莉。马家、何家传宗接代两千多年,不比孔子的七十几代传人少的啦。哪能到了侬这里,就串了洋种?"

"妈咪,人家可是大教授呀。"她一甩长发。

"洋总统也不行! 小赤佬。"

"妈咪,侬不是很洋派的吗?"

"妈咪崇的是洋东西,而不是洋人! 洋人浑身是毛,不像金刚,就像巫婆。侬是中国人,只能跟华人结婚的啦!"

"妈咪,国内这些网友太没味道嘛。不是奶油小生,就是喜新厌旧;不是富得妻妾成群,就是穷得找不到媳妇;不是不回家的浪荡公子,就是老得可以当爸爸的老不要脸。"她一想那些网友,就回忆起小学的班主任。

"嘿,侬当洋人都是好玩意儿呢? 那个克林顿,不是还玩女大学生呢吗?"

"克林顿那么帅,怎么没挑上阿拉呀!"

"哎呀呀,死丫头,洋男人搞女人,连总统宝座都不顾的啦,更别提他老婆和他女儿的感受啦。千万别动洋人的脑筋。跟洋人,连基因都不匹配的啦。物以类聚嘛。嫁就嫁给同种同宗的钻石王老五。要么大户,铲除穷根;要么博导,起码对下一代有好处。最好就是华侨的啦,他们至少见过洋世面,手里攥着硬通货。阿拉上海人,哪家没个沾亲带故的海外关系?"

"侬说的这三个优势,那个洋教授,一人就全占啦。"

"怎么还提洋人? 找个华侨嘛,人不亲,血亲。对了,那个洋博士不是挺好的吗?"

"哦,侬说那个卢杰呀? 巴子一个!"她撇了一下嘴。

"侬不是一直想出国读博士吗? 有人把侬娶出去,将来妈咪也能沾点光嘛。妈咪年轻时没实现的梦想,就全寄托在侬身上的啦。"

"别看阿拉嚷嚷出国,可机会真来了,反而后怕起来。阿拉在国内活得不是好好的吗? 有妈咪呵护,有朋友帮忙,有老师和同学厚待。这些亲情和友情又不能随身带出去。出国嘛,就是放着瓶肚不待,非往瓶颈里钻不可,那不是活受洋罪的啦?"她现在对外面的世界既充满憧憬,又满怀恐惧。

"妈咪问侬,侬是想开菜鸟级汽车,还是想开殿堂级豪车?"

"妈咪,阿拉又不是小学生,当然最喜欢开'奔驰'的啦。"妈咪的职业病又犯了,就晓得用开导学生的口吻说话。

马英把女儿搂在怀里说："这就对啦嘛！这西方发达国家呀，就相当一辆'大奔'。人活着呀，含金量要高的嘛。侬抓住了卢杰，就等于搭上一辆通往西方的快车。卢杰既是龙的传人，又在西方受过教育，优势互补，多好呀！"

听妈咪这么一说，她真想搭上一辆空中客车，飞进西方的自由世界，在最现代化的物质乐园中翱翔。"妈咪，阿拉刚跟卢杰没接触几天嘛，谁晓得他靠谱不啦？"

"妈咪帮侬掌掌眼，就晓得他是什么鸟啦。记住防骗专家的网恋警言哟：半年不动情与钱，查完单位看证件。"

41

卢杰从一架小型客机的舷梯拾级而下，像到访的国家元首一样神采奕奕。虹桥机场的劲风把他的方脸吹出一丝笑意。这次二进上海，虽说天儿还是那么灰不溜秋的，可是心可比上回亮堂多了。更喜出望外的是，他居然在接机人群里瞄到何莉莉的美人头。

42

卢杰看得出来，马英肯定把看家本事全使了出来。这个未来的丈母娘是从魔法学校毕业的吧，一转眼就在餐桌上码出一碟碟美味佳肴。

"来来来，小卢，今天特意摆一桌'京海全席'，赏脸多吃呀。"

"谢谢，谢谢，阿姨。"他连连欠身。还不到晚半晌儿，客厅就黑成一个防空洞。卢杰正好甩开腮帮子大快朵颐。

"怎么老说谢呀？显得跟外人似的！以后嘛，侬就是阿拉的大儿子啦。来，儿子，吃，吃！"马英坐在女儿和卢杰中间，一个劲儿为卢杰夹菜。

"哇，就冲您烧得这手好菜，当您的儿子也赚大发啦。"卢杰吃得满嘴流油。

"侬要是能娶到莉莉呀，那才是最大的赚头嘛。"

"是的嘛！"门口突然响起搭话，声如干雷。卢杰扭头一看，一黑影儿跟黑猫似的穿门而入。

"啊，老爸，怎么这会子才到？"

卢杰赶紧起身鞠躬。"啊，叔叔！我是小卢。"

来人"嘻嘻"笑着走过来，"啪"地一下打开管儿灯。"何国庆，莉莉的父亲。"

"哎呀,老爸,过低碳生活,保护地球嘛。"何莉莉一伸手,关了灯。

"喏,别叫国际友人在黑暗中摸索嘛。"马英又按下开关。

"阿姨,您放心,我会给莉莉带来一片光明的。"他看得出来,马英年轻时肯定也是个大美人。"哇,这一开灯,我才看出来,你们母女俩,简直就是同一底片洗出来的照片啊。"

何莉莉朝他吐了一口虾皮。"侬才是照片呢。"

"啊,阿姨,莉莉就是您的青春再现。"卢杰连忙给何莉莉夹上一只大虾。他当然看得出,当妈的脸上要比女儿多出一道道岁月打出的皱纹。然而,准丈母娘确实风韵犹存。

"也许是神似的啦。"马英笑出跟何莉莉一样的酒窝。

"对对对!"他又把头扭向何国庆。"叔叔,莉莉这么优生,绝代佳人,肯定也少不了您的优良遗传基因。您身上有一种不凡的底蕴,不凡的气质。"

"哈,小卢,侬很会讲话的啦。"何国庆坐在卢杰对面,拨拉一下头顶幸存的几根长毛。

"来,叔叔,敬您一杯!"卢杰喧宾夺主,给未来的老丈杆子倒上一杯啤酒。

"喝!"何国庆笑眯眯地抿上一口,圆眼睛朝马英转来转去。"阿拉嘛,当了一辈子穷教书匠,真是平凡得不能再平凡啦。莉莉戴上硕士帽以后,还不是也要当个孩子王嘛。"

卢杰终于找到显示优势的机会。"哎,莉莉只要去澳洲读个博士,那至少也是当大学讲师的料儿呀。"

"侬才是大料呢!"何莉莉扬扬月牙儿眉。

"哈哈哈哈。"何国庆只顾闷头喝啤酒,这会儿终于忍不住笑出了声儿。"阿拉呢,反正也挣不了几个钱,索性提前告老退休,过几天清静日子。"

黄鼠狼给鸡拜年的机会到啦。卢杰恭恭敬敬捧出一个红包。"阿姨,叔叔,你们辛苦一辈子啦,这是我替莉莉略表的一点儿孝心。"他边说边往何莉莉那边瞟过去,终于看到一张云开日出的喜眉笑眼。

马英接过红包,放到杯子旁边。"侬看看,人家洋博士就是知书达理。"

"对的啦,喝过洋墨水嘛。"何国庆给卢杰斟满一杯啤酒。

卢杰被夸得不知说什么才讨好,忙露出关心的神态,殷勤地问道:"阿姨,您的病,彻底痊愈了吧?"

"病?别看阿拉没什么钞票,好身体就是大财富的啦。"

"噢?莉莉说,一时半会儿去不了澳洲啦。"他较起真儿来。

何莉莉冲母亲挤眼说:"妈咪,前些日子,侬不是感冒了吗?"

"噢,那点小病也值得一提呀?阿拉还不是照样跳秧歌舞的啦?"马英站起来扭扭腰,甩甩手,还拍了几下巴掌。

卢杰斜眼一看,马英的腰细得像个小姑娘。"您没被隔离呀?"

"现在又不是'文革',哪个受隔离的嘛?"马英反问。

何莉莉瞟过眼来:"哎,撒宁(谁)说去澳洲的啦?"

卢杰被她的眼神吓退,赶紧转移话题:"好,好好好,跳舞好!阿姨,您看您跳舞跳的,身材苗条得跟花儿似的!"

马英的嘴笑得也跟花儿一样。"哎,这话阿拉爱听的嘛。"

卢杰见何国庆朝马英的后腰撇嘴,忙举起酒杯说:"叔叔,看您这精神头儿,足得跟国脚似的。来,祝您宝刀不老!"

"哈哈哈哈,不老,也无用武之地啦。来,小卢,杯中酒!"

卢杰发觉何国庆越喝越威风,显出精干的本色。"阿姨,叔叔,您们身体这么硬朗,回头也移民澳洲吧。"

"阿拉?行吗?"马英摸了一下红包。

"莉莉是您们生的。您们不行,谁行?"

"老好呀。小卢呀,侬不仅有才学,更有好人品的啦。百善孝为先嘛。"何国庆乐得直露牙花子。

"澳洲可是老年人的天堂。您跟阿姨,就打打门球、玩玩高尔夫什么的,赛过活神仙。"

何莉莉用餐巾纸擦擦嘴:"别老是澳洲、澳洲的。阿拉要周游世界的啦。"

卢杰竖起大拇哥。"对,还是莉莉大气。全球一家!以后呀,一放假,咱们就拎包转地球。"

"当,当……"卢杰一看墙上的电子时钟,正走在十点钟的位置上。"哇,好时光过得就是快。我得告辞啦。"

何国庆用瘦胳膊按住卢杰的粗大腿说:"这么晚了,还去哪里吗?"

"我得回宾馆了。"卢杰欠起身来,伸手握住何国庆的手。

"嗨,侬这不是见外吗?阿拉一看侬,就一百个放心的啦。侬们的婚事,阿拉双手赞成。从现在起,侬的家就在这里啦。"何国庆一把将卢杰拉回座位。

何莉莉站了起来。"老爸,侬这是干什么嘛?家里连侬的地方都没有,侬让他睡在哪里嘛?"

"啊?"卢杰一打量房间,一室一厅的简易居民房里只有一间十平方米的小居室。"别别别，叔叔，不打搅，不打搅。"

马英连忙冲何莉莉挥了一下手说："哎，侬和小卢正在谈恋爱嘛。阿拉当父母的，要给年轻人留点空间哟。这几天，阿拉去侬外婆家住好啦。"

何莉莉用上海话嚷道："侬吃错药啦？搞什么身体贿赂嘛！"

何国庆冲她一绷脸。"什么乱七八糟的啦？这么不上路！"

"好啦，好啦，老何，阿拉快走，省得扫了大家的兴。"马英拉着何国庆就出了家门。

卢杰的嘴乐得像是包子上的褶儿："哎呀呀，这多不好意思啊。"

"那侬只好睡沙发啦。"何莉莉冲进卧室。

"嗒、嗒……"客厅的表针循环往复绕圈，卢杰守着美人隔门兴叹。他真想把表里的电池卸下来，好忘记时间的存在。他在窄小的沙发上来回翻身，把弹簧压得"吱吱"作响。

直到天蒙蒙亮，他才鼓足勇气敲敲卧室门。里面静得连喘气声儿都听不到。他轻轻拧拧门把儿，插销早就替何莉莉把严大门。唉，带来的澳元所剩无几。在上海多耗一天，拮据底细就早暴露一天。那么多钱都搭进去了，必须速战速决。明天，说什么也要敲开对方的大门。

68

43

天一大亮，卢杰就把节目安排得满满当当。上午陪何莉莉去美容院养颜，中午领她进羊蝎子馆解馋；下午带她在旱冰场翩然飞舞，晚饭后又叫她在剧院的轻歌曼舞中燃烧激情。

44

何莉莉一回到家，就瘫坐在客厅的沙发上。

"来，泡泡脚。"卢杰烧热一盆热水，跪下为女神脱掉满是尘土的高跟儿鞋。

"嗯，有眼力见。"她抬起脚来。

他小心剥下她的长筒袜。"嘿，还是家里舒服呀。外面那叫一个脏乱差！干什么都跟不要钱似的。抢啊！大家从小就练就了一身抢的本事：抢购，抢路，抢队。抢劫的也多。"

"真碰到打劫的，侬跑得比谁都快的啦。"她一抬大脚趾，踢到他的鼻子尖上。

"礼让似乎是件跌份儿的事儿。"他赶紧把她的脚丫子按进脚盆。

"人这么多，让得过来吗？"

"这大上海呀，身上是个大美人，可是脚下到处是'地雷'。瞧，你鞋底上不是狗屎，就是黏痰！"

"澳洲人不吐痰？"她晃晃脚。

"没那么多可吸入颗粒物，哪来那么多痰？我听说，有一半儿国人死于肺病，主要是空气污染惹的祸。"他用香皂把她的脚心、脚面、脚趾、脚缝儿里里外外洗了个香气飘飘。

"澳洲就一尘不染啦？"女神顿感解乏无比，把身子往沙发背靠去。

"反正一个月也不用擦皮鞋。"卢杰把她的脚擦干，又按摩她的脚心。

"还不如呀，一个月不洗澡呢。"

"我正纳闷呢，这地铁里的人，浑身上下散发出一股厕所味儿。真不知他们多少天洗一次澡？"

"侬老替澳洲吹什么？"这个假洋鬼子狗改不了吃屎。

"情景决定行为。不信？我带你去看看呀。"卢杰乘机亲吻她的大脚趾。

何莉莉一甩脚丫子，让卢杰一屁股坐进洗脚盆里。

"哈哈哈哈！"何莉莉笑得这份开心。谁叫侬老给洋人舔脚后跟？

"乖乖！"卢杰乘着她的笑声，挺起上身，像一阵风一般扑到她的胸上，把舌头钻进她的笑嘴里。

"啊！"她被压得动弹不得。嘿，这小子得寸进尺，又把他的熊掌伸进怀里；这通乱摸，比砂纸还粗糙。

"爱你！"见她并未阻击，他勇往直前，用右手直往她的大腿根儿捣去。

"嗷！嗷！"她的嘴叫得越欢，他的手捣得越狠。

"啪——"卢杰摸得正上瘾，被她一巴掌扇下沙发。"畜生！"

"哎？"卢杰滚到地毯上，四脚朝天，像个败兵。

"没见过女人吧？"她耸起身来，往他的头顶投下一束秒杀对手的眼光，高大得像名女将军。

"婚我都离过，什么没见过？"卢杰从地上爬起来，学着电影中拿破仑的样子，抬抬脚跟儿。

"啊？"何莉莉顿感从十三层的高楼跌到冰凉的石板地上。虽说阿拉跟网友的浪漫史够写一部长篇小说的，可毕竟是未婚的大姑娘嘛。他本来就那么老，再给阿拉戴个嫁给"二婚"的帽子，阿拉的大家闺秀形象还往哪里摆嘛。

"离一次婚，就等于光荣牺牲一次。离婚那天，才是我真正的出生日。"

卢杰扭出一脸痛说家史的苦相。

"别离呀。"离婚是一个男人不管妻儿死活的最好证明,是一个丈夫失职的集中表现。不管谁对谁错,离婚本身就是失败的记录。离婚的人不想跌价,也要打折。

"好在儿子归了前妻。"

他分明要在阿拉面前显得无牵无挂。这更让人失望。此君真是一不爱子,二没责任感。"孩子是自己的,怎么也该常去看看吧?"

"我前妻爱子如命,我也就不操那么多心啦。我们只是偶尔聚个餐。"

"我们?"他居然用这种同盟式的称谓提及他的前妻。两个曾在一个池子里戏水多年的鸳鸯,能像移除电脑文件那样说删就删吗?阿拉就是把心给他,也难以占有一个离异者的全部心田。"留恋过去就等于水中捞月的啦。"

"我这人感情极其专一。万万没想到,我前妻为一顿牛排就跟西人上了床。"

"回忆过去只能自寻烦恼。"这小子一个劲儿往前妻身上推责任。

"幸亏离了,否则就没机会碰到你啦。你才是我命中注定的铁娘子。"卢杰又扑过去。

"侬对前妻也这么野蛮?"何莉莉一闪,让他一头扑空,倒在沙发上。

"拜托,别再折磨我啦。"他的棕色眼睛放出巧克力色的光,伸手扑抱过去。

"住手!阿拉要是这样对侬,舒服吗?"她说着就掰他的中指,使劲撅了一下。

"啊——"卢杰疼得从沙发上跳起来。"你,你怎么这么手黑呀?"

"记住,对女人,先要学会温存,再想别的。晓得吗?"

"我,我太爱你啦。"

"爱侬自己去吧!"

"啊,你让我发狂!"他又往她身上扑来。

"那就一人抽筋去吧!"她一把推开他,大步跨进卧室。

卢杰追到门口。

"啪"的一声,她在屋里插上门,让他吃个闭门羹。

45

第二天一大早,卢杰被何莉莉强行"押往"虹桥机场。

"莉莉,企鹅大学就要开学了。跟我回北京,见见老家儿,捎带脚儿去趟大使馆,把未婚妻签证手续给办了,行吗?"卢杰连连作揖。

"阿拉可不想跟粗人在一起。"她露出一口洁白如玉的皓齿。

"咱俩谁跟谁呀?跟死心塌地爱你的人在一起,没什么可二乎的。"他可不想再次铩羽而归。

"再说吧。祝侬一路顺风!"何莉莉挥挥手,转身离去,把皮鞋踩得"咔咔"作响。

她的高跟儿鞋似两把鼓槌,每往硬地上铿锵踏击一声,就在卢杰的心脏上狠敲一棒。

46

马英一回家,就绷起了脸。"什么?侬把人家轰走啦?"

"一个二婚的剩饭,留着干什么吗?"何莉莉可不想委身于一个假洋鬼子,她要的是真洋鬼子。

"哎呀,莉莉呀,二婚说明受欢迎嘛。侬晓得丢的是什么吗?一个澳大利亚呀!快打手机,把他请回来。侬一撒手,肥肉转眼就让老鹰叼走。"

"侬要打,侬打好啦。"何莉莉把卢杰的名片扔在方桌上。

"妈咪全是为侬好。结过婚的才晓得怎么疼老婆的啦。"

"疼人?他连怎么尊重女性都不晓得,不离婚才意外呢。"怎么才能改变妈咪对查尔斯的态度呢?

"哎呀,搞对象哪有不亲热的?离过婚的人才更珍惜家庭嘛。"

"侬中意,侬嫁给他好啦。"这俩正合适。

"屎壳郎,又臭又硬。好,侬不打,阿拉替侬打。离婚不怕结婚的。"

"妈咪,识货不啦?"妈咪跟爸爸可没这么贱过。

马英捏起名片。"喂,小卢呀,侬好。怎么?连准岳母的声音都听不出来的啦?莉莉对侬有什么不敬吗?啊,没有就好。阿拉这女儿呀,哪里都好,就是爱使个小性子。女孩子嘛,总是要发个嗲什么的啦。其实嘛,等成家以后,侬就晓得啦,莉莉最善解人意的啦。侬这个乘龙快婿呀,阿拉是收定的啦……"

何莉莉觉得妈咪真是太掉价了。干吗跟"声优"似的,嗓音装得比阿拉还嫩?哎哟,妈咪居然跟他有说不完的话。

47

何莉莉溜进自己的小闺房,悄悄与查尔斯在网上接头连线。

嫁给西人才是万全之策。跟查尔斯隔网聊天,都比跟卢杰面对面浪费表情有价值。起码学学英语。自己天生热爱西方文化,精神境界早与西方文明殊途同归。她最爱听查尔斯模仿"猫王"唱歌,那旋律给她一种回家的感觉。实际上,美国一直是阿拉的精神故乡。只可惜网上的美国网友太花心,致使阿拉始终圆不成回美国老家的梦。跟查尔斯拍拖以后才发现,澳洲人更有魅力,更有幽默感。现在,澳大利亚才是阿拉的奇幻乐园。

可是洋人毕竟是异族。他们对性的态度似乎比动物还随便。这几天,查尔斯对阿拉的性攻势越来越猛。他一再要来上海与阿拉亲身"接触"。这倒也没什么。问题是阿拉真的摸不准,这种性冲动到底含有多少爱的成分?

"我宣布,我爱上了你!你就是我的 hope,你就是我的 tomorrow。"何莉莉刚一上网,查尔斯的雄浑嗓音就让她春潮涌动。

"冤家,侬讲什么?"何莉莉最想听"爱"字。

"我正式向你求婚!"

"侬喝酒了吧?"她对着嘴边的麦克风"哼"了一声。

"我想你,想得睡不着觉。"他的声音似"猫王"曼声歌唱。

"想阿拉什么呀?"何莉莉亲昵地问道。

"想你的脸,想你的大腿,想你的胸部,想你身体的每一个部位……"查尔斯的呼吸声在耳机里显得越来越急促。

"真的?还想哪里呀?"何莉莉决定进一步引蛇出洞。

"最想你的雌蕊。"

"想得倒美!"

"你是耶稣创造的杰作,每一个部位都是美的象征。我们西方人尤其欣赏人体美。"

"阿拉中国人讲究含蓄的啦。"

"你就是一棵含羞草,只待大鹏鸟让你鲜花绽放。"

"哎,侬怎么说也是个大教授嘛,能不能玩点高雅的啦?"

"你们中国人不是崇拜龙吗?我就是一条巨龙!龙,能巨,能弯;能长,能短。春兴云雨,秋入龙潭!你呢,就是一条凤。凤,能幽,能明;能深,能浅。夏下小雨,冬融雪梅。啊,巨龙戏凤,真美——"

查尔斯的气息穿过电流,吹痒何莉莉的耳膜。"中文底子确实不薄嘛。"

"可惜,那只是想象的产物。今天,我们该结婚啦。"

"发昏吧?"何莉莉给他刹车。

"先赏花展,再进洞房。"

"阿拉没戴花。"

"你身上就有玫瑰。"

"阿拉可不是魔术师。"何莉莉扑出一个险球。

"你只要接通小镜头,鲜花自然就会盛开。"

"真不巧,阿拉的摄像头坏了,接不通嘛。"何莉莉把球抛出去。

"这样吧,我先唱一首爱的前奏曲:My hard one will go on for you…"听,查尔斯把《泰坦尼克号》的主题歌都给篡改啦。

她跟他一起唱起来:"My heart will go on…"

"砰!"马英听到闺房里又传出朗朗的英语歌声,一把推开房门,把正在抒情的何莉莉吓了一哆嗦。

"妈咪为侬费的吐沫,全都打了水漂啦?"马英气得把食指点在女儿的脑门儿上。

何莉莉赶紧下网,把耳麦摘下来,一把摔在写字台上。"妈咪,阿拉的私生活,侬不要老干涉,好不啦?"

"哎哟,侬是妈咪身上掉下的肉,还跟妈咪隔肚皮?"马英甩甩小指。

"侬再好事,就犯法的啦。"何莉莉使劲一摆手。

"婚姻是闲事吗? 侬以为侬长高了,就什么都高啦?"马英坐在女儿的单人床上。

"妈咪,侬就跳跳舞、唱唱歌,好好安度晚年吧。"何莉莉一想自己这么大了,还靠母亲养着,便放缓语气,给母亲倒杯白水。

"不行! 侬长得再大,也是妈咪的娃娃,不能眼看侬吃亏。"马英接过水杯,像喝啤酒那样大喝一口。

何莉莉"扑哧"一笑。"噢,嫁给中国人就不亏啦?"

"侬放着卢杰这种同胞不要,非去追一个靠不住的洋人。哪天卢杰娶了别人,那个洋人又不翼而飞,侬就鸡飞蛋打吧。"马英使劲在写字台上一蹾水杯,水花四溅。

"妈咪,那个卢杰先天营养不良,长成那种小倭瓜,有什么吸引力嘛。"

"哎呀呀,身材短,眼光长嘛。拿破仑、邓小平,不都是世界巨人嘛。卢杰好歹也是个大学老师,这就一好百好的啦。个子矮,显年轻。侬俩坐一起,就像是一个年龄组的嘛。"

"缺点全成优点啦?"

"好歹人家是个华侨嘛。国内这些人，侬又看不上眼，还挑什么挑？在国内找个大款，别看今天挺神气，明天没准就出事。侬守得起那个寡吗？那些大户，有几个没小蜜的？哪有什么荣辱观？再说，国内的大款只能给侬汽车和房子。侬要嫁到西方，就等于嫁给自由女神，晓得不啦？"

"嫁给洋人，不更直接嘛。"

"莉莉，找对象嘛，一定要找同类。阿拉上海人还瞧不起上海人呢，更何况一个白人啦？找个比自己低的，侬可以高高在上嘛；找个比侬高的，侬老得仰脖看人家的脸子。那个洋教授，侬高攀得起吗？记住呀，找老公，别找太帅的，别找太精明的，也别找太有钱的，更别找种族比侬优越的！"

"哎哟，妈咪，这不行，那不行，侬还让人找不找？"

"要找个爱慕侬的人，而不是侬爱慕的人！"

"妈咪，阿拉还年轻，不急的啦。"

"哎哟，侬都二十四啦，再不出阁，就成老古怪的啦。阿拉女人这一生，顶多也就当个三'瓶'夫人。年轻时是花瓶，中年是醋瓶，老年就变成药瓶啦。趁有资本，赶紧嫁出国。过这时，就没这价啦。听妈咪的，这房子就归侬啦。再搭理那个洋人，就别怪妈咪不认闺女啦。"

"海外华人，不全是好人吧？谁晓得卢杰是什么货色？"何莉莉从兜里掏出一块"大白兔"糖。

"要强势，就得有实力嘛。来，看样东西。"马英说着走到墙角，打开樟木箱子，从一堆古玩堆里翻出一长条枣红盒子。她解开盒上的血红绸子，一掀盒盖儿，亮出一把龙飞凤舞的刀鞘。

"啊，妈咪，真够跩的，去杀人呀？"何莉莉吓得往后退了一步。

"戆徒，这可不是一般的刀。"马英伸手握住刀柄，从刀鞘里缓缓抽出一把寒光四射的双刃刀。反射在刀刃上的阳光把何莉莉的凝眸刺得直发麻。"上个月，妈咪去陕西，在小摊上淘到这把宝刀，侬猜多少钱？"

"一分钱也不买的啦。"

"五十块钱！"

"妈咪，侬不是想说，侬成鉴赏家了吧？现在人人玩收藏，有几件文物是真的呀？侬阿拉看呀，这个箱子里的东西，全是赝品。"

"阿拉前些日子刚参加一个电视台的鉴宝节目。专家讲啦，这把匕首出土于战国时代，价值连城！侬看。"马英抽出一张打印纸，往明晃晃的刀刃上一扔；紧密度极高的进口纸一飘两半儿。

"哇！"

"这个稀世珍宝，妈咪传给侬啦。有宝物在手，不会沿街乞讨的啦。"马英把匕首插回刀鞘,放进盒子里。

何莉莉系上红绸子。"妈咪,侬可真爱操心。"

"囡女,其实,妈咪舍不得侬离开。可是,阿拉祖祖辈辈都是低端老百姓,没有后台、没有门路,很难跟人家公平竞争的啦。西方不是讲平等嘛。侬有本钱,可别浪费人力资源哟。"

"妈咪呀,阿拉一出国,就把侬接过去。"

"哎,乖乖,抓紧时间跟卢杰联系呀。"

"是喽,妈咪,阿拉这就给他打伊妹儿,好不啦?"

何莉莉回到电脑前,只管埋头查看查尔斯发来的电邮:

莉莉我爱:

周日上午十点三十分整,即使突发战争或地震,我也在"天上云乡"咖啡厅等你,不见不散!

你的准丈夫:查尔斯

啊,他要来啦!她像个被奥斯卡提名的影后,天天对着镜子左右顾盼。

48

午夜时分,查尔斯刚一下榻"天上云乡"宾馆,一位自称"圆圆"的跟进服务马上到位。查尔斯本想玩一下,睡个好觉,没想到在她的温柔乡留恋了大半夜,直到凌晨才小睡一觉。

49

何莉莉在床上睁了一夜眼,终于盼来约会的黎明。从不描眉画眼的她,连腋毛都剃了个秃。

她穿上卢杰献给她的桃红色"邂逅"春装,在天鹅般的颈项上戴上白金项链。还有卢杰给自己置的那顶紫色贝雷帽,那只精巧玲珑的藕荷色小坤包,那双超长尖嘴墨绿高跟儿鞋,从头到脚都派上用场。

50

今天是人生的一个拐点。何莉莉一脚踏迈进大上海的晨雾之中,钻进一辆白出租车。宁早勿晚,关键是别让风尘吹个蓬头垢面。

她扶扶帽旁的秀发，瞥一眼车窗外的雾蒙蒙灰天。尘雾漂浮在她的头顶，像大烟鬼弹在空中的烟灰，也像烧纸钱落下的余烬。可吸入颗粒就在嘴前悬浮，她赶紧摇上车窗。烟草和阴霾是肺癌的最大杀手。一年三百六十五天，上海的脸多半都阴沉沉的，好像世界末日即将来临似的，好扫兴呀。在这种天色里度日，住得再好，工作再好，生活也不能绚烂多彩。阴霾天把她压抑得一天二十四小时都想生活在夜里。黑夜不显白天的阴，夜上海要比昼上海美得多。这不是本末倒置嘛。既然卢杰老夸澳洲天蓝水绿，何不早日飞往大洋彼岸呢？

一排排塔楼像一座座高山一样切断前面的视线。在一片积木般的建筑群里，她总算瞄到"天上云乡宾馆"的招牌。是巧合？还是讽刺？这不正是卢杰住过的那家饭店吗？

51

何莉莉步入"天上云乡"咖啡厅，要杯椰汁，一滴一滴细品椰蓉味儿。这次故地重游，她可不希望重看卢杰导演的那种旧戏。她在胸前连画十字，口念"上帝保佑！"只求查尔斯这匹洋马准时驾到。

啊，那将是何等魅力男人呀！肯定是一个奇伟的人，一个睿智的人，一个有地位的人，一个花样美男。超常的身材，不俗的洋范儿，让异性自甘堕落的蓝眼神……等他风度翩翩走来时，阿拉是坐着不动以示高贵呢，还是起身握手尽显礼仪？她拿出小镜子，补补妆，勾勾头发。椰汁不能喝得太快，要耗到查尔斯坐下时还能见到杯底的白色玉液。

她掏出手机一看，刚过十点。虽说时间尚早，她还是激动得在椅子上来回扭屁股。为酝酿情绪，她在手机上观赏起好莱坞大片来。煽情的剧情并没稳住她的心，盼只盼现实版的爱情大戏尽早精彩上演。她扫一眼彩屏右上角的表盘，才熬过两分十三秒。她又调出手机里的言情小说，平添些许浪漫情怀。指针又爬行三分钟，咖啡厅依然没有老外的影子。她越来越躁动，手指乱敲手机的偷菜游戏。另一个十分钟也不辞而别。

十点二十分。啊，真人就要露相。她抬起头来，连眼前掠过的小鸟都不错过。时间停了。她打开手机的收音机。一阵欢快而又浪漫的音乐挺养耳膜。

门口闪出一个老外。何莉莉一转眼珠，摘下耳机。哦，不是，不是，相貌平平得就像人流中的一个后脑勺。她把耳机塞回耳朵，继续锁定最新情歌排行榜。

何莉莉一看钟点,啊?都十点四十分啦。她望望天空,连难得一见的日光都冲破迷雾,露出一片笑脸。他查尔斯是人是鬼,也该显显形了吧。不行,不能再晒下去。她的食指快速在拨号键上摁出查尔斯的手机号码。响了几声,话筒里传来让她留言的信息。搞怪,查尔斯不接电话!即使真遇到骗子,也不至于未达目的就先当缩头乌龟吧?

她又手指忙乱地打出一条儿短信,按下发送钮。还是石沉大海。够了,必须进去探个虚实。上次来这里,就卷进卢杰的骗局。莫非今天又碰鬼啦?她在服务台打听到查尔斯的房间号,屁股这才又扭起来。查尔斯已经"大驾光临",并非一个不守信用的公子哥。

又等五分钟,仍不见查尔斯露头。她拔起长腿,直奔二楼的外宾套房。

"噢,噢,噢……"她刚一找到查尔斯的 212 房间,就听到房门里传来一阵花腔女高音的叫春声。

52

庭审现场,卢杰和查尔斯正在打眼仗。红眼神和蓝眼神你来我往,在法庭上射来射去。法警站起身来,用宽大的身躯挡住两束逼人锋芒。卢杰这才收回红眼,往律师台那边看去。

阎超托起封在塑料口袋里的"燕国"匕首,快步走到证人席前,举到查尔斯面前。"请问霍歌先生,案发之前,你见过这把谋杀凶器吗?"

"见过。"

"在哪儿?"

"卢杰的书斋。"

"也就是说,被告正是这把匕首的主人?"

"千真万确!"

卢杰一捂胸口,好似被刀尖儿扎了一下。

菲利普冲阎超冷笑一声,转过身子问查尔斯:"霍歌先生,物证不会说话,证人却可以说谎。何以为证?"

查尔斯看上去仍沉浸于痛失何莉莉的悲伤之中。"何莉莉第一次从卢杰那里逃婚,将宝物随身带走。后来,她被卢杰骗回,又把匕首一同带回。等她第二次离家出走,匕首已经落入卢杰手心。从此以后,这把快刀就成为卢杰的掌控之物。"查尔斯的蓝眼神像一把长剑,直往卢杰的方脸刺去。

卢杰抗辩:"不对!何莉莉再次被查尔斯拐走的时候,连同匕首一起进了凶宅。"

查尔斯冷笑道："谁能证明呀？"

"你！"卢杰的胳膊往证人席那边一挥，像是要把查尔斯的高鼻梁打断。

菲利普扬起手来，停在空中，示意卢杰保持镇定。"刀柄上有卢先生的指纹？"

"这还用问呀。"阎超晃下豹子头。

"就卢先生一个人的？"菲利普的满头白发让他显得更加老到。

"那倒不是。"

"还有谁的？"

"无可奉告。"

卢杰气得直掐自己的大腿。嘿，这个卫嘴子，学我的剩话。

菲利普向审判台横步移去，恭敬地向玛格丽特请求道："法官阁下，本律师要求警方提供证据细节。"

"准许。"

阎超只好亮出底牌："还有何莉莉和霍歌先生的手印。"

78 卢杰精神一振。好！菲利普直击对方要害。

"查尔斯才是真正的持刀人。"菲利普把剑般的眼光刺到查尔斯的宽脑门儿上。

"什么？"查尔斯"噌"地站立起来。

第五章　何莉莉登陆悉尼

53

日上三竿，查尔斯在"天上云乡"的大床上刚一眨开眼，就见袁媛手托一盘丰盛早餐，跪卧枕边儿，把一只小勺伸到他的嘴前。查尔斯像只馋猫，在小勺上舔来舔去，美美地饱餐一顿。他正准备下床穿衣，却被袁媛一头扑回枕上。

他无心恋战，怎奈何袁媛叼起东北"烟袋锅子"就不撒嘴。查尔斯的瘾被互动起来，嘴对嘴，一口接一口，越抽越上瘾。几口烟的工夫，他重返伊甸园。纵然海啸临头，也要过完瘾再逃。一袋又一袋，烟火持续，这个袁媛怎么毫无灰飞烟灭的迹象呀。

"咔咔，咔咔……"铿锵有力的高跟儿鞋声由远及近，像战鼓一样直朝他的房间敲来。他怀疑服务员穿的都是仪仗队的军靴，穿行楼道的脚步比大阅兵还重。

查尔斯一瞥手表，啊？十点三刻！他翻身下马，刚够到自己的内裤，却被袁媛一把拉回马背。

"咔咔，咔咔……"脚步声越来越响，在他的房门口猝然停下。啊，都快把心脏给震出来了。

他加大力度，在床上晃出唐山大地震的动静。大楼还不快快塌陷！

"嗷，嗷，嗷，嗷……"袁媛被震得左摇右摆，狂呼乱叫。

"嘭！"查尔斯以为大楼被他震倒，却见房门訇然大开。查尔斯停止震动，抬头一瞄，只见一个高挑儿时髦美人从门外一步跨进，瞋目而视。

"谁？"

"何莉莉！"

查尔斯一听这名儿,立即变成惊弓之鸟。他使劲一拍席梦思床,放在屁股旁的托盘被床垫反弹起来,上面的早餐抱头鼠窜。开口的香槟酒瓶像个醉汉,一头扑到查尔斯的肚子上。一股股白色酒沫儿像瀑布一样"咕嘟、咕嘟"倾泻出来,直往袁媛的大腿喷涌而去。

54

何莉莉张圆嘴,在黄浦江畔甩发狂奔。人流从两旁源源掠过,她的心在黄浦江上孤寂漂流。世界喧嚣,我心孤独。自己在网上弄潮多年,却从未溅起一朵令人心动的浪花。好不容易被查尔斯掀起一股西洋的潮涌,却像是被人啐了一脸吐沫。他玩的那个小姐,不就是上回在卢杰房间里见到的那个"圆圆"吗?兔怕爱上虎。阿拉抓到的竟然是一根大花萝卜。

她出生在万象更新的上世纪八十年代,童心并未收获多少光明。在她的童年记忆碎片里,父母从早吵到晚。只有到了夜里,俩人才把白天的叫骂声改成叫春声。家里的九平方米小房只有一张床。她经常被父母的床上运动给摇成一个煤球。

正当她梦想住进迈克尔·杰克逊那样的梦幻庄园时,爸爸主动让出床位。那时她刚八岁。昨天还跟老爸在床上蹦高高,今天就剩妈咪泪涟涟。她天天哭着要爸爸,不但叫天天不应,反而被妈咪骂得叫地地不灵。自己那么小,什么主也做不了,只能在梦中跟爸爸玩捉迷藏。

直到两年后的生日,爸爸才意外现身,带她到游乐园疯玩一天。这时她才晓得,爸爸有了新家,只有周末才能带她去吃回冰激凌。

失去爸爸,爱她的天空塌掉一半。越不能跟爸爸在一起,她就越觉得爸爸可亲而可贵。爸爸是世上最高大的人,最爱自己的人。爸爸多帅呀,多慈祥呀,连说话的语气都那么有魅力。也许,这是恋父情结?同学们笑话自己没爸爸,那就让那些有爸爸的看看,阿拉决不在学习上输给任何人。

十三岁那年,她出落成一个大鲜桃。道貌岸然的男班主任三天两头留她补习"肢体语言"课,边给她复述琼瑶的小说《窗外》,边在她身体的相关部位读上一遍又一遍。她躺在老师的怀里,比当年跟爸爸撒娇还开心。她原以为这是爱情,直到有一天老师在课堂上被警察戴上手铐,她才晓得老师再也不能陪伴自己,而是要跟铁窗白头偕老。在公审大会上,她终于醒过梦来,班主任并非"钟情"自己一个人,还把其他九名女生弄大了肚子。

看看街上的这些男人们,身边明明有妻子、有爱人、有女朋友,却一个个把色迷迷的眼神瞥到阿拉的脸上、阿拉的胸上、阿拉的下三路上。男人呀,除了多长一条尾巴以外，并不比阿拉女人多长一个脑袋嘛。女人误以为男人爱自己，其实，男人表演的恋爱魔术，全是为最后抖出那条尾巴进行垫场。他们在网上大唱爱的赞歌，不就是用假唱博得恋女的欢心吗？不管男人唱出什么高调，最终都要露出他们的色狼尾巴。

男人都在为自己的尾巴忙活，只不过有色大胆小与色胆包天之分而已。好一点儿的，也不过是想找个给他们生儿育女和打理家务的老妈子。看来妈咪说对了，洋男人更不是好东西。查尔斯不过是童话世界的一个幻影。理想好暖和，现实真刺骨。尘世的爱沾染太多的细菌，只有天国才是纯真感情的归宿吧。

没有爱情，还有什么活头？她瞟瞟波纹起伏的江面，犹豫从哪里跳进去，好让自己这颗失落的心随流而去。

<h1 style="text-align:center">55</h1>

何莉莉在南浦大桥上踌躇不前。"呜——"她低头一看，一艘游轮就在脚下航行。等船开过去。1，2，3，4……再数二十下，正好是阿拉活过的年头。就叫这滔滔江水成为葬身之地，就让这男人垂涎三尺的肉身成为鱼食吧。

"祝你生日快乐，祝你生日快乐……"她的手机突然大叫起来。莫非查尔斯忏悔了？她一看彩屏，是一串儿怪异的数码。阿拉的交际圈没有这种号码呀。临别世界，怎么也得听听，是谁给阿拉奏响的安魂曲。

"喂，哪位？"

"你好，莉莉。是我，卢杰！"

"啊？是侬！"

"莉莉，电子邀请函，收到了吗？"

"啊？哦，这几天，阿拉没上网。"

"你可以去领事馆办手续啦。"

"噢，什么？"

"来澳洲结婚的签证呀！"

"嗯？卢杰，谁答应嫁给侬的啦？"

"哎呀，莉莉，想叫我求一百次婚呀？"

"阿拉刚看了本小说，有俩留学生，一到墨尔本，就睡在郊野公园。阿拉可不想步他们的后尘！"

"噢，那是他们没朋友。有我在悉尼接应，一下飞机，你就直奔大宅，躺在舒适的席梦思床上……"

"没那么便宜嘛。"

"只要你嫁给我,我什么都答应。"

"怎么也得回来迎亲吧。订婚酒席,也要办得露脸一些嘛。"

"好好好! 大学就要放复活节秋假啦。我这就回去!"

江风吹开她的心花。啊,人生并不像阿拉想得那么糟糕嘛。幸亏接了个电话。好多人只因脑筋一时短路,就把宝贵的生命当成破烂给丢掉啦。看街上这一对对情侣,多么浪漫,多么令人艳羡! 干吗不好好活下去? 干吗为一个花花大少殉情? 阿拉要让查尔斯看看,没有他,阿拉照样可以去悉尼风光。"大鹏鸟"飞了,不是还有个小袋鼠跳过来了吗? 大白马也好,小黑驴也好,真把自己驼出国的骡子,才是好马。

每人都有梦。阿拉从小就梦想去西方世界圆一个童话梦。哪怕看一眼悉尼歌剧院的图片,都能看出那是多么富有想象力的乐土。国内多少出国迷,连小组预选赛都没出线。既然卢杰把自己拉进决赛圈,那就好好去澳洲赛一场吧。

56

何莉莉包下"天上云乡"的整座餐厅。

等卢杰一下飞机,她就邀来亲朋好友,大办一场"中澳网友订婚盛宴"。七姑、八姨、九奶奶这些娘家人上了主桌,连很久没来往的大、中、小学同学都成了座上客。

在众目睽睽之下,卢杰单腿跪在舞台上,向高高挺立的何莉莉求婚:"网络冲破国界,把南北半球的有情人牵在一起。莉莉,嫁给我吧。让我们插上爱情的翅膀,穿越赤道,到澳洲实现你的博士梦吧!"

何莉莉弯曲双腿,一伸双手,拉起卢杰,把下巴枕在他的头顶,向众人发出征服者的甜笑。

"哇! 恭喜! 恭喜!"众人击掌叫好。

马英给卢杰倒满啤酒说:"来,关雎男士,莉莉就托付给侬啦,可让阿拉宝贝过好日子哟。"

"妈,您放心,莉莉一到悉尼,就自动跨进天堂的大门。"卢杰举杯畅饮。

何莉莉把醉翁之意投在卢杰的手中啤酒杯里。一柱柱啤酒沫从细窄的杯底向展宽的杯面冲击,宛如一条条跳往龙门的小鲤鱼;欲冲出杯子,投身于人声鼎沸的喜宴之中。但愿,阿拉在澳洲的生活能像啤酒沫一样欢腾不已。

马英又给卢杰续上酒。"这就对啦。人就活那么几十年嘛。结婚以后，一定要比婚前过得更好，是的吧？"

"没二话。呃，肚子快爆啦，失陪一下。"卢杰向母女俩哈腰而去。

何莉莉的手机突然在兜里振动起来。

"喂，莉莉，误会啦。"手机里传来查尔斯的声音。

"阿拉不认识你！"

"哎，莉莉，我就要回悉尼啦。还能见个面吗？"

"回悉尼死去吧！"何莉莉"啪"的一声合上手机盖。

马英忙问："谁要和稀泥呀？"

"还轮蹲（伦敦）呢！"

马英把嘴贴到女儿的耳根上。"莉莉，出去以后，妈咪不在身边，侬要多个心眼的啦。"

"妈咪，放心的啦。"哎哟，妈咪可真神叨叨的。

"记住，不要把卢杰给惯坏啦呀。"

"怎么会呢？"谁要能治好妈咪的饶舌病，阿拉情愿给谁当一天保姆。

"打个比方，侬煮十个大虾，给他留一个就好啦。省得叫他饱暖生闲事，也不晓得知足。"

"妈咪，阿拉这胃口，怎么吃得下九个大虾嘛。"妈咪打的这是什么小算盘嘛。

"给他吃一个，他念侬好。倘若给他五个，他反而翘尾巴的啦。晓得了吗？"

"哈哈，晓得，晓得。"嗯，妈咪说得有道理。

"一句话，不要把男人喂得太饱。"

"哈哈哈哈！"这真是好主意。

"这么开心，笑什么呢？"卢杰坐回原位。

马英接过话："爽嘛。"

"啊，同喜，同喜！"卢杰的嘴乐得都快把牙给吐出来啦。

何莉莉喝口珍珠奶茶，大嚼一颗木薯粉圆。"哎，卢杰，侬要想想清楚的啦。阿拉嫁过去，一切都要享现成的啦。"

"莉莉，我就是你的长工，你就是我的老板。"

"阿拉过去以后，想要什么，就要有什么！"必须先把丑话说在前面。

"搞定！我在澳洲什么都不缺，就缺一媳妇儿！"

"哎，澳洲大学的秋假怎么这么短嘛，才两个星期呀？"她可不希望她一过去,他就失业在家。

"可不是吗,我正发愁呢。我的课又没人能代。"

"那侬先回去好啦。反正签证也得等上个把月的。"

先把他打发回去,阿拉正好准备硕士论文答辩。

57

三个月以后,何莉莉带着那把战国匕首顺利混进悉尼机场的海关,却怎么也不能在接机的人群里找到卢杰的小脑袋。

她推着一车行李,在候机大厅四处流浪。昨天她在电话里还对卢杰千叮咛万嘱咐,按理说他应该提前来这里打地铺才对。可是他居然死不见尸。太不把本小姐当回事啦。她急打电话。座机,没人接;手机,居然关机。白遛阿拉一趟腿呀?

刚下飞机,他就给自己来个下马威。说不定他在悉尼有女人。人心叵测,谁真了解谁呀?连亲朋好友都尔虞我诈,更何况网上情哥啦。异国他乡的生人,更是凶多吉少。她越想越毛,惴惴不安。

58

这会儿,卢杰正在机场路上发疯赶路。有一地段正在打补丁,卢杰随大流绕道而行。车到岔口,卢杰站错队,开上一条封闭的自由公路。他的"捷豹"只得一条道走到黑,一个跟头折出八公里。等他像在逃犯那样溜出高速公路,汽车像是指南针失灵的疲船,早把他绕得不知东西南北。

他掏出手机一看,居然没电了。昨晚忙着判那些小山堆的作业,连给手机充电都忘到了作业堆里。唉,蠢货,为什么不早点儿出来?他冲蓝天默默祈祷,只求飞机晚点到达。

59

何莉莉一脸愁容,像只迷途的羔羊,已在长椅上守株待兔近两个小时。

机场不正是人生的缩影吗?人一生东奔西跑,起起落落,不就是在机场里进进出出的过客吗?机场就是人生的中转站。眼前这些匆匆掠过的澳洲大鼻子都是回家的吗?肯定也有往外跑的。查尔斯不就是一个国际流浪汉吗?哎,他不是说他要回悉尼吗?在这满眼陌生面孔的悉尼,除了卢杰,不

84

是还认识查尔斯这个网友吗？

她在候机大厅找到一个网台，像发电报一样，食指速击键盘，在一封电子邮件里搜到查尔斯的手机号码。她抄起公用电话，塞进一枚卢杰给她的澳元金币，在拨号键上"啪啦啪啦"一阵快敲。上天保佑，希望查尔斯就在悉尼！

啊，手机里响起悠扬的萨克斯乐曲："好一朵美丽的茉莉花……"

"喂，这是查尔斯！"

查尔斯说的虽是英语，可何莉莉就像听到"猫王"的经典名曲一样耳熟能详。多么亲切的声音。她紧张得气喘起来。"啊，查尔斯！阿拉呀，听得出吗？"

"阿拉？啊，还有谁？何莉莉！真是你吗？"

"谢谢侬还记得阿拉。"她松了口气。

"真是你，何小姐！在哪儿呢？"

"悉尼国际机场。"

"啊？是来开 G20 峰会的吧？"

"哈哈。哎，能接一趟吗？"看在上帝的份儿上，他可千万别拒绝。

"一人单飞？"

"到底来不来吗？"她快要崩盘了。

"不等你的咖啡喝光，准到！"

她那颗悬在悉尼上空的心总算落回机场。啊，多一个朋友多一条路呀。网友也不是白交的嘛。人熟是宝，在异国他乡也不例外的啦。

她从手袋掏出口红，在上下嘴唇环绕一周。当查尔斯出现在接机停靠站时，她像盼来心仪已久的影星一样手足无措。那次在宾馆捉奸，查尔斯多没人样呀。今天的查尔斯衣冠楚楚，好一副好莱坞影星的派头。他的长发被悉尼的夕阳照得金光灿灿。笔挺西装使他的大高个子更显挺拔，袖口的纽扣闪着金点儿。领带夹子熠熠发光，一块钻石手表也晃得何莉莉满眼金斗。连他的皮鞋都闪出金色的蜡光。这个查尔斯简直就是一奥斯卡小金人呀。再看他的坐骑——一辆金色的大"悍马"！

"嗨，查尔斯！哥不是传说嘛。"何莉莉扬起胳膊，把胸挺得老高老高。

"哇，他乡遇故知。"查尔斯瞟着她的高胸，像一个犯人接到大赦令一样喜形于色。

"上回多有得罪啦。"何莉莉低下头，从镜子般的汽车亮漆上看到自己的尴尬神态，觉得自己真像个盲流。

查尔斯举起双手，像个战俘。"噢，那回在'天上云乡'，我硬是被一只飞燕给强奸啦。"

"哈哈哈哈！谁没有意志薄弱的时候嘛。"何莉莉想起卢杰在那个宾馆的遭遇，后悔当初不该那么敏感。

"我认罚，请你吃鳄鱼大餐！"查尔斯潇洒地把她的行李一一装上汽车，欠身为她打开副驾驶的车门，优雅地伸出长臂，吐出一声悠长的"请——"

"谢谢啦。"她上车以后才发现，驾驶座居然在右边。

"怎么这么生分？还是我先认识你的呢，是不是？"

"哼！侬干的破事！把阿拉当件礼物，转送给卢杰。卢杰把阿拉骗到悉尼，连人影都找不到的啦。"她鼓起两个粉里透红的脸蛋，露出两个涟漪状的酒窝儿。

"哇，你生气都美。如此一阳光女孩儿，险些落入卢杰的阴暗袋鼠袋子里。幸好他没这个福气，给我一个将功补过的机会！"

60

"悍马"一头扑进曛红的黄昏怀抱，穿越浮在蓝水上的悉尼大桥，与半空的火烧云融为一体。

何莉莉梦寐多年的悉尼歌剧院触手可及。情人港华灯初照，与CBD群楼上的霓虹灯相互交映，向她眨来初夜的媚眼。高耸的悉尼观光塔身披金衣，向她伸出欢迎的臂膀。一片片紫红色房顶散落在悉尼港的两岸，像是泛在港湾的一叶叶小红帆，在她脚下摇来晃去。一潭潭瓦蓝游泳池夹杂在郁郁葱葱的深宅后院，像一片片美玉点缀在悉尼民宅的胸怀。但愿这辈子，阿拉也能拥有这样的小洋房。

查尔斯指着北岸说："我家就在那边儿。"

"啊，福人居福地。卢杰说侬有家室，真的吗？"这是她最关心的事儿。

"要是真的，今天，你就上他的车啦。不过，我确实结过婚。你不忌讳吧？"查尔斯冲她挤挤水晶般的蓝眼珠。

"哪天去侬家看看？"先探探他的口风。

"蓬荜增辉！"他右手紧握方向盘，左手一拨变速杆，故意碰碰她的指尖儿。

她并不躲闪，给他进一步接触的勇气。他用指尖儿划她的手背。她一缩手，刚想移开，就被他的大手抓成一只笼中鸟。她的一双黑又亮的大眼球左顾右盼，就像划破悉尼夜空的两颗流星。

61

卢杰开着那辆满是斑痕的大红车赶到机场,在接机大厅里四处搜索,连女洗手间都不放过。没来?

哎呀,怎能把绝色佳人扔在虎狼成群的大上海?猎妞儿网手比大街的流氓可危险多啦。当初要是留在上海护驾,顶多也就折个大学教鞭。现在可好,丢车保了个小卒子,居然懵懂到这份上。

他拿出手机,调出马英的号码。

马英急得跟她吼起来:"这两天又没劫机的新闻,还能飞进天宫呀?卢杰,侬要是把阿拉的心头肉给丢了,拿侬的小人头来见阿拉!"

"老妈,您放心,莉莉就是飞上月球,我也把她接回来!"

62

何莉莉被查尔斯安置在情人饭店,饱餐以后,又被他带到情人港遛弯儿消食。

情人港像位迷人的少女,向他们暗送柔波。一对对情侣在港畔的灯红酒绿中醉生梦死,任放荡的海风拂面劲吹。荡漾的海涛轻轻摇起倒映在水里的错落群楼,把何莉莉勾进神秘的异国夜天堂。

她打了个晃儿,准是刚才喝的红酒上了脑子。他乘机把大手贴在她的小细腰上。

她小跑几步,逃出茂林下的阴影,踏上路灯通明的大街。

63

主街上灯火辉煌,花团锦簇,鼓乐齐鸣。正赶上一年一度的世界同性恋狂欢大游行。何莉莉第一次在公共场合大开当代"亚当"和"夏娃"在通衢上招摇过市的眼。

在上海,她只在澡堂子里见识过聚众裸体。那些裸人还都是同胞和同性。可眼前这一群群载歌载舞的肉身,有男有女,有老有少,有黑有白,来自全球各地。连警察局的男女"同志"都赤膊上阵了。有的队伍还高举女皇和总理的头像踏步行进,似乎向全世界宣告,我们的队伍夜夜壮大。

最让她揪眼的是各种放大的性交动作。嘿,七十二招儿全上阵。阿拉的大阅兵，显的是国威、军威、党威。这些阿飞可好，在大庭广众面前，露出来的不是奶头山，就是猴屁股！他们要显什么威呀？胸威？臀威？乳威？看他们摇头摆尾那份美劲，自我感觉过好，简直就是群魔乱舞。再看看身旁这个傻大个查尔斯，又挺肚子，又撅屁股。嘿，这家伙真像那些一听《国际歌》就能找到同志的人一样，舞得比那些"拉拉"还花哨呢。

"哎，侬不会说侬有'断背'情结吧？"她忍不住问道。

"你没看这里百合如云吗？"他冲她调皮地挤一下左眼。

"侬见到女人，就走不动道吧？"

"男人见了女人没感觉，那肯定就有龙阳之癖啦。"他把屁股绷得都快撑破裤裆啦。

"悉尼原来是个肉铺子！"

"哈哈，够馋人的吧？"查尔斯拍了一下她的胳膊。

"除了性，就没有其他雅兴？"她推了他一把。

"嘻嘻，澳洲文化的本质就是性和啤酒。寻欢作乐是我们澳洲人的天性。"他露着大牙微笑。

"这种害羞事，找个没人的地方照照镜子就算了，何必公开炫耀？"

"这叫无拘无束，娱乐至死。走，带你去个地方，保你心跳更加过速！"

64

何莉莉被查尔斯拉进明闪闪的国王十字街。

祖胸露背的洋女人如花蝴蝶一样在何莉莉身旁飘来飘去。这倒没什么新鲜的。可是看那些伫立在嘎哒里的大男人，像一尊尊雕塑，是鸭？还是"小攻"、"小受"？前方的建筑物一座比一座绚烂。查尔斯推她前行，亮光引她迈步。前方到底有何夜店？

门卫挡住她的脚步，拍拍查尔斯的肩膀："哎，来一来呀，看一看！真枪实弹玩了命啦。嘿，不刺激，您找我退票！不过瘾，我倒找您钱！"

65

何莉莉被查尔斯推进一块闪着"空中舞吧"的红绿门脸儿。穿过暗得发红的门厅，震耳欲聋的摇滚鼓点直冲她的前胸敲来。何莉莉交叉双臂，护住胸部，以免心脏不堪一击，从左乳蹦跳出来

刚一坐下，她就看见舞女们在红色小舞台上伸胳膊踹腿，展现各种床上

体操姿势。色眼迷迷的观众发出阵阵大呼小叫。一个个身穿比基尼的炫目女郎在雅座之间纵横穿梭，迈出时装模特的猫步，在男客的大鼻子前来回移动大腿。

"哎，那女的老说 jig—jig。阿拉从小学英语，怎么从没听过呀？"何莉莉喝口饮料。

查尔斯露出一脸坏笑。"噢，'机哥—机哥'是象声词，问你上不上二楼的单间儿。"

"好呀，带阿拉来这种地方。"她真想把粉红的汽水泼到查尔斯的白脸上。

"你是从缅甸来的吧？"

"什么吗？"

"也太腼腆啦。"

"谁像侬，脸皮比长城还厚。"

"快看，最炫的演出开始啦，真人秀！"查尔斯一拍她的大腿。

何莉莉从座位上翘起屁股。只见一位身披蓝色纱衣的绿发美女跨着芭蕾舞的大步跳上舞台。伴随劲歌的旋律，女郎分别在几个鼓点上宽衣解带。"噌"的一下，随着一个腾空劈叉，薄薄的纱衣如一片海水缓缓飘落在舞台上。

香艳女郎解开围在脖子上的黄绸带，在身体的凹陷部位拉来勒去。妈呀，还脱呢，魔鬼身材只残存三个小红点啦。性感澳女原地转身三百六十度，弯下腰去，撅起两半儿肥腚；左右来回扭动，亮出一幅红、黑交织的男欢女爱文身图。

"啊！"男人们发狂啦。

猛女挥舞满是肌肉的白皙臂膀，像角斗士那样向台下发出挑战："不怕死的，上来！"

话音尚未绕梁三秒，一敦实壮汉如一头藏獒般从观众席上蹿起身来，像足球前锋一般腾空跳上舞台。他的脚跟还没站稳，就被严阵以待的女守门员扑了个马失前蹄。

"噢！噢！噢！噢！"观众席上人头攒动，发出海啸般的声浪。何莉莉的脸涨成一个红气球。她扭头一看，查尔斯的金发都直了起来。

壮汉像是踩了西瓜皮，一头出溜到女郎的肚子下。女角斗士翻身上马，一把扯掉三点式，握在手中，在壮汉的马屁股上策马扬鞭。壮汉的马尾巴越翘越高。美女高举比基尼，像是紧握战旗的骑兵，在壮汉的肚子上狂野起伏。

"哇!"观众站立起来。狂欢达到高潮。

女郎长发飘飘,英姿飒爽,有如驰骋在草原的女侠。何莉莉的双眼变成红灯。血压急升,心脏猛跳,脸涨得连头发根儿都红成一片。幸亏壮汉没撑几下就败下舞台来,这才让何莉莉没昏厥过去。

"终极 PK 金刚钻,来呀!"女角斗士挥拳呐喊,再次召唤义勇军。查尔斯站起来跃跃欲试,被何莉莉一把拉出门外。

66

何莉莉跑到停车场。查尔斯追上来一把捏住她的小手。

何莉莉使劲甩开他的大手。"这要在国内,早被扫了黄!"

"澳大利亚宪法明文规定,公民有娱乐的自由。谁扫黄,谁违宪。"查尔斯打开车门。

"声色犬马,低俗!"她低头钻进车里。

"我想让你看看,悉尼是这地球上最自由的地方。想怎么乐,就怎么乐!"查尔斯得意扬扬。

"阿拉可乐不起来。"她的脸白里透红。

"那就进隧道兜一圈,给你快感!"他的胡子刮得白里透金,确实让她有感觉。

"去侬的。"她偷看他的侧脸,胡子根破土欲出,似乎已经扎到她的心尖儿。她想象,要是他留一脸大胡子,那该是什么样子?

67

查尔斯的"悍马"钻入地下,像颗鱼雷,在悉尼海底隧道闷头穿射,还真让何莉莉升起一种飘飘然的快感。

"哇,拉风!"她半躺在座椅上,仰视天窗上连成一线的耀眼顶灯,心却向水晶宫的深处逍遥下去。她两耳生风,扭头看看身旁掠过的盏盏壁灯,多希望把飞逝的金色弧光牵在手里。

68

"吱——"一声刹车让何莉莉回到情人饭店。

"晚安。"她从副驾驶一侧下车。

"我是你的跟班儿。"查尔斯从驾驶门一侧绕过来,拉住她的手。

"这么晚啦,快回吧。"她跟他握手道别。

"我去柜台埋单。"他一抬左嘴角,往左眼角挤上去。

"明天也可以嘛,再会啦!"

"当天账当天结。"查尔斯冲行李员一抛车钥匙,行李员伸出手掌,一把接住。

查尔斯牵上何莉莉的手,迈进玻璃电梯。

电梯徐徐升腾,悉尼的夜景越来越开阔。她的双眼忙得像探照灯,对准一座座闻名于世的地标扫来掠去。万家灯火仿佛把悉尼烧成一片丛林大火,她的身体也跟着热了起来。查尔斯把五指插进她的指缝之间,一把将她拉进怀里。悬梯越升越高,她的血压也跟着一起升高。

"体验非凡吧。"他把嘴唇贴到她的耳朵上,正负两极激烈交战。她的血液加速流动,在体内放起电来。她既生起一阵浪漫的眩晕,又感到一种悬在半空的惶惑。

69

"丁零",电梯在二十层停下来,何莉莉被查尔斯抱进 2012 号房间。

门还没关严,他的擀面棍般的长舌头就压到她的饺子嘴上。她舌头一麻,只觉得心脏跳出嗓子眼,钻进他的心里。他咬住她的舌头,像是咬住了她的心脏。她想收回自己的心,可是被他死死叼住不放。两个舌头展开激烈的肉搏战。

她站立不稳,把他的腰当成扶手。他的手指头如偷袭珍珠港的日军舰队,从她的腰间步步向她的胸部挺进。他的食指刚一触她的乳头,她就被鱼雷击中目标,五脏六腑都炸开了花。啊,一枚针尖儿正中她的情窦,让她骨酥肉软。

"好一朵美丽的茉莉花……"查尔斯的裤兜里突然传来美妙的手机音乐。他掏出来一看,当即挂断。"没教养,这些学生就像北京的胡同串子,说来串门就串门。"说罢一把将手机扔到身旁的沙发上,顺势把她也拉倒在沙发上。

"好一朵美丽的茉莉花……"手机又响了起来。

"啊?卢杰?"她歪头一看彩屏,心脏漏跳两拍。

"啊,不是不是。"他抱紧她。

手机仍在沙发上奏乐。

"这个号码,阿拉已经打过一百遍啦。"她在机场还向这个号码发过数不清的进攻。

"噢,是吗?我看看!"他抓起手机,把拇指伸到关机键上。

"别关!"她拉住他的胳膊。

"什么?"

"怎么说,他也是阿拉的未婚夫嘛。"她一推他,坐了起来。

"伪婚夫吧!"查尔斯一扬手机,又要按键。

"慢着!查尔斯。阿拉是卢杰担保过来的,必须跟他讲话。"她伸出手心。

"好吧。回头你管我要后悔药,我可没地儿买去呀。"音乐仍在奏响,显得极其顽固。查尔斯只得像绅士那样把手机递给她。

何莉莉摁下接听键,对着话筒就嚷嚷:"喂,侬死到哪里去啦?这是什么理由……查尔斯?阿拉正好在机场碰上他,幸亏是人家帮忙……查尔斯晓得侬住的地方呀……好啦,好啦,回头侬再好好谢人家吧!"

70

"悍马"驶进一条寥落的小巷,车灯的光束打在夜的路上。

何莉莉瞄到一小矮个儿连连冲"悍马"拱手:"啊,搭错车啦……"卢杰终于在深更半夜的黑影中亮相。

她挥手送走查尔斯,跟卢杰跨进一个铁栅栏门。哇,宅子真够大的呀。这就是未来的家吗?她驱走疲倦,精神为之一振。

一进正门,她的好脸渐渐晴转多云。一股臭脚丫子味几乎熏她一跟头。她低头一看,两排样式各异的鞋子横在门厅两旁。

"怎么?还有别人?"她估计有一个班的人住在这里。

"哦,这是学生宿舍,我暂时在这儿过渡一下。"卢杰拉着她的行李在过道穿行。

她不敢相信,卢杰来澳洲这么多年,居然还跟一大堆学生挤在一起。哼,他跟自己夸耀的洋房,肯定早已归了前妻。

她随卢杰穿过客厅,路过五个卧室的门,才从第六个小门钻进去。刚一进去,她误以为进了一座窑洞。她心里咯噔一下,被卷边儿的灰暗地毯给绊了一跤。等瞳孔习惯了黑暗,她这才看清屋里只有一架老式双人床和一张破旧的长方形饭桌。床上乱得比鸡窝强不到哪儿去。饭桌的塑料贴面四处脱落,四条腿儿也满是铁锈。桌子上摆满书本,看来还要兼任写字台用。

"一塌糊涂!"何莉莉无处下脚,刚在一个塑料圆凳上坐下,卢杰就如一只澳洲野犬一般把她扑到床上,冲她的嫩嘴乱啃乱咬。

"干什么嘛?这么粗野!"她一把推开他,坐了起来。破床"吱吱"作响。

"好好好,不粗,不野!"卢杰口里这么说着,身子却再一次朝她扑来。

"去!"她一脚把他踢到床下。

"啊?你这是干吗?我大老远把你接来,还碰不得呀?"

"阿拉一个大姑娘,是随便碰的吗?"

"还没办手续嘛。"

"明天就去登记!"卢杰又骑在她的肚子上,扒她的上衣。

"不行,'大姨妈'来啦。"

"大姨妈?"

"哎呀,'大姨妈'嘛,就是一个月来一次的倒霉东西!"

"盖帽儿,连避孕套儿都省啦。"

"啊?自私男!"

她推开他,跳下床,在圆凳上苦坐半夜。

第二天早上她才搞明白,加上他俩,这所房子里共住有八个房客。四个单身汉各住一个单间,一对儿同居者小庄和小孔住在主卧室。卢杰租的次卧室就在这对儿情侣的隔壁。八个房客要共用一个厨房、两个厕所和两个浴室。卢杰排队等刷牙,何莉莉坐冷板凳等冲凉。想弄点早餐吃,更是等到胃疼挛。幸亏是周末,卢杰不急着上班。跟卢杰这种人出国,还不如待在上海适意呢。

白天她本想补补昨夜缺的觉。可是一整天,公寓里嘈杂得像个俱乐部。聊天的聊天,唱歌的唱歌,弹琴的弹琴,高叫的高叫。卢杰喝口儿她带来的茅台酒,扯开嗓子高唱:"甘洒热血写春秋……"

她被这拔得不能再高的尖音吵得脑浆子儿欲冲开天灵盖。"闭嘴!还不如驴叫呢。侬来西方这么多年,怎么满脑子样板戏?"

"哦,哦,哦,哦……"卢杰的嘴刚闭上,隔门的小庄和小孔又高唱爱的赞歌。何莉莉瞥一眼墙上的电子表,还不到晚上八点钟。这么早就闹上猫了?木板墙壁被那边的"肢体擒拿格斗"撞击得地动山摇。何莉莉恨不能开上一辆推土机,把这块墙壁碾成碎末。

卢杰也被这惊天动地的声响刺激得抓耳挠腮。他仰脖一连干下五盅白酒,扑上床,往她这边儿摸来。

她挥起小手,冲木板墙猛击几掌。"喂,隔壁的人,要死,去外边死好啦!"何莉莉这一叫唤,不仅小庄和小孔,连卢杰都趴在原地不动。

卢杰每天上班以后,她时不时接到查尔斯的问候电话。一张张明信片也像窗外的小鸟一样飞来飞去。这张卡片示友情:"你的挚友在悉尼惦念你,随时愿效犬马之劳。"那封书信献爱意:"你是我的女神,我把最伟大的赞美献给你。"最近的手机短信又拉亲情:"你就是我的亲的己的,只有我能读懂你的心!"

她意识到,用友情、爱情和亲情请君入瓮,一请一个准儿。这个查尔斯不是鸿雁传情,就是问寒问暖,显然是个情场高手。万分小心才是。无奈,寂寞万箭穿心,都快把心戳烂。

快递员送来一束玫瑰,让她的心扉蓦然敞开无遗。"鲜花代表我心,玫瑰乃是承诺!"她一看花卡,抄起电话致谢。

没想到,眼线还没画完,查尔斯就顺杆儿爬了过来。

71

"悍马"像个忠实的仆人,平安把俩人拉到情人饭店,共进午餐。

一道道海味轮番向何莉莉献媚。美中不足的是,卢杰的阴影就像一条甲鱼一样在她的胃里爬来游去。

"来,给你滋滋阴!"查尔斯为她夹起一块海参,喂进她的嘴里。

"阿拉不阴。"她咧嘴笑吃,浑身发热。

"那就给自己壮壮阳。"他把一枚枚生蚝生吞活咽下去,倒上两杯杰卡斯红酒。"来,把酒言欢。"

"不嘛。"她推去酒杯,省得让他灌醉。

"好,那我就自残三杯!"他一手一杯,左右开弓,独自畅饮半瓶美酒。

"悠着点。"美食在她的嘴上涂满蜜,让她的心都甜了。

"对,尽享慢生活。"查尔斯耐心用不锈钢钳子为她夹出一块块蟹肉。

"好乖。"小心,男人常常先让女人的嘴乐开花,目的是浇开她们的心花。

"我有礼物给你。"他把杯底儿的葡萄酒喝干。

"什么呀?"她知道,男人往往用一顿饭、一朵花、一瓶香水、一个首饰乃至一句假话,就能把一个懋妞的心买到。

"这个眼福,只配你一人享受。"

72

何莉莉跟查尔斯闪进上回开过的2012号房间。

"阿拉可是有夫之妇。"她站在房中央不动。

"看!"查尔斯一伸右手,从指缝儿滑出一条亮晶晶的澳宝项链。

她喜上眉梢,嘴上却说:"凭什么呀?"爱美是女人的天性,阿拉宁愿在细软里泡老。

"就凭一个'爱'字。"查尔斯把项链套在她的细白脖子上,硬鼻子也顺势贴近她的软耳朵,吹着热气吐出一句:"你很萌,I love you!"

"真的吗?"他的话变成一朵玫瑰花,不偏不离,正好插在她的心窝上。

他脱掉西服上衣;一股足以使她产生性幻觉的高级香水味儿如春风扑来,让她全身的防御工事全线松懈。他扭开音响;一支足以让她缠绵得站不稳脚跟的萨克斯乐曲像个幽灵,在房间里环绕不绝。他又划着火柴;五盏足以叫她升起浪漫情怀的香料蜡烛像一群裸女,婆婆摇曳。

她觉得自己登上了月球,双腿发软。

他把左手背到后腰,伸出右手,在空中打俩拍子,做优雅邀舞姿势。

她在月球漫步,探过身来。

他轻轻把右手扶在她的水蛇腰上,滑出华尔兹的翩翩舞步。

她的耳朵被他的大鼻子蹭得好痒痒,心中也荡起一股好热好热的爱浪。小心,不要当他的战俘。

他越跳越快,右腿在她的两腿之间找准空当,来回穿插。

她越转越晕,闭上眼睛。舞步越来越乱。

转着,转着,他顺势把她搂进怀里,一口叼住她的嘴唇,像是叼住一朵玫瑰。 95

"荒唐!"卢杰的怒目如两只铁拳往她脑海打来,有几分武松打虎的架势。

她猛一睁眼,把他推开,正色喝道:"听着,查尔斯。阿拉必须于三个月之内跟卢杰成婚。否则,只能是怎么来的,再怎么回去。"

"当我媳妇儿,也能留下。"查尔斯说着把右手搭在她的肩上。

"侬娶吗?"何莉莉把他的手扒拉下去。

"快把那个'吗'去掉。你就是我的妈。"他从裤兜掏出一朵玫瑰,双手捧到她的胸前。

她接过玫瑰。"侬,见花就摘吧。那天,侬看那些女同志,看那个舞女,眼睛都直的啦。"这个洋男人一会儿放出一颗烟雾弹。看,还有鲜花做掩护呢。

"那不就是起哄架秧子嘛。我真心爱的只有你。"他说着把嘴贴过来。

她甩出玫瑰,挡住他的嘴。"何时娶亲呀?"

"立马儿就娶!"他解开她的一个衣扣。

她推开他的手,系上扣子。"去,阿拉要的,是结婚证。"

"三月之内,保准跟你走一个门儿"

"真娶?"看来,这个洋公子,为了达到发生关系的目的,不当教授都没关系。

"如若食言,让我再也站不起来!"他"扑通"一声跪在她的肚子前。

她伸出双手,捧起他的头。"要挟?"

"男儿膝下有玫瑰。"他一头扎进她的大腿里。

"还有黄金呢。"她一收腰,推出他的头。

"你就是我的翡翠!我爱死你啦,大美人!"查尔斯站起来就把她抱到床上。

"侬真是单身?"她在床上一骨碌,从另一侧跳了下去。

"不信?家里的大床闲一半,就等莉莉来相伴。"查尔斯绕过去堵截。

"去侬家看看,眼见为实嘛"

"那还不是早晚的事儿。"

"这就去!"

"现在?"

"起码加深一下了解嘛,对不啦?"女人的脸面,怎么也要保保嘛。省得以后叫他瞧不起。

"上了我的床,你比谁都了解我。把握当下,尽情快活!"

"阿拉还没进入状态,快不起来。"

"哎呀,我的姑奶奶,你怎么没当守门员呀?"

"阿拉就是世界第一门神的啦。"决不能轻易让对方撕破自己的防线。

"你可真怊呀。"

"侬要不去,就是有鬼。"

"好好好!回头,只要你的死心眼儿活泛起来,去就去!"

73

"悍马"很快就把何莉莉带进一座花园。她从没见过这么大的私人住宅,简直就是一个小公园。一座三层楼的建筑物被花草树木团团包围,不显山,不露水。偌大的宅子只有一个不起眼的小黑门,让她联想到唐宁街十号的英国首相官邸。

进了小门,是条五十米长的花园式长廊。隔着玻璃墙,左侧是一池天蓝色的六水道游泳池，风平浪静。何莉莉真想跳进去，溅起一朵纵情鱼欢的浪花。啊，太美了，阿拉要成为这座游泳池的女主人啦。右侧是健身房，各种钢筋铁架像一群怪兽，虎视眈眈，硬邦邦地盯住她这位不速之客。

何莉莉觉得骨头变得轻起来，紧随查尔斯进入客厅。一架白如象牙的三角钢琴把她吸引过去。哦，好久没摸钢琴，手还真有那么点儿痒痒。她掀开蒙在钢琴上的紫红色绒布，却见一张红发女郎的玉照呼之欲出，吓她一跳。

"撒宁？是谁吗？"她神色惶遽。

"哦，阿曼达，曾经的妻子。"查尔斯显得很镇静。

"嘿，还挺恋恋不舍的嘛。"她深出一口气。

"噢，那倒不是。这琴本来是她的。她没拿走，就连琴带照片都搁这儿了。我从不摸钢琴，也忘了还有她的'遗物'。"他满不在乎地扫一眼照片。

"侬前妻是干什么的？"她拿起相片，仔细端详，只觉得这洋女人的双眼皮怎么跟肚脐眼似的。

"中学音乐老师。"他掀开琴盖。

"钢琴弹得特好吧？"她盯着洋女人那双乌贼般的大眼睛，觉得这澳洲女人的眼睛和眉毛过于亲近，以至于眉毛死抱着眼睛不放，生怕眼珠子跑出眼眶。

"肯定不如你啦。"他指指琴凳。

"你问我爱你……"一曲曼妙的《月亮代表我的心》在客厅回荡起来。何莉莉摇头晃身，十个指头像一群燕子一样在琴键上飞来飞去。查尔斯用"猫王"般的浑厚歌喉随琴声和唱，穿云裂石。何莉莉也用香颂歌后般的柔音跟他纵情对唱，不绝如缕。"轻轻的一个吻……"何莉莉的眼里闪出幸福的泪花，闭目陶醉。查尔斯弯下粗脖子，够到她的嘴唇。

"啪啪啪啪"，一曲未了，大厅突然传来干巴巴的拍手声。怎么？屋里有鬼吗？何莉莉睁开眼睛，扭头看去，浑身起了一身鸡皮疙瘩。一尊大骨架子鬼婆像一堵墙一样屹立在门口，嘴角提起持久的微笑，眼神里却闪出点点杀气。

74

在悉尼 A 区法院，卢杰的眼神从菲利普的葫芦脸移到查尔斯那张大驴脸上。

查尔斯正在大放厥词："刀不杀人，杀人的是持刀的人！"看查尔斯那张

第五章　何莉莉登陆悉尼

网上新娘

长脸,连大鱼盘子也盛不下。

菲利普的胖脸暄腾得像刚出锅的馒头,脑门儿的蒸气直往查尔斯的白脸扑去:"你和卢先生,谁跟何莉莉更近乎?"

"当然是我啦。"查尔斯的瓷实脸像用力一掷的铁饼运动员,都快把脸皮给绷破了。

"这不就结啦。宝刀肯定是给更亲近的人啦。"

"别乱咬好人!"看,查尔斯狗急跳墙啦。

"好人?人就是一枚硬币的两面,只是好与坏的混合体。这世界只有犯罪分子与守法公民之分,没有好人与坏人的定论。法官阁下,我想提请法庭注意以下几个时间点。"菲利普一抬额头,把利剑般的目光刺进查尔斯的瞳仁里:"霍歌先生,案发当天,你是几点进的何宅?"

"大概八点左右。"

"准确时间?"

"我没看表。"

菲利普晃晃那颗大得跟肩膀差不多宽的巨头。"看来你挺健忘的。这似乎与一个教授的智商不大相符呀。那么,就让我激活你的记忆功能吧。假设你于八点进入案发现场。那么,你是何时发现尸体的?"

"一进屋。"

"在八点至八点半之间,你在凶宅干了什么?为何不立刻报案?"

"我的手机正好没电了。"

卢杰摇摇头,冷笑一下。

菲利普真笑起来:"哈哈哈哈,这种话,恐怕连小毛孩子都骗不过去。屋里就有电话,你为何不用?"

"我脑袋都炸了!"

"可是,半小时之后,你还是用座机报了警。"

"哦,好半天,我才缓过气儿来。"

菲利普眯起灰眼珠子说:"不,你清醒得很。在这半小时里,你不但顺利实施杀人计划,并有效销毁证据,而且还给自己找好退路。我在查阅警方的刑侦记录中发现,就在案发早晨八点二十六分十三秒,你曾给一位名叫袁媛的女士发过一封电子邮件。"

玛格丽特一惊,扶扶头套。"喔?请警方出示相关记录。"

"好的。"阎超在微型计算机的键盘上扒拉几下,打开查尔斯的邮箱存档,在大屏幕上亮出一封题为"出事啦"的伊妹儿:

亲爱的袁媛：

我大祸临头啦。万一没在机场接到我,你就抛出股票,存入你的账户。

见面详谈。

查尔斯于悉尼

菲利普的右臂向查尔斯那边一推。"在那种特别时刻,你争分夺秒发出此信,其中必有隐情。"

查尔斯平移双手,像是在打太极拳。"现场对我的刺激太大了,我需要向朋友倾吐。"

"袁媛,跟你是什么关系?"菲利普继续扣杀。

"朋友。"查尔斯继续防守。

"是女朋友吗?"卢杰看得出来,菲利普正在加大攻击力度。

"关你什么事?"查尔斯防守反击。

"也就是说,案发后,你的第一念头就是逃离澳洲,躲到情人那里。"

卢杰一握拳头。好样儿的,菲利普,把对方扣死。

"我不是待在这里没动吗?"查尔斯向后仰仰上身。

"那是因为警方传唤你,才没让你的潜逃计划得逞。"

"我留在澳洲,完全是为法庭尽公民义务。你的问话根本不合逻辑。"

卢杰的眼珠子像两只乒乓球,在菲利普和查尔斯的脸上跳来跳去。糟了,菲利普问不倒查尔斯。

菲利普低头停顿片刻,缓缓推起前额的皱纹。"不符合逻辑的是,你对惨死的亲生儿子麻木不仁,却忙着处理钱财,供养情妇。袁媛的存在足以证明,你根本不爱何莉莉。"

"不对,我对莉莉恩爱有加,从不打折。"

"那你妻子往哪儿摆?"

"我都爱!"

"可是一夫一妻的法律秩序不允许你都爱。你只能选择其一。权衡利弊,你选了配偶。这时姘妇就不干了,以私生子相逼。于是,你对第三者及其私生子实施灭绝计划。"

"胡说八道。"查尔斯一指菲利普的胖头。

菲利普的粗手指直往查尔斯的细白脸点去。"你搅局卢先生的婚事,霸占何莉莉,不过是把她当成泄欲工具,从未打算承担责任和义务。这就不难解释,你为何那么急于除掉私生子。"

"你说的就不是人干的事儿!"查尔斯的眼睛红得跟斗急的公鸡似的,把拳头向卢杰一挥。"把这个孩子当成眼中钉的是卢杰,不是我!"

卢杰替菲利普捏一把汗。千万别给对方喘息机会。

"那我问你,你为何撇下北京的众多学生,突然返澳?"

"当然是探儿心切。"

"是回来灭口吧?"

"再造谣,我就告你!"查尔斯的脸都绿了。

"霍歌先生,你明明有妻室在身,却跟何莉莉有染。请问,你太太从不要求你离开何莉莉吗?"

"没有啊。"

"你太太对你的婚外情听之任之?"菲利普越问越快。

"我早忘啦。"

"难道,你不认为这是个不该出生的孩子吗?"菲利普吐出的词儿像是机关枪射出的子弹。

"我喜欢孩子。"

"那么,何莉莉甘当一个不光彩的第三者?心安理得?"又是一梭子。

"那你得去问她。"

菲利普双手向上一抬,像个乐队指挥。"法官阁下,从刚才的问答中,我们不难看出证人的闪烁其词。霍歌先生有了情妇,他太太能睁一眼、闭一眼吗?霍歌先生不肯离婚,足以证明他对何莉莉是假,对妻儿是真。而何莉莉之所以甘愿为情郎生子,其目的无非要借子逼婚。一是逼霍歌先生离婚;二是逼他跟自己结婚,给自己一个合法妻子的名分,并认可他们共同生育的奥利弗。这还了得?于是,俩人争吵起来。霍歌先生早就因何莉莉私生孩子而要除掉她,现在又遭到何莉莉的拼死逼婚。更有甚者,他还亲眼目睹何莉莉与卢先生共度良宵。就这样,怎一个杀字了得?"

"胡言乱语!"查尔斯跳了起来,法警把他按回座位。

"由此可见,霍歌先生的证词根本不足为信。也就是说,卢先生并不存在非要灭掉何莉莉不可的动机。而霍歌先生有!法庭只要认清一个事实,一切问题就迎刃而解。那就是,这起命案的一切起因全都源于这个婴儿。在奥利弗没诞生之前,霍歌先生偷养情妇,家庭、名誉、地位和财产都毫发未损。然而,当亲眼看到私生子活生生出现在面前时,他如临大敌。从此,他要对这个私生子承担法律责任。根据《继承法》规定,婚外子女与婚内子女享有同等的家产继承权。这个继承人对他的婚姻和资产威胁太大了。霍歌先生知道,这个新生儿是他未来生活的最大隐患。就是他不在乎,他的妻子也决不允许外人跟亲生子女争夺钱财。奥利弗足以让霍歌先生身败名裂、妻离子散、财产分割。于是，霍歌先生举起锋利宝刀，对准玩腻的乳房，施以肉体毁灭，让何莉莉永无继续纠缠的可能。"

查尔斯的金胡子茬儿似密密麻麻的金属钉子头，欲迸出脸皮，射向对方。"没证据，我就告你诽谤罪！"

菲利普压低嗓音宣布："有证据显示，在你进入凶宅之前，你的妻子阿曼达·霍歌悄然现身犯罪现场。难道，为保住婚姻，你就不能伙同真夫人，一起干掉那个'假老婆'吗？"

第六章　卢杰不堪性惩罚

75

正当查尔斯在家宅跟何莉莉嘴对上嘴时,忽有掌声响起。他扭动粗脖子一看,正与妻子阿曼达的细眯眼神撞个正着。

"口感不错吧?"阿曼达把嘴角咧出两道沟来。

"啊,妈妈?你回来啦?"他赶紧用英语打趣。

"怎么,打断排练了吧?"

"哪里,妈妈,我们正好来个三重唱。"查尔斯一看老婆那口超长大嘴,就联想到她的超级女性器官。

"哎哟,那还不走音?"阿曼达的女中音嗓子倒是从不走调儿。

查尔斯凑近老婆那对倒挂婴儿状的耳朵说:"只能更谐和,妈妈。"

"去。别当着外人跟我开这种玩笑。"阿曼达瞪他一眼,一双绿眼睛像是一对橄榄球一样朝他搋来。

"你不舒服?"他本来计划得挺周密的。这老娘们儿不是三点才下班吗?现在刚中午十二点半,就是跟何莉莉在家里浪漫两个小时,也完全来得及嘛。

"你多舒服呀。"她在嘴上叼起一根烟卷。烟头只在打火机上晃一下,她就一甩红发,狠吸一口杏黄过滤嘴,从圆阔的鼻孔徐徐喷出两股青烟来。

"啊?又抽上啦,妈妈?"查尔斯看得出来,妻子正在拼命压火儿。

"你要再叫'妈妈',今晚我就让你没饭吃。"阿曼达挥挥手,扇扇烟雾。

"正好减肥。"查尔斯冲何莉莉做个鬼脸。

"怎么?家里来客啦?"阿曼达把眼神瞄到呆呆坐在钢琴前的何莉莉身上。

"啊,对对对,我来介绍一下。这是我的学生,莉莉。"查尔斯继而由英语转成中国话,为何莉莉释疑消嫌:"这是我的妈妈。"

"妈妈? 查尔斯,别以为我听不懂。"阿曼达索性向何莉莉自我介绍:"嗨,你好,莉莉,我叫阿曼达。"

"阿曼达?"何莉莉的长睫毛终于扇动一下。

"莉莉,继续弹呀。"阿曼达咧嘴一笑,把两个嘴角一直拉到耳根。

"啊,不啦,不啦。"何莉莉扫一眼钢琴上的照片,髋臀赶紧离开钢琴凳子。

"怎么? 不喝杯咖啡吗?"阿曼达把嘴角一收,甩出送客的白眼。

"啊,不啦,打扰啦。"何莉莉低头小跑,逃出客厅。

"啊,我送送你。"查尔斯紧步后尘。

"还不陪老婆去。"何莉莉头也不回。

"她是我妈,真的!"查尔斯在长廊拉住她的胳膊。

"那么,阿拉就是妈妈的妈妈。"何莉莉一甩胳膊,像只鸟一样闪出宅门。

查尔斯朝健身房空击两拳,垂头丧气回到客厅。

"查尔斯,泡妞儿都泡到家里来啦!"阿曼达挺胸叉腰。

"啊,这学生正好路过,顺便来看看。"查尔斯绕到吧台,接上一杯白开水,递给阿曼达。

"看上你了吧! 你和她那么投入,就等上演'三部曲'了吧?"阿曼达喝一口水,两片嘴唇像牡蛎的贝壳。

"哎,没没没。刚才我是低头看琴谱。那个莉莉名花有主,是卢杰的未婚妻。"查尔斯慌忙给自己接水压惊。

"卢杰? 有点儿耳熟。"阿曼达拍拍圆圆的脑门儿,露出饱满的额头。

"就是那个华裔博士生。"他喝口白水。

"那你干吗把莉莉也扯成你的学生?"她把嘴角一撇,拉出一个八字来。

"噢,莉莉也要读博士。"他仰脖把一杯水全倒进肚子。

"这么说,你要当她的'导师'了?"她把杯子往吧台上使劲一磕。

"刚有这么个想法儿。"他给她续水。

她拿起水杯。"我看,你不是要带博士,是要吸纳青春吧。以后,再敢往家里招女孩子,我就让你没脸。"

"是,妈妈,我要脸!"查尔斯向阿曼达敬一军礼。

"再勾女生上床,别怪我找校长去。"

"哎哎哎,你可把好门儿啊。"查尔斯赶紧溜进卫生间。他宁肯在坐便器上罚会儿坐,也不愿继续闻这老娘们儿的狐臭味儿。

"人心难测,积重难返!"她伸出食指和中指,冲他的背影放出一个响屁。

"破!"女儿凯瑟琳背包放学回来,把手往鼻前一挥。"妈咪,又拔塞子。你可真能污染环境!"

"都是你爸爸招的。他一回来,就晦气。"阿曼达说着进了厨房。

"老爸可着家啦。"凯瑟琳把沉甸甸的书包往地毯上一扔。

"啊,公主回来了。"查尔斯冒出头来,摊开双臂,迎向女儿。

"老爸!"凯瑟琳移动一米七的大个子,像个橄榄球运动员,腾空跳起;双手扑向查尔斯的大头,吊在他的脖子上,把两条长腿盘在他的后腰上。

查尔斯搂住女儿的后腰,像芭蕾舞演员那样转起圈来。"来,爸爸的宝!"

"哇——!"凯瑟琳伸开双臂,仰起头来,一头长长的金发随风飘扬。

"哈哈,你把老爸当成转椅啦?"查尔斯转到沙发前,"嗖——"的一下把女儿甩进厚厚的沙发垫上。

"哈哈哈哈!"凯瑟琳像个落水少女,顺势脱掉镶着粉边的紫色校服,在104 沙发背上一搭,露出"圣米罗教会中学"的十字校徽。

"来,老爸给你上饮料。我闺女肯定渴坏啦。"查尔斯端来一杯番茄汁。

凯瑟琳一口气喝光。"老爸,下星期我有钢琴表演,你到底来不来捧场嘛?"

"那还用问,小公主!来,先考考你。我唱什么,你就伴奏什么。"

"老爸,这能难倒我吗?"

"那,老爸给你唱首中国歌。"查尔斯把凯瑟琳背到钢琴前。

"哇,老爸,唱吧!"凯瑟琳把一双长手悬在琴键上。

查尔斯戴上圣诞帽和圣诞老人的白胡子,发出有如低音提琴般的嗓音:"爸爸,爸爸,爸爸爸——我爱我的娃。爸爸,爸爸,爸爸爸——你是我的花……"

"哈哈哈哈,我就听得懂'爸爸'。太滑稽啦。"凯瑟琳边伴奏边大笑。

查尔斯边模仿圣诞老人跳舞边继续唱起来:"爸爸,爸爸,爸爸爸,整天把你夸。爸爸,爸爸,爸爸爸,我爱我的家……"

"铿铿铿……"一串走音的钢琴斩断查尔斯的歌喉。

阿曼达一击琴键。"住嘴!什么鬼歌?还让不让人活啦!"

卢杰每天早晨一觉醒来,都以为是做梦娶媳妇。他躺在学生宿舍的床上,伸手一摸。啊,是她,不是假的;没错,是真的!

"去,别吵,别吵!"何莉莉总是转过身去。

自从新娘子来澳,还没捞着碰一回呢。嘿,守着一大美人,就像守着一尊雕像。周末一到,他眼睁睁看着刚洗完澡的未婚妻,裹着贴身的睡衣,扭着爆乳、巨臀和蜂腰,在他面前晃来晃去,周身的鲜血欲喷出体外。

眼看她钻进被窝,又像往常那样和衣而睡,他拿出刚上场球员的劲头,直冲对手扑去。

"啊!"她把他推出被窝。

"你,性冷淡呀?"卢杰急出一脑门子汗。

"穷酸相! 破背心,带窟窿,还是从国内带来的吧?"

"勤俭乃富贵之本,反正也没人看见。"他解开她的睡衣带子,发现她的身体就是一幅天然的油画。

"阿拉不是人呀? 万万没想到,所谓的海外华侨,还不如国内的叫花子。真倒胃口。还不丢掉的啦?"她系上带子。

"嘿,这是革命的传家宝,都跟我十年啦。哪能扔呀?"他又解。

"那就不要碰阿拉好啦。"她用双手拉住睡衣的衣襟。

"好好好,我脱,我脱,还不行? 来来来,快来吧!"卢杰甩开膀子,扒掉她的睡衣。

"喔,中国男人可真没情调,闷头就干,像个牲口。人在澳洲,也该学学西人的浪漫嘛。"她疾首蹙额。

"这么说,你扛过洋枪?"卢杰劲头大减。

"什么洋枪土炮的! 起码也该搞点慢热运动吧,好不啦?"她发出高八度的嗓音。

"你们上海人,怎么跟洋人似的,假摸三道儿的。你是我爱人,玩什么游戏? 来就来真的!"他决心重振雄风。

"去去去,阿拉不与动物为伍。"她一把推开他。

"好好好!"他只好像一条狗那样爬回主人身边,凑近她的乳头,一口咬下去,像是饿狼嚼到一块肥肉。

"啊! 疼死啦! 侬怎么跟个傻大兵似的,连靶子都瞄不准,就端枪乱打!"她疼得像是刚拔了颗牙。

"我可是老兵油子啦,六岁就有女朋友。"他一百个不服气。

"啊? 比阿拉还早? 滚!"

他紧张出一身大汗,泄了劲,给她讲起初恋军嫂的故事。

105

第六章 卢杰不堪性惩罚

网上新娘

77

那时卢杰刚六岁。北京的大杂院里住着一个三十多岁的军嫂,丈夫长期驻守边疆。军嫂见他就笑,对他一口一个"宝"。

那年夏天,卢杰跟奶奶午睡,眼看要在床上发起大水。他撒丫子往院里的小茅房跑进去,一头撞进军嫂的怀里。军嫂起身,让出唯一的男女公用茅坑。

等他卸完肚子里的包袱,军嫂笑眯眯举出一块水果糖来,把他引进自己的小黑屋。

"宝,看你出的这身臭汗。来,阿姨给你洗个澡。"军嫂接了盆水。

小卢杰羞答答地摇摇头。军嫂像对自己的孩子一样,一把拉下他的小短裤,把他抱进澡盆里,给他搓洗后背。小卢杰觉得挺舒坦。

"啊,宝,看你的小宝宝有多黑呀。奶奶也不洗洗。来,宝,我给你清洁一下。从小就要讲卫生嘛。"军嫂说着就用手指来回拨弄卢杰的宝宝。

卢杰的肚子胀得像憋了一泡尿,想尿又尿不出来。

军嫂越洗越上瘾,就像用小米逗一只饿了一个世纪的小鸡。

小鸡昂首,脖子都疼了,却怎么也够不着吃的。他口渴得要死,可就是喝不到水。他觉得自己像个水管,管道里充满水,却被水龙头拧得死死的,一滴水也滴不出来。血液越来越热,血管就要崩裂,他"哇哇"大哭起来。

奶奶闻声冲进门来,照着军嫂的脸就是一个五指扇红。

到了八岁那年,小卢杰有一天梦见军嫂。一觉醒来,他在被窝学那个军嫂的动作,把军嫂的女性部位想象成原始图腾,竟然给自己找到从未尝过的乐子。晚上,奶奶发现他的手在被子里鼓来瘪去,饬其尊办:"把手拿出来,双手抱头,睡觉!"

奶奶一出去买菜,他就偷偷过一把瘾。在少年的华彩岁月中,他叫性幻想给夺去大把宝贵时光。等到结婚的时候,他反而变成一口打干了水的枯井。幸好他得到老中医的精心调养,这才渐渐恢复元气,对前妻尽起当丈夫的义务。

他一直感激前妻,是她帮自己戒掉了恶习。后来一离婚,好几年没有夫妻生活,手淫就像早年的一个不良朋友,又找上门来。

在悉尼的学生宿舍，卢杰面对美人鱼，多想成为一名揭秘大自然的探险家。可是当他真的身临其境时，却被洞穴里那些赤裸裸的宝物给吓呆了。他觉得自己就像个逃兵。没上战场前，他摩拳擦掌，企盼的全是如何在枪林弹雨中冲锋陷阵。可是，等到真刀真枪上了阵地，刚一遭遇武装到牙齿的鬼子兵，他就吓得丢盔卸甲，连枪都举不起来。刚才还巴望当个步步进逼的钢铁战士，这会儿只好乖乖缴械投降。

何莉莉刚刚热身，正盼敌军早点儿登陆，却迎来一个未战先降的败兵。"以后嘛，就叫侬'羊尾'吧！"

"哎哎哎，行行好，拉兄弟一把！"卢杰跪倒求饶。

"啪——"的一声，她甩给他一记耳光。这下儿还真止住他的哆嗦。他重整旗鼓，准备长驱直入。

"啊，海外华人都有艾滋病吧？快戴套！"

一听"艾滋病"这个词儿，卢杰一家伙坠入恐怖的深渊。等他拿出一个小塑料袋儿，气球已经瘪得没什么气儿了。

她把小手捂在他的后心上，只拍几下，还真把气球给拍了起来。

他不能再失良机。

"怎么没感觉呀？"她冥行盲索。

"将就点儿吧。比上不足，比下有余。"他大汗淋漓，只觉得浑身的劲儿使不出来。

"哪里呢？"她弯脖看下去。

"没见过呀？"他有点儿害羞。

"真没见过……"她把脖子落回枕头上。

"哇，我说的呢，原来你还是个雏儿！"他没想到。

"这么小的玩意儿！"

"大炮大，还不见得比手枪好使呢。啊，啊，啊……"话未落音，他只觉得瞬间变成一爆竹。引火线已被线香点着，扑也来不及。他就是一颗上膛的子弹，被撞针一头击中，只得飞出枪膛，没有回天之术。

"侬这把枪，也太不给力了嘛！"

不一会儿，卢杰鼾声如雷。何莉莉双手捂耳。嘿，他不打呼噜睡不着觉。他睡得跟死猪似的，却把别人吵成夜猫子。

看这么个小屋里，挂了多少张他的照片。自恋狂！明明臭不可闻，却把自己当成一个香饽饽。过去,他还能让香水打打掩护;现在,他连洗发液都不舍得多用。在国内时,他一头乌发;一回澳洲,他马上变成了白毛男。肯定是染发剂让他在上海返老还童的啦。原来,他从十三岁就长少白头。

他一出门,浑身的臭气让一身皮给包住,特像个绅士。一进屋子,他的臭脚、臭胳肢窝,满是鼻涕嘎巴的臭鼻孔,尤其他早晨醒来的臭嘴和眼屎,真是臭得连猫狗都嫌弃。如果再闻他那拉、撒的臭气,阿拉宁愿死,也不要与这种臭人为伍的啦。

屁,本是人身之气。可是搞对象时,他像个圣人,多大的气也能憋在丹田里。俩人一住到一起,他天天制造毒瓦斯,响雷不断。他身上老有一股汗酸味,比硫酸还刺鼻子的啦。

再看他那五短身材,身子比腿还长。她现在才悟出,距离产生美也产生假象。人与人只有近距离接触,才能看清对方不美的一面。

身上臭也就罢了,怕就怕他的脑浆子也是臭的啦。

79

这些天,查尔斯有点儿走火入魔。眼看就要进嘴的"鲜桃",就这么一次次从嘴边儿射偏。此生此世,不把足球射进那座神秘的城门,"普天同庆"就没有存在的必要!他对女人一向不认真。这辆车上不去,坐下辆不就得啦。可是这个何莉莉就像白面儿,只要闻上一鼻子,就再也舍弃不得。这个中国妞儿比情人港的水波还娇柔,我必须跳进去破浪畅游。

"杰,新娘子来了,还没谢媒人呢。"他在企鹅大学的自助餐厅拦住正要上课的卢杰。

"喝喜酒时,第一个请你。"

"还是我先尽地主之谊吧。阿曼达去音乐营了,我一个人也阿得慌。周六晚七点,带上你的'鲜桃',在我家来个'桃园三结义'。"

80

何莉莉每天靠逛商场和看 DVD 光碟打发时光。中午她吃些水果、点心混过去,就等晚上卢杰回来炒几个好菜,把一天的营养补上。

星期三卢杰下课晚。可七点都过了,他怎么还不着家?

"嘿,都这钟点儿啦,还窝在床头看大片呢?"卢杰推门进来,把通勤包扔在灰地毯上。

"还让不让人吃饭？"何莉莉的大眼打出一道放映电影般的光束。

"有俩学生问问题，问个没完。"卢杰一屁股坐在圆凳子上。"怎么？这么晚了，还等我喂你呢？"

"多新鲜呀？侬不回来，阿拉吃什么？"她的眼光仍落在液晶屏上，不愿分神。

"我上一天班，都快饿死了。你在家闲一天，做顿饭也累不着吧。"他也把眼神扫向故事片。

"有没有搞错嘛？阿拉来澳洲，不是当使唤丫头的！"她一把抓起遥控器。

"我们北京人，都是女的掌勺儿。"他脱掉灰色夹克。

"阿拉上海人正相反，净是家庭煮夫。"她关了电视。

"也是，上海盛产小男人。"他倒杯水喝上一口。

"澳大利亚女尊男卑，想当甩手大爷呀？"她把光碟拿出来，放进盒里。

"倒了油瓶儿，你都不带扶的，不成大女子主义了吗？"他把水杯放在桌上。

"女权不女权的阿拉不管，反正阿拉不会煮饭的啦。"她扬扬头说。

"你不就想出去嘁一顿吗？"

"这可是侬说的啦。"啊，正中阿拉的下怀。

"这有什么不能说的？想去就去呗。我们在澳洲，都是直来直去。把yes说成no，干吗使呀？"

"老婆的意图，要细心领会的嘛。"这个未婚夫是真傻，还是装傻？

"一上长安街，就到天安门，干吗非从西四绕两圈儿？"

"条条大路通天安门嘛。要动脑筋的啦。"北方人就是没有阿拉南方人脑瓜子灵。

"你老跟我玩急转弯儿，还不绕死我？"

"猪脑子，就是要训练训练嘛！"她下了床。

"你可真是饭馆里的菜：老炒炒（吵吵）。得得得，那就出去吃火锅儿，好好涮涮我的脑子。"他又披上夹克。

"连件像样的衣服都没有，阿拉怎么出门呀？"她打开衣柜门，像弹钢琴一样，在一排外套上拨来拨去。

"好好，回头给你换身皮。"

"还有阿拉这双旧鞋，上海人是不要穿的啦。"她又低下头，扫看衣柜底层的一排高跟儿鞋。

"好好，换新鞋。"

"画个圈,侬就不敢出来啦?还有香水和化妆品,在上海,阿拉几时缺过?来到西方国家,反而像个瘪三。"她往毛衣上喷几下名牌香水。

"好好好,大小姐,都买,都买!"

"记住,侬老婆是时尚'领秀'。"她终于挑出一件英伦新款风衣,披挂在身。

81

好不容易来一回唐人街的上海酒楼,卢杰只点了两个廉价的小菜。

何莉莉觉得还要继续敲打他的脑子。"结婚不戴钻戒,旁人还以为阿拉是露水夫妻呢。"

"我攒那点儿钱,还不够买金戒指的呢。"

"阿拉过去以为华侨有钱。一来澳洲才晓得,澳洲华人抠得喺手指头,比葛朗台还会算计。"她瞧不起小气男。

"在这个世界,连富翁都缺钱。不抠门儿,怎么活下去?我当初是借债来的澳洲,早在澳洲养成'节约闹革命'的习惯。银行里那点儿原始资本积累,还不是从嘴里省出来的?"

"连国内的人都直奔小康。侬这些澳洲华人,还保持着上个世纪的生活习惯。真够囤的!"国内那些网友,动不动就一掷千金。

"钱不是问题,问题是钱。钱能买东西,却买不到幸福。"

"房子、车子,还有票子,是缺一不可的三大'儿子'啦。爱情是美丽的,婚姻是世俗的。"只有查尔斯才配谈爱情。

"这么说,你嫁到澳洲,不是为情而来?"

"爱是买不下这顿饭的,钞票才是硬道理。"她觉得没有意义的实话还不如不说呢。

"有钱就多花,没钱就少花。"

"阿拉可不跟侬当'抠抠族'。钻戒,买不买?"这可是考验一个男人的试金石。

"买,卖血也要买!"

82

何莉莉本不想再找刺激,可又不能向卢杰捅破窗户纸,只好硬着头皮再进查尔斯的家门。

"莉莉,欢迎莅临澳大利亚! 来,干一杯!"查尔斯身穿蓝色圆口羊绒衫,潇洒举杯畅饮。

"哦,不胜酒力。"她一抬眼皮,正好撞上查尔斯的眼神,像着了大火似的。她垂下眼皮,把一杯"轩尼诗"推给卢杰。

港湾状吊灯的光芒打在餐桌的美酒佳肴上,倒映的玻璃桌面营造出镜花水月的气氛。何莉莉不喝也醉了一半。

"哎,杰,别一个人闷得儿蜜呀。来,碰杯!"查尔斯把酒杯转向卢杰。

"随一个!"卢杰喝了个杯底儿朝天。

"哇,杰,海量呀。来,再走一杯!"

"走你!"卢杰把盏对饮。

"嗡嗡嗡……"她只觉得两个男人像两架战机,争赛博学,谈锋纵横,云山雾罩。

"弗洛伊德认为,一个人的童年经验决定其一生的心理情结和行为模式。"卢杰干了一杯酒。

"我觉得,后天的实践经验更重要!"查尔斯瞥了一眼何莉莉。

这个卢杰不过是在强调事物的一个方面,却把片面观点当成放之四海而皆准的永恒真理。看人家查尔斯,能把魔方的六个方方面面全都展现出来,多有穿透力。听他说话,真是一种享受。

桌子上的食物风卷残云,见底儿的烈酒被一瓶瓶啤酒挤到桌角。两个男人仍在大摆龙门阵,酒水一杯接一杯进肚。谁肚子鼓得高,似乎就证明谁肚子里书袋多。

"来,喝,不醉不归,才是我的学生!"查尔斯又给卢杰开瓶啤酒。

"喝,导师的酒,不喝白不喝!"卢杰像是自己灌自己。

酒杯堵在查尔斯的阔嘴上,他的眼神也不闲着;一会儿向她射来一道激光眼神,次次洞穿她的心房。她越过查尔斯的宽肩,瞥到游泳池水面泛起的鱼鳞涟漪。恍惚中,那个白得跟女鬼似的高大巫婆惊现池边。她猛一出手,一把将阿曼达推进水里,自己成为大宅的女主人……

"喝喝喝!"卢杰喝得红头涨脸,还喝呢。

"喝,喝死侬!"何莉莉猛然起身,往游泳房踏步而去。

"哎哎哎,老婆,去哪儿?"卢杰手捧酒瓶追上,伸出胳膊阻拦。

"水中捞月去吧!"她伸出食指,一点卢杰的脑门,让他仰八叉拍进水池。

"哈哈哈哈,敢下五洋捉鳖!"查尔斯挺起耻骨大笑不已。

83

何莉莉前脚一进学生宿舍，后脚就冲卢杰拔出女高音嗓音："都是大学老师，侬看看人家查尔斯的容身之所！"

"哎呀，澳洲是高福利国家，谁羡慕谁呀？除了比他少个房子，哪样儿比他差？"卢杰喷出一股股的酒气。

"那也不能居无定所吧。"阿拉可不能嫁给流浪汉。

"唉，前几年，连失业汉都买得起房子。没想到，澳洲政府一发首次置业补贴，悉尼的房产连年往上翻跟头！现在呀，买个房子，就跟买个传奇似的。"他半个屁股坐在圆凳子上，另半个屁股差点儿坐到地毯上。

"买不起大宅，买个窝棚也好嘛。"连阿拉上海人都晓得点地成金。

"别急，等我当上教授，买就买查尔斯那样的豪宅。"

"侬呀，连查尔斯家的狗窝也买不下来。"这小子怎么这么不自量力。

"再容我两三年时间，写完手头这两三部学术著作，肯定能评上教授！"

"等侬当上教授呀，阿拉也变成老太婆的啦。"她坐在床边，连摇青春秀发。

"这样吧，赶明儿，我去银行问问按揭的事儿。"

"那就永世不能翻身的啦。"她站起来，做出踩踏的动作。

"你们上海人算小不算大。我只知道多一个人就多一张床，澳洲人都是借钱买房子。"

"阿拉可不当房奴。"国内那些"负翁"恐怕要背债背到"负二代"。

"哎，我有一本书快出了。学生一人买一本，一所房子也就出来了。"

"要是查尔斯的书嘛，还差不多。侬呀，就会吹牛！"这小子真不愧是属牛的。

"还不是被母的给逼出来的。"

"哎哟哟，侬可真是'讲师'，就会耍嘴皮子的啦。有本事来点真的，好不啦！"她斜出一个眼白，算是结束语的句号。

84

星期天，查尔斯邀卢杰小两口大游悉尼城。何莉莉知道查尔斯心不在乎山水间，有意跟他保持距离。

上午，查尔斯带他们乘上水上巴士，在情人港和悉尼大桥之间来回兜圈。要用海水把阿拉泡出柔情来呀。

两个男人跟随何莉莉在游乐园下船，穿过一尊狂人造型的血盆大口，直奔园内的"蹦极跳"高塔。厚厚的云团在三人的头顶拍来拍去，何莉莉的心早就跳上云朵。太阳躲在白云之间，时不时探出头来偷看她一眼。她把右手横在眉毛上，眼看俩男人从塔顶上作跳楼状，在空中化成两只小苍蝇。

阿波罗又努力向外伸伸头，躲开浓云的遮挡，向何莉莉慷慨洒出一片光芒。大悉尼的雄奇建筑与田园风光相互辉映，为她编织出一幅壮美而又立体的花园都市画卷。何莉莉站上跳台，被四周的诡异景象所震撼，从云朵拉回飘浮的心。她一步步挪到跳台边沿，伸出双臂，像粒爆米花一样弹飞起来。

"啊——"云雀的长鸣划破云彩，与她的长音交相回荡。降落似乎永无尽头。她的脸被刺激成一团红火。树木和屋顶被阳光照得灿然耀目。地面上的人影越来越大，两个男人向她展开臂膀。她像一架迷航的飞机，不知哪个胸怀是她平安着陆的机场跑道。她左右摇摆，向两个落点俯冲下去。查尔斯和卢杰的表情越来越清晰，坐标却越来越含混。就在她即将坠机的刹那，那根拴在脚腕子上的绳索又把她弹回半空。她的惊恐万状在几秒之后释成一张舒畅的笑脸。啊，再长的马拉松也有终点。

在游乐园受完"刑"，俩男人又随她钻进植物园闲庭信步。从海底世界爬出来，二男似水兵保驾女皇，簇拥何莉莉视察退役的海军舰艇。中国花园的红亭绿阁加快她的脚步，勾起她神归故里的怀旧之情。正值兵马俑在澳大利亚巡回展出，让她大饱一回在国内失之交臂的国粹眼福。

中午，查尔斯请小两口在悉尼歌剧院前的栈桥饱餐一顿意大利午餐。两个男爷们儿挺着鼓鼓的肚子，一左一右伴在上海娇小姐两侧，漫步到歌剧院的台阶上，请游人拍下一张三人行的合影。腾云的歌剧院主贝壳把并肩而坐的师哥师妹压成三个小白点儿，就像含在大鲨鱼嘴里的三粒小虾米。

进歌剧院大享一场古典音乐的精神大餐以后，查尔斯带着两个中国朋友在闹市上掠过一尊尊开国巨擘的铜像，一脚登上高达三百多米的悉尼塔。何莉莉顿觉悉尼又大了好几圈。

"走，莉莉，去玻璃阳台跳个舞。"查尔斯率先冲进一个伸出塔身的阳台，从悬在半空的玻璃地上大摇大摆踩踏过去。

她站在入口，只往阳台探上一眼，就感到一头坠入万丈深渊。

"来来来，把手给我。一咬牙，一闭眼，悉尼就被踩在脚下啦！"查尔斯一手紧扶栏杆，一手伸向何莉莉。

何莉莉往前迈出半步，只觉一脚踩空，赶紧呈触电状缩回脚来。这一脚迈出去,还不摔没了!

"别看这玻璃地透明,比钢筋水泥地还结实呢。"查尔斯原地跺脚。

卢杰拉起她的手。"来,莉莉,不能同年同月生,但愿同日同秒死。"

她使劲一甩他的手。"去!阿拉嘛,还要活到九十九呢。"

"来,百岁老人!"查尔斯跨过步来,把右手伸到她的胸前。

她把冰凉的小手交给他,用他的胳膊当拐棍,往前探步。

"好,收腹提臀。一直往前走,别往脚底看。"查尔斯往前领步。

"啊——"她低头一眼,一排蚂蚁般的汽车从她的肚子下穿来穿去。她"扑通"一下跪在玻璃地上,只觉自己趴在一张急速下降的飞床。她双臂乱划,像个落水的旱鸭子,"忽悠"一下,掉进宇宙的出口。全身的细胞飞散到悉尼的空间,就剩一个魂儿了。她一闭眼,转眼就变成一粒小原子。

"拌蒜!"卢杰跪爬过来,向她伸过颤抖的粗手。查尔斯抢过她的手,把她领进大厅。卢杰只好像四脚蛇一样原路爬回。

何莉莉刚一坐下,就使劲一捏鼻子。"哇——"午餐喷涌而出,大大方方赐在查尔斯的白色外套上。卢杰凑来搀扶,她却一头歪到查尔斯的肩膀上,一口接一口呕吐下去。

卢杰伸手拉她,查尔斯用手一挡说:"快叫救护车!"

"没那么严重吧?"卢杰看一眼何莉莉。

"快去呀!"何莉莉使劲摆手。

85

在圣约翰医院的急诊室,卢杰眼看医护人员只把何莉莉扶到一张病床车上,就忙着在车祸和中风的重病号那里救死扶伤;只好把她推到候诊室的一个小过道里,便匆匆跑进厕所腾地方。

等他返回原地,却见病床车前已经拉上白帘,像一块银幕,挡住他的视线。他一拨白帘之间的小缝儿,只见幕后正在上演一出真人大戏。何莉莉的美头靠在查尔斯的宽胸上,娇柔得就像石榴树上一粒破皮而出的鲜石榴。

卢杰堆起眼角的皱纹。就算我没看到,这朵鲜花也该开在我的怀里才是。看她这身半透明时装,好色之徒要是不想入非非,那猪也会飞起来。半个咂儿就大大方方露在低领衫上;红色纱裙都露出大白腿来啦;小蛮腰上的白肉就在腰带上公开陈列。连肚脐眼儿都走光啦,多像神秘的碉堡眼儿啊,能不让男人生起杀进去的冲动吗?尤其是查尔斯这样的登徒子。女人啊,为博男人倾倒,越穿越少,越穿越薄,能让男人们眼不见、心不烦吗?

卢杰掀开帘子,一猛子扎到病床一侧;单腿一跪,双手抱住她的一只手,就像发烧友捧起一张心爱的光碟。"好点儿了吗,莉莉?"

何莉莉像是碰了螃蟹钳子,"嗖——"地一下抽出手去。

护士走进来,以为查尔斯是丈夫,把一张张表格塞到他手上。

卢杰真想一脚把查尔斯踢出医院。他算干什么的?这不是明抢吗!看她,跟他多亲热啊。他们俩倒像两口子。他真想抄起身边的电镀铁椅,砸查尔斯一个满脸花。

哈哈,大丈夫,干吗让人瞧不起!他站起身来,双手插进腋下,溜到候诊大厅踱步,恨不得从墙缝儿钻进去。墙边儿有把长椅。他像堵沉陷的断墙,颓然倒进双人座里;把右胳膊搭在扶手上,用手掌撑住保龄球般的沉头,闭目养神。

等他闷完一小觉,回到"银幕"后面,却见梦外的未婚妻盘腿坐在床上,跟查尔斯谈笑风生,好不开心。

卢杰拉她下床。"莉莉,你没事儿啦。走啦,走啦!"

"哎哎哎,怎么不懂怜香惜玉呀?"查尔斯站起来挡道儿。

"挡横?查尔斯!你呀,快回家吧!家里还有个大菩萨,等你跪拜呢。"卢杰一把推开查尔斯,把何莉莉拉出医院。

86

夜已深沉,卢杰对床上的睡美人望眼欲穿。任凭他怎么在学生宿舍连连跳高,就是够不到高高的屋顶。

他拿出二锅头,在饭桌上频频跟自己干杯。瓶底儿的最后一滴酒落进酒盅,把他最后的一点儿寄托全给滴没了。看,这张美人脸居然笑了,没准儿正在梦中水上泛舟呢。跟谁?还不是查尔斯!

水,水,水!他推开酒瓶,一个鱼跃扑到床上,扯开她的内衣,像一条鳄鱼一样趴在美人鱼身上。

"哎哟,轻点儿,轻点儿!"她还不耐烦啦。

"扁!我揍不扁你!"他抱住她的大腿,要把一肚子的窝囊气撒在她身上。

"啊,啊……"她轻叫起来。

"今儿个,非叫你领教领教:我是谁!"卢杰的牙上狠咬一根儿牙签儿,决心一洗上次床上耻辱。

"啊,啊……"她发出的声儿真让人受刺激,像是手指被车门掩了一下又

第六章 卢杰不堪性惩罚

一下。

她这会儿肯定是想查尔斯呢。他狠咬牙签,把她当成白骨精。牙签儿似乎越变越大,变成一根金箍棒,一棒又一棒狠抽下去。

"啊,啊,饶了阿拉吧……"

看,她一浪起来就不是她了。

"说,服不服?我要让你知道,我就是你的孙大圣!啊……"卢杰大喊,脖子上暴出粗筋。

这个上海妞儿就是一座矿井,必须深挖洞,才能广出煤。你要让她体验细水长流的潺湲,她会骂你是同志哥。你要用太极拳让她感受阴阳五行的美妙,她会骂你是人妖。你必须变成德国陆军,势如破竹,她才觉得你是伟丈夫。她要的就是蹂躏与摧残。

87

116　何莉莉被卢杰的床上运动弄醒。

"啊?是侬?"她眯起一条眼缝儿,皱皱眉,又闭上眼睛。她翻着白肚,像一条死鱼。死尸般的身体顶着一个活跃的脑髓,查尔斯变成一只白马,在她的脑海跳来跳去。啊,查尔斯,快来阿拉的爱河游泳。

"哎哟嘿……"卢杰突然抛锚,紧急下潜。

"沉船啦?"嘿,他把阿拉当成一块磨刀石啦?磨来磨去,蜗行牛步。她真想变成一颗水雷,"轰"地一下把他炸下床去。她瞧不起专搞偷袭的小潜艇。啊,阿拉要的是航空母舰。

"哎哟,顶不住啦。"他用双臂紧紧锁住她的胸背。

"啊,摔跤呢?放开,十三点!"她被他勒得喘不过气来。

"哎哟,哎哟!"

噢,看他这副脓包的样子,像一只直沉海底的海龟,要淹死了。"套上!"哦,阿拉可不能怀上他的孩子。

"啊,井喷啦!"卢杰的身子突然一挺,像名中弹的战士,软绵绵趴在何莉莉的身上。

呸!股市还没冲高就翻然见底!阿拉怎么叫这么个熊股给套牢,毫无升值空间!她睡不着。睁眼、闭眼全是查尔斯的音容笑貌。只可惜呀,好男人早被别人抢占。这个查尔斯有家有室,就算他想重婚,法律也不允许呀。PR—PermanentResidence,澳洲的永久居留权,才是重中之重!一拿身份,马上解套!

"哦,老公,好棒!"她一把抱住卢杰。

"查尔斯比我更给力吧?"

"跟阿拉有什么关系嘛。"她推开他。

"你俩,比热恋的还热乎呢。"

"人家陪玩一天,阿拉总不能甩冷脸子吧。喏,侬的心眼要是还没女的大,阿拉就不跟侬搞啦。"她又搂上他。

"别别别,我的大,我的大。"

"哪里大呀?"她给他挠挠屁股。

"哪儿都大。"

"哎,阿拉有一个更大的。看,大不大?"她跳下床,从墙角的旅行包翻出"燕国"匕首。

"哇,好刀! 没治了。"他把匕首举到眉前,抽冷子来他个剑出鞘。

"来,老公,挂在床头,以刀为镜嘛!"

88

卢杰欢喜,带何莉莉奔忙于各大小营业厅,为她办下税号、银行卡和公费医疗卡等等这些在澳洲落脚的护身符。

驾照等同身份证,他又帮她考到"学车证"。

89

卢杰一下班,就在他那辆"捷豹"的尾巴上挂块"L"学车牌,坐在副驾驶座上当师傅,陪新娘子在悉尼的大街小巷轧马路。

"哎,左拐!"他一拉方向盘。

"到底是左? 是右?"何莉莉来回扭方向盘。

"你怎么左右不分? 真是笨得可以!"

"侬精! 这么没耐心,怎么驾驭阿拉?"

"瞧! 差点儿冲上马路牙子!"搭这么多工夫,她怎么连一点儿情也不领呀。

"谁叫侬图省钱,不带阿拉上驾校呀!"

"澳洲有这么多白拿的机会,干吗要那冤大头?"反正钱不是她挣的,她不心疼。

"回头一头撞死,就彻底免费啦! 啊——"

"捷豹"一头撞到电线杆上。

"Fuck!"卢杰使劲一拍胸前的贮物箱。

90

正当何莉莉发愁没车可练之时,"嘀嘀——"学生宿舍门口响起查尔斯那辆"悍马"的悦耳笛声。

"跑回长途,才能找到开车的感觉。"查尔斯双手为她扶住驾驶座的车门。

"嘿,周末,也不让人多睡会儿。"卢杰紧跟其后

"以后呀,好梦还长着呢。走吧,老公。"何莉莉钻进驾驶室。

查尔斯为她推上车门。"走,一路杀到堪培拉!"

"哇噻,惊喜!"何莉莉握紧方向盘,屁股在驾驶座上左右扭动。

118

91

何莉莉一路重压油门,不到两小时,就叫"悍马"一头扎进堪培拉国会大厦的地下停车场。

"哇,学得真快,都成老司机啦。"查尔斯一脚迈出车门。

何莉莉被夸得步履轻盈,红色高跟儿鞋在国会大厦前的红褐色石子地上跳来跳去,像个跳芭蕾的小天鹅。

"风,好带劲呀。"她仰脖朝厦顶的澳大利亚国旗看去。

"噢,这儿呀,曾是牧场,杂草丛生。"查尔斯追上她的脚步,用食指从左向右画了半个圈。

"荒地?"何莉莉低头看看石子路,拼着各种土著绘画图案。

查尔斯迈开大长腿,跨上一步。"'堪培拉'这个词,原本是土著语,身兼三重含义:幽会圣地、美丽河湾和倩女乳房。于是,堪培拉就成了与窈窕淑女在河畔幽会的风水宝地啦。"

"啊,好浪漫哟!"何莉莉往国会大厦的正门走去。

卢杰追过去,凑近她的耳朵说:"别听他的,就会往女人方面转。"

查尔斯的大步迈得更快,抢在卢杰前面,一伸长臂。"中国女皇大驾光临!"

"哇,进迷宫啦。"她惊叹。

查尔斯伸手一指。"看,这四十八根绿柱子,代表澳洲的森林大树。我

本悉尼一桉树，又高又直。"

"那我还是——"卢杰站成《沙家浜》主角郭建光的亮相，唱道："泰山顶上一青松！"

"哈哈哈哈。"何莉莉笑着向宫里踏去，直到坐在众议院的旁听席上才捂住嘴。国家总理和反对党领袖正在声嘶力竭地唇枪舌剑。

"这些政客互相攻击，表面上为民请命，其实都是自我标榜。还是为拉选票在这儿哗众取宠？走走走，听他们磨牙，还不如晒晒太阳呢。"查尔斯把俩人领到参、众两院头顶的草坪上踏来踏去。

何莉莉的细鞋跟儿像一把刀一样扎在绿油油的草根上。"嘿，瞧呀，刚才阿拉还跟国家总理平起平坐呢。现在，竟然站在总理的头上啦。也就是说，这个国家的头头脑脑们，全被草民踩在脚下。"

"那当然。议员和总理是民众选出来的，所以呀，只配在平头百姓的脚下商讨国是。"查尔斯给她指指国家总理曾经就读过的国立大学建筑群。

何莉莉环视一周，只见一股股直冲云天的喷泉从湖面腾空而起，与背后的青山一比高低。"哇，国会大厦设计得还真有那么点意思嘛。"

卢杰原地蹦高。"那就跳它几下，使劲蹬蹬总理的秃脑袋壳儿，省得他在议席上打瞌睡，也好给大学老师多发点儿工资。啊，啊！"

查尔斯指指公路上的自行车专道说："澳洲人呀，才不许政客踩在人民的头上作威作福呢。"

何莉莉透过玻璃天窗往下张望大厦里的众议院。那里一片红色；从空中俯视，多像天安门的观礼台啊。"唉，在这里习以为常的幸福，在别的国家，不知要奋斗多少代才能争取到手。"

卢杰扫一眼国会大厦顶上的澳洲国徽。"这些呀，不过是装装样子而已。"

查尔斯的指尖儿与国家图书馆的屋顶连成一线。"其实，两千多年前，孟子就提过'民贵君轻'的想法，多先进呀。可惜呀，中国历代统治者都是：一朝权在手，便把专制行。所以，历代农民领袖总是站在天安门——高高在上。"

卢杰一瞪查尔斯。"那是过去。现在，只要花上十五块钱，谁都能上天安门城楼，一览众山小。"

何莉莉用食指一点卢杰的脑门儿。"那侬也不敢在太岁头上动土吧。澳洲人的权利多大呀。"中国大使馆的金黄色琉璃瓦被澳洲的明媚阳光照耀得金光四射，让她的意念瞬间飞回中南海的故国之春。

卢杰伸伸脖子。"我看澳洲的老百姓呀，除了捏着废纸一张的选票以外,没啥真正的自由!"

何莉莉挺挺胸。"那也比在国内老要'被'什么什么好吧。"

查尔斯一捅卢杰的腰眼。"反正我们澳洲的新闻绝对自由,言论绝对自由,信仰绝对自由,娱乐绝对自由,性更是自由得不能再自由啦……"

"那倒是,澳洲的自由呀,全都集中体现在一个'性'字上!"卢杰伸出手来,与查尔斯摔起跤来。

何莉莉伸平双臂,学着雄鹰展翅的样子,向坡下俯冲下去。

两个男人松开手,把何莉莉当成一只橄榄球,拼命追赶过去。

查尔斯跑在前面,眼看就要够到何莉莉的指尖儿。卢杰从后面扑来,双手抱住查尔斯的大腿,将查尔斯拉倒在绿茸茸的草坪上,不让他沾到橄榄球的边儿。

查尔斯挣脱掉卢杰,站起来继续追"球"。何莉莉在两个男人之间躲闪。卢杰铲倒查尔斯,查尔斯封堵卢杰。两个壮男扭作一团,在何莉莉的裙边儿来回打滚儿。最后,还是卢杰最先摸到何莉莉的脚后跟儿。

120

92

卢杰一见悉尼塔的卫星造型塔尖儿,就开始盘算怎么跟新娘子度过一个激情之夜。

他一扭头,却发现查尔斯已经把车停在"今夜狂欢"夜总会门前。"杰,你赢了。走,带你们腐败一次!"

"不啦,一进馆子,我就刹不住牙。"卢杰摆摆手,意识到不能老给查尔斯潜伏的机会。

何莉莉在后座挽起卢杰的胳膊说:"老公,阿拉帮侬刹车好啦。他告负了,就该付出代价嘛。"

"这么年轻,我可不想吃出将军肚来。"卢杰更不想付出赔掉夫人的代价。

"杰,只有肚子挺起来,才能挑灯夜战打硬仗嘛。"查尔斯把车钥匙往空中高高一抛。门卫小跑两步一伸长臂,像个板球运动员,空中揽月。

卢杰贪杯,查尔斯啤酒管够。卢杰吃了人家的嘴短,只得闷头喝酒当看客,任未婚妻与查尔斯在舞池里欢笑起舞。看这对儿浪男浪女,双手往空中努来努去,身体上下起起伏伏,都快在欲海里淹死啦。

俩人有时一齐往他这边扫过眼来。他用颧骨鼓出一副笑容,朝他们举举胳膊、拍拍手,苦酒却在肚子里暗暗打转转。这个上海妞儿也真够大方的,竟敢在眼皮底下向自己的潜在情敌投怀送抱。别动声色,装大度,以免被她骂成"醋熘小生"。

嘿,查尔斯这小子给点儿阳光就灿烂,居然把她当成腰鼓搂住不放。

卢杰跨过去,一拉她的胳膊说:"走吧,莉莉。"

"别扫兴,好不啦?"何莉莉一甩肩膀。

查尔斯转过身来,插在俩人中间。"哎哎哎,杰,异彩纷呈,性虐待表演就要闪亮登场啦。"

卢杰挡住她的舞步。"莉莉,到底走不走?"

"侬要走,侬先走好啦。"她一扭身子。

"这么说,你打算跟他玩儿一夜?"

"哎哟,讲话真硌耳朵的啦。不过跳跳舞嘛。大家都是朋友,不像侬想得那么复杂。"

"朋友?损友吧?"

"蓝颜知己而已。去去去,侬先回去吧!"她拿眼横他一眼。

卢杰被她的眼光一枪刺中,扎破自尊心,却又不敢把血放出体外。他真想撅起她的胳膊,把她押解回家。"你就跟鬼佬起腻吧!"

"驴友而已,干吗这么不开面儿?"查尔斯又插进身来,旋转着把她带进饺子锅般的舞池。"嗒嗒嗒嗒……"舞曲越奏越强劲。

卢杰跺脚跳出夜总会的大门。

93

回到学生宿舍,卢杰打着夜总会啤酒的嗝儿,一盅接一盅往肚里倒二锅头。他越喝越觉拂意。这个未婚妻对自己压根儿就没性趣,却跟一个有妇之夫贴得那么近。她可真是内外有别呀。别看她对外搞开放,对内却死守阵地不松口。看她回来以后,我怎么洞穿她的大门。

喝到凌晨,也没等到未婚妻的归来。他无奈地把头垂在饭桌上,迷迷糊糊做起梦来。啊,查尔斯竟然在夜总会跟何莉莉大行云雨之欢。看查尔斯那份淫相儿!再看何莉莉那份来了情绪就要死的浪劲儿!这对狗男女,乐得多欢!他抄起酒瓶子,一把磕掉瓶底儿,将尖利的玻璃碴子朝查尔斯的头颅狠扎进去。啊,查尔斯的脑袋瓜子顿时变成一个开瓢的花西瓜,连红红的西瓜瓤子都流了出来……

"吱扭"一声门响,屋门打开一个小缝儿。他眯起眼缝儿,只见何莉莉提鞋闪进。他深深呼出一口酒气。啊,美人归兮,梦中的酒瓶不翼而飞。

"啊,小宝,你可回来啦。"他跳过去接鞋。

"怎么,还盼着阿拉睡在外面呀?"她关上门。

"哦,回来就好,回来就好。"他把鞋塞进床下。

"阿拉嘛,可不像侬想得那么不值钱!"她一屁股坐在床上。

"我一猜,你就是我的好媳妇儿。"他凑近她跟前儿,学着韩信的样子,"扑通"一下跪在她的两腿之间。

"去去去,谁是呀!"她并不给他忍辱钻胯这个脸,两条长腿一并,闭在床沿上。他跪着给她撸下长筒袜,摸摸她的脚面说:"哇,美腿,想死我啦!"

"这会儿想起来啦? 一星期啦,口袋里连张钞票也没有啦,侬怎么不想想呀?"她用拇指捻捻食指。

"啊? 我上周发工资,不刚给你五百吗?"他帮她解开衣扣。

"这点钱,也禁花呀?"她一抬脚,让他坐了个大屁蹲儿。

"什么? 你可真是'周光族'呀!"他站起来。

"没钱,就别娶老婆。去国王十字街找个女人,不也得花好几百的啦?"她扭过身子,给他一个背影。

"啊? 你把自己跟烟花女相提并论"他双手抱头。

"侬想要的,不就是阿拉的身子吗? 跟嫖客有什么区别? 去去去。"她脱衣退裤。

"这星期,我真没钱了。"他来回搓手掌。

"那就靠边站!"她一头钻进被窝。

他跟上床去。"就两分钟。"

"两秒钟也不行的啦! 阿拉困着呢,别烦啊!"她扭过脸去。

他骑在她的腰上,发着颤音央求:"就让我爱一次吧,宝贝儿!"

"耍什么流氓!"何莉莉一翻身,把卢杰踹下床去。

"就玩儿几下俯卧撑!"卢杰扶住床沿儿往回爬。

"滚!"她再补上一脚。

"啊!"他像只足球,在灰地毯上滚了俩滚儿。

"卢杰,再碰一下,就是婚内强奸! 况且,阿拉还没跟侬结婚呢。记住吧啦?"她倒头睡去。

卢杰揪起头发,回到饭桌前,把欲望压缩进肚子。美人近在咫尺,心却跟自己隔着太平洋。嘿,她睡得还挺香,分明跟查尔斯浪了半宿,累瘫啦? 他把怒光打在进入深层睡眠的美脸上,真想狠狠强奸她一场。

这个女人,真像一条用物欲海洋泡起来的鱼。海一下沉,鱼就游进别的海湾。我自以为得了姝女,却原来是为别人养鱼。他真希望自己变成一根鱼竿,把美人鱼钓进自己的怀里。

一股女性荷尔蒙气息从床那边散发过来,把他刺激得越来越燥热。他窝在椅子上,龇牙咧嘴地拼命拔起萝卜来。萝卜就像毒草,任凭他的五指功如何高超,揪出一个,又冒出仨来。他越拽越气,只想把全世界的萝卜全都连根拔掉。啊,自己偷自己的菜,龌龊呀。虽说这活儿是剩男的家常便饭,可那时不是没出气孔吗?

吃喝拉撒睡,外加性生活,是人活着的头等大事。没女人时,手掌成为最安全的绿色管道。既让你打消强奸妇女的恶念,又能避开染上花柳病、艾滋病的风险。既省钱,又卫生。现在可好,活生生一仙人洞就在鼻下,却让你看得见、进不得。男人干吗结婚?不就是拿张想开就开的"驾驶"执照嘛!看她睡得那份甜相儿,肯定在梦里嘲笑我呢。简直就是对中华丈夫的最大羞辱。我一大老爷们儿,要多全乎有多全乎,却让枕边人给整成一个活太监。上帝啊,干吗给我一条"是非根",让我惹上这么多是是非非?

他滑下椅子,跳上床头,摘下悬在何莉莉头上的"燕国"匕首,举到耳旁,向她的美脸狠扎下去!啊——,刀尖儿猛然停在爱妻的鼻子尖儿前。

他回到饭桌,把左手横在塑料贴面上。圆眼珠子落到刀刃上,匕首渐渐升到他的头顶。他对准手腕子比划下去。一道白光刺中他的瞳孔,眼里钻来一股冷飕飕的凉风。刀刃被灯光打出一道闪,把他的酒劲儿吓醒一半。等他再次把刀举起来,手腕抖成了拨浪鼓。只要刀落,一只手就会滚到她的被窝。他移开左手,一刀扎进桌上的大厚书里。且慢,我干吗剁自己的手?该砍的,是她的头!

她又没长三头六臂,干吗受她挤对?她是我的未婚妻,我想怎么着,就怎么着。她不能占着茅坑儿不动窝。他爬上床去。满腔热血像是进了炸油锅,温度越升越高;比开锅的炒菜油还滚烫,还炽热。啊,都冒泡儿啦。此时此刻,她要是再敢说半个"不"字,我非把房子烧掉不可!

他变成一座火山,岩浆瞬间喷发而出。她在睡眼蒙眬中呻吟几声,翻个身,就又在春梦里漫游下去。

他跪在床上,看着她的丰胸大乳,像个自刎的日本武士,升起一种悲壮的自豪之感。

94

每过一天,何莉莉就在日历上画个叉子,像还债一样把它一笔勾销。啊,逝去的日子飞得比飞机还快。可是,未来的日子却像银河之外的飞碟,迟迟飞不过来。她天天倒计时,生怕夜长梦多。然而,节外还是生枝。

她觉得不对劲,去大学门诊部一化验:怀孕了。

橡胶袋封得那么紧,怎么会跑出一条漏网之鱼呢? 这是最大的事故。给什么人生儿育女的问题,是一个首要的问题。一旦生下这块肉,就要跟卢杰扯上一辈子的关系。自由,决不能被一个不该出生的孩子绑架。

<h1 style="text-align:center">95</h1>

卢杰正为自己的后继有人欢欣鼓舞,何莉莉往他脸上泼来一盆冰水:"阿拉刚来,还没收入。还是先把胎儿做掉的啦。"

"有我工作,你怕什么?"他拍拍胸膛。

"侬这点工资,还不够养阿拉的呢。再说阿拉还年轻,等买了房再说吧。"她拿白眼翻他一眼。

"再不当爸爸,我就直接当爷爷了。"他的眼睛亮得直放光。

"前妻不是给侬生过孩子嘛。"

"别动不动就提我前妻。她在我心里早就死啦。"

她摸摸肚子。"未婚先孕? 侬不想搞臭阿拉的名声吧? 不行,明天就去打胎!"她一看他那张阴沉得像上海雾天的脸,心里怎么也阳光不起来。

"敢!"他"噌"地从圆凳子上站起来。

"谁怕谁呀? 阿拉的肚子,阿拉做主! 这就去医院。"他又不是皇帝,干吗非听他的不可。她穿上高跟儿鞋,起身就走。

他伸出双臂,拦住她的去路。"你想让我断子绝孙呀! 这是俩人的孩子,你有什么权利独断专行?"

"想叫孩子跟侬受穷呀? 让开,好狗不挡道!"她一扒拉,往门口走去。

"你才是狗呢,一条丧家之犬! 跑到澳洲捞世界!"他跑到门前,用双臂把住门框。

"那也是侬请来的。"

"没叫你来卖身。"

"侬也买得起? 出一百万,也不养孩子。去,靠边!"

"除非从卡八裆底下爬出去!"

"小矬子,还想守大门?"她一把揪住他的头发,薅下一撮毛来,让他那稀疏的头顶更显凋败。

"啊? 你高,那也得听我的!"卢杰疼得直蹦高。

"侬以为是武松? 不过是个武大郎! 想生个小侏儒呀? 啊呸,下辈子吧！"她像猫一样扑到他的面前，伸手就抓他的脸，挠出好几道血印子。

"别别别！"他只好用双手当挡箭牌。

她仍不解气，索性用指甲把他的手背抠出一个个翻着皮的小肉坑。

"啪——"他抽出右手，甩她一记耳刮子。"你活是我的人，死是我的鬼。老老实实在家待着！"

"啊——侬打人，阿拉告侬！"她一把抓住他的中指，使劲往手背上掰过去。

"啊！"他拼命抽出中指。"你告我？你骗我的感情、骗我的身份，我还没告你呢！哎，你给我听清了，什么时生孩子，什么时办移民。"

"侬呀，可怜得就剩下澳洲身份啦。侬以为就侬一人有 PR 呀？侬不办，有人给办的啦。"她一叉腰，把鼓鼓的臀部扭成两个半球。

"谁？"他猛击门框。

"反正不是侬这个小老鼠！"她专拣气他的话说。

"你跟查尔斯眉来眼去的，当我是瞎子呀！"他揉揉打疼的手掌。

"侬本来就不精！"武大郎要是跟西门庆一比，阿拉宁愿当个遗臭万年的潘金莲。

"我就知道你是个'鸡'！"他跳着脚在空中猛挥一拳。

"侬就是'鸡'下出来的！去屎（死）吧！"她像个女足前锋，用高跟儿鞋的三角尖头对准睾丸起脚劲射。

"啊——"他像个扑空足球的守门员，一头倒在门框边。

"除了骂女人，侬还有什么本事！"她拔腿就出门。

他腾空而起，拿出后卫铲球的劲头，用大皮靴冲她的大腿狠踢一脚。

何莉莉一躲，大皮靴正中她的肚子。

"啊——"何莉莉惨叫一声，一头扑倒在地。鲜血从她的下身涌流出来，渗进灰色地毯。

"干吗呀，你们这是？"小庄和小孔闻声跑来。

"看什么看？还不快叫救护车！"卢杰的一肚子火气集结成一声霹雳，全打在两个替罪羊身上。

96

法庭上，卢杰的愁眉之间打出一道亮闪。这个菲利普还真有两把刷子。看菲利普那根粗鼻子，多像胡萝卜，把他的胖脸分成两面人。

卢杰查阅报纸，得知菲利普曾迫使法官把一个杀妻的名人无罪释放。

卢杰花钱买的就是菲利普能把死人给说活的本事。卢杰看得出来，菲利普的拿手好戏就是找出一个垫背的，用转移法官视线的高招儿解救顾客。当然，这要看菲利普如何抓住战机，找出对手的漏洞。

听，菲利普正在慷慨陈词："一切都要以事实为圭臬。有一个事实不容忽视，那就是，明明卢先生和霍歌太太都到过案发现场，可是查尔斯为何只翻卢杰这张牌，却对其配偶那张牌捂住不亮呢？很明显，两公婆不谋而合，有一个共同的杀人动机：除掉危及他们婚姻安全的何莉莉和奥利弗！"菲利普的圆嘴一努，像是画上一个句号。

查尔斯不屑一顾。"你说我太太到过凶宅，有什么根据？"

女法官玛格丽特的脸上掠过一丝愕然的眼神。"法庭要的不是事实陈述，而是证据，证据！"

菲利普胸有成竹地说："前几天，本律师特派助手找到何莉莉生前的邻居了解情况。一位名叫安吉拉·伍德的老妇人曾目击霍歌太太到过犯罪现场。我请求法官传伍德太太出庭作证。"

"准许。请控方证人退席，辩方证人入座。"

查尔斯前脚离席，安吉拉后脚便坐在证人席上，打开了话匣子："那天早晨，日头挺足的。你说莉莉那姑娘多善呀，从没跟谁红过脸，怎会有仇人呢？她常给我端盘小笼包来，要不就是热面条，有时还有饺子呢……"

"与证据无关，反对！"阎超欠了一下身。

卢杰替安吉拉着急，真希望老太太有自己这样的逻辑思维能力。

"哦。那天夜里，雨下得那个大呀。不过，一大早就雨过天晴啦。我把早点拿到阳台，本想就着雨后的好空气开开胃。谁曾想，莉莉家那边儿传来隐隐约约的饿饿声。你说那个小宝宝奥利弗，眼睛那份水灵呀。也不知是哪个该下地狱的坏蛋，竟然对可爱的孩子下毒手。也真下得去……"

"请不要离题。"玛格丽特微皱眉头。

卢杰原地跺脚。

"是，法官阁下。嗯，我说到哪儿啦？噢，对了，莉莉的嗓音像小提琴，我能听出来。另一个人嘛，跟大提琴似的，也听不出是男声还是女声。"安吉拉的老花镜从鼻梁上滑下来，像是玩儿滑梯。

"争吵内容？"玛格丽特索性用提问防止跑题。

"我有点儿耳背，什么也没听清。"她把老花镜推回鼻梁。

"那你看见什么没有？"玛格丽特穷追不舍。

"后来我就进屋了。噢，对了，等我再回晒台，看见一个女人钻进一辆黑车，一溜风就开跑了。"老花镜又滑了下来。

"那人长什么样儿?"

"我老眼昏花,看不清。"她再把老花镜推上去。

"头发是什么颜色?"玛格丽特指指自己的头发。

"红色吧。"

"你确定吗?"

"噢,也没准儿是深黄的。"

"到底是什么颜色?"

"要不就是褐色。"

"穿什么衣服?"

"那我哪儿记得住啊。不过呀,我记得是一身黑,跟那辆汽车一个色儿。"

"记下车号了吗?"

"我又不是侦探,记它干吗?"

"哈哈哈哈!"听众席传来窃窃笑声。

"不过,车型我可看清楚啦。本田,最新款'里程'。好家伙,真亮!"安吉拉像是发现了新大陆。

菲利普的脸放起光来:"这足以证明,就在我的当事人离开何宅不久,真正的疑凶随即潜入杀人现场。"

好,一语中的。卢杰心里乐开了花。起码先在法官的脑子里打上一个先入为主的烙印。

阎超站起来反驳:"证据不足,反对!现场迹象表明,何莉莉被人强奸过。伍德太太所说的吗玩意儿女士,怎会有这种可能?"

菲利普抖抖肉乎乎的脸蛋。"案犯完全可以扒下何莉莉的内裤,伪造强奸的假象。"

"可是,卢杰在被害人尸体里留下的物证,是伪造不出来的吧?"阎超的双臂在胸前一张,像是要做扩胸运动。

卢杰真想扑过去,把阎超的胳膊给撅折。这个警官的小眼儿有什么洞察力?就是把火柴棍儿支在他的眼眶上,也撑不大他的眼睛。

菲利普冷笑一声:"精液匹配,就意味谋杀吗?谁都知道,我的当事人是死者的未婚夫。虽说他们分居很长一段时间,但就在案发的前几天,他们已经破镜重圆。请问,从一个未婚妻身上发现其未婚夫的爱液,有什么大惊小怪的?"

"问题在于,为吗俩人刚刚重聚,未婚妻就人头落地了呢?"阎超把手掌当成菜刀,使劲向下一挥。

菲利普把双手在胸前一叉，护住心脏，笑道："哈哈，这正是我所追问的。答案很简单：就在霍歌先生悄悄溜回悉尼以后，他突然发现，卢先生居然睡在何莉莉的屋里。占有欲让他妒火中烧。于是，他将计就计，借刀杀人！"

第七章 何莉莉花落谁手

97

胎儿没留住,何莉莉求之不得,正好免受人流手术的刀钳之痛。她躺在圣约翰医院的病床上,小脸儿不住下大雨。卢杰够毒,真要嫁给这种人,还不挨一辈子暴打?

可是,黑在澳洲?既没收入,又领不了救济,怎么活呀?她打开钱包,里面夹着十张一百澳元的蓝色钞票。这几片塑料纸顶多能撑一个月。她曾跑过几家古董店。那些澳洲老板连"战国"都没听过,更别指望他们认出宝刀上的"燕国"两字了。

唉,出国在外,真不易呀。卢杰竟然是阿拉在澳洲的唯一"亲人"。自己刚从他的牢笼逃出,又陷入举目无亲的孤岛。这趟国出得好冤枉。卢杰是让人寒心到家啦,查尔斯又指望不上。茫茫澳洲路,哪里是我家?

胸口像是塞着一块砖头,堵得她都快背过气去了。她感到周身血液都被抽空,就剩下一个空壳。她把身子压到左胳膊上,麻了;转到右侧,又疼了。怎么都拧巴。死了,就不受人间罪啦。

她"腾"地从床上坐起来,胸部这才通畅一些。她蹒跚到卫生间前,却见门上贴出告示:"厕所发现痢疾病菌,暂停使用。"她回头扫视其他三位老迈病号,仿佛撞见阎王的笑颜。她捂住肚子,转身躺回病床。这不是没病找病吗?她越想越憋闷。阿拉大老远跑到悉尼寻梦,好梦没做成,倒迎来连连梦魇。

她在床上转了几回身子。转着转着,她的肚子鼓成一个热气球,把她托向灰色的天空。她变成空中飞人,慢悠悠地飞回上海老家。啊,家门口那个公厕就在眼前,她紧急降落,一头钻进。阿拉得救啦。她的大长腿往下一

129

沉,臀部却没了着落。哦,对了,这个厕所是蹲坑。她使劲一绷大腿,这才没掉进粪坑里。嗯?什么味道?一股扼杀空气的味道肆意冒出,让氧气饱受挫折,让鼻子不愿存在。她拔腿逃出茅房。

在澳洲上厕所,没这味呀。大部分洗手间,几乎比阿拉上海的住宅还豪华、还清洁、还好闻呢。阿拉宁肯住在澳洲的卫生间里忆苦思甜,也不愿在这种里弄的臭厕所里求得"解放"。小时候,自己就难逃里弄厕所的捉弄。尤其一到夜里,不拿出百米冲刺的速度,就别想干着裤子回来。冬天的阴风多刺骨呀。阿拉宁可在床上坐一夜,也不愿进那个"臭屋子"蹲一秒。唉,就这样子,小时候落个尿床的病根儿,肾也憋出炎症来。幸好一来澳洲,不治自愈。

啊,不行啦。宿疾又要复发啦。她返回公厕。惊慌失措之中,她趟了一脚尿。仔细一看,地上布满"地雷"。她像个工兵,小心踩上一块块前人码好的砖头,踮着脚尖儿,终于迈上一个蹲坑。她蹲下身来,刚要"大赦"自己,却听见两声"吱吱"怪叫。她低头一看,一只正在吃屎的灰耗子朝她的臀部仰视上来。

130

"啊!"她吓得睁开眼睛。病房里的三双眼睛一齐向她扫来。哦,刚才那几个面目狰狞的老不死,现在变得跟自己的奶奶一样和蔼可亲。

"没事儿吧,姑娘?"一个银发老妪伸脖子问道。

"哦,没事儿。洗手间好了吗?"

"楼道还有一个。"另一个老太太伸手一指。

"噢,谢谢,谢谢。"何莉莉弯腰跑出。

一上过道,正好有位女士从厕所出来。见她正往这边儿赶来,女士为她拉住弹簧门,耐心等候。直到她跨进厕所,女士才松手。哦,人家西方人多有礼貌呀。上趟厕所都愉快。

她在坐便器上打起盹来。"哗——"一声冲水声惊动了她。不行,阿拉必须离开医院。过一会儿,卢杰就下课。阿拉再也不要见到这个混蛋。她返回病房,提起航空包就溜。

"哇,姑娘,解放啦?"身后传来银发老妪的声音。

"啊,是,是!"何莉莉回头一看,只见三位老人一齐欠身。

"回家万岁,姑娘!"第二个老奶奶振臂一呼。

"姑娘,不能下床送你,就在床上为你起舞吧!"第三个老太太四脚朝天,手舞足蹈。

"共舞,共舞!"何莉莉闪出门外。

98

何莉莉如梦游般漫步到国王十字街。这里依然"鸡"满街头。过去,她是那么鄙视这些"站马路的"女郎。

今天,她竟然向站街女投去同病相怜的目光。自己断了生路,想要留在澳洲,也要步这些街头女郎的后尘?她不敢再想下去。可是现实摆在面前。不卖身体,吃什么?喝什么?住哪里?她口干舌燥,对着街头饮水机灌个水饱。肚子也紧着凑热闹,像饿死鬼一样前来乞食。她掏出钱包,拉出一张钞票,又塞了回去。

一位性工作者叉腰站在街角,冲她飞来一个眼风。她头重脚轻,跟吃了碗肥肉似的直犯恶心。刺眼的澳洲毒日把她的大眼睛射成一条小缝儿。她的视线越来越模糊,就像变虚的电影镜头。前面又有一位卖笑女郎招摇过市,渐渐变成两个、三个……她夹在中间,似乎已经化成其中一员。

她冲进电话亭,给查尔斯拨打手机。话筒里传来"机主无法接听"的英语留言。

她像个交通警一样站在马路中央,挥手拦住一辆出租车。

"去国际机场!"她的食指往空中一点。

99

出租车上了海岸公路,把一棵棵棕榈树甩过何莉莉的脑后勺。树叶随风舞动,像是一群夹道欢送的长队。一朵朵悠悠的白云从挡风玻璃上扑来闪去,像一群可爱的孩子跟她藏闷儿闷儿。身边的如幕大海和头上的如洗碧空把她抱在蓝蓝的怀抱。她想起上海那令人窒息的阴霾天,备感在澳洲度过的每一天都是值得的,都是幸运的。

这两天,住这么好的医院,接受那么好的治疗,吃那么好的病号饭,居然没花一分钱。出国前并没在意这个袋鼠国,身临其境才发现:比袋鼠更奇妙的玩意儿,多着呢。

她瞥一眼被汽车抛闪的树木,感到自己离天堂越来越远。望一望悉尼大桥两岸的红瓦洋房,她似乎够到查尔斯家宅的花木。哇,好一座人间仙境。只可惜,这座天堂只有夏娃,没有亚当。她的水汪汪大眼睛热泪喷涌。

100

卢杰脚打后脑勺,跑出圣约翰医院,开上"捷豹",从一处处民宅和建筑物进进出出,上车下车,到处都找不到未婚妻的影子。

他一踩油门,昏头昏脑拐进一条封闭的高速公路,上天无路,入地无门。我怎么又闯进一条人生的单行道?他只能任身后的车流推着自己不停冲刺。

唉,怎么这么爱记仇。小时候,自己就在日记本上写满"杀杀杀!"他要杀掉他的英语老师、物理老师,还有体育老师。只因老师不给他好分数。至于同学,谁欺负过他,谁借书不还,谁向老师打过他的小汇报,他也列了一个黑名单。他梦想成为一名纳粹军官,带上一队人马,占领他的学校。他可以由着性子决定谁该杀,谁成为残废,谁活着比死还难受……

啊,太可怕了。看看那时候,一个十几岁的半大小子,满脑子想的都是些什么呀?老师、家长天天教育自己与人为善、宽容别人,可是,就为一点儿芝麻绿豆的小事儿,自己居然如此"复仇"心切,连杀人的念头都冒了出来。至于吗?哎,对啦,小时候那些"仇人"是谁来的?他们如今身在何方?要是真能记起老同学的小名儿,我应该为他们祈福才是,甚至说一句:"只要你过得比我好!"地球有六十多亿之众。人与人之间,要有多大的缘分,才能彼此相识、曾经厮守?

他猛拍方向盘,倒吸一口凉气。仇恨是多么丑陋,多么具有杀伤力。怒,让自己失手打掉卢二代。火,让自己对未婚妻大打出手。不容别人就是不容自己,害人害己,自取灭亡。一定随时修炼自己,铲除恶念。

101

一架轰隆作响的庞然大物缓缓压向卢杰的头顶,剧烈的超声波几乎把"捷豹"卷上天去。嘿,国际机场,人生的"终端机"。何莉莉上天入地,还能跑出机场的手心?

在售票窗口,他一眼就看见黯然踌躇的何莉莉。

"莉莉,我错了。走,快跟我回家吧!"卢杰拉住她的手。

"家?澳洲没阿拉的家!"她一听"家"这个字,哭得满眼梨花飘落。

"哪里有我,哪里就是你的家!"卢杰搂着她的腰,把她抱上汽车。

"捷豹"在机场路上撒起欢儿来。他一手握方向盘,一手拉她的小手。

她探过身子,把另一只手伸进他的两腿之间。汽车像只雄鹰,向着辽远的蓝天冲去,似乎要把他们带进极乐的天堂。

102

卢杰终于从何莉莉那里享足性的美餐。他一改每天午睡的习惯,专门跑回学生宿舍与美人共进鹿茸。他又重温军嫂跟他玩过的游戏,整天大脑昏沉,双腿打晃儿。

卢杰大有玩物丧志之感。好多人三十多岁就当上教授,自己眼看就步入中年,连一本学术著作尚未问世呢。想起来就起急。他正雄心勃勃,准备把几部前无古人、后无来者的新科研成果投向学术界,来他个原子弹爆炸式的轰动效应。

未婚妻之所以来个一百八十度大转弯,还不是让一纸 PR 转的脑弯儿?多少澳洲光棍儿被亚洲邮购新娘骗得人财两空呀!那些女的扭扭屁股,就过上我们这些男人费尽千辛万苦才挣来的天堂生活。她何莉莉就是有多少钱,也买不来澳洲的新鲜空气,买不到这么优雅的人文氛围,还有这么高品质的宜居生活。

不行,对这个贼精贼精的上海妞儿,必须防着点儿。他的中指一到夜里就疼得睡不着觉。上回,中指差点儿被她像掰黄瓜那样一撅两半儿。到现在中指还弯不利落呢,就忘了痛啦?

103

午休之后,卢杰刚晃着双腿跨进教室,就一头扑在教桌上。幸好他用胳膊撑住身子,才没在学生面前摔个大马趴。

"杰,中午又'攻城'了吧?"捣蛋鬼丹尼斯大呼小叫起来。

"哈哈哈哈!"全班大笑。

卢杰冲大家皮笑肉不笑了一下。

"哎,老师真敬业,中午又'加班加点'啦。"另一个叫亨利的学生有了新评语。

"哈哈哈哈!"

卢杰对班里这几个"上帝"讨厌透了。这些澳洲本地学生可真没大没小,对中国的一日为师、终身为父的理念毫无悟性。

"杰,甜心怎么样?啊?"丹尼斯问。

"肯定是——味道美极啦。"亨利代答。

"哈哈哈哈!"

"哎哎哎,诸位,我宣布,今冬的雪山游,取消啦。"丹尼斯扭头嚷道。

"干吗不去?"亨利不解。

"杰的头上,就有一道亮丽雪色。"

"杰,悠着点儿吧。你为小妞儿透支,都透出一头白毛儿啦。"丹尼斯大叫。

"哈哈哈哈。"

嘿,这帮澳洲学生,这么不把老师放在眼里! 不行,他们既然学习中国文化,就必须懂点儿尊师重道的规矩。"丹尼斯,亨利,你们俩,再敢这么说话,小心毕不了业!"

"杰,有点儿幽默感,好不好?"丹尼斯的脸憋得像个澳洲小考拉。

"再加点儿平等精神!"亨利"哼"了一声。

"英语独霸天下,这公平吗? 中国一天比一天强大。过不了二十年,中文将打败英文,成为亚太地区第一语言。因此,你们今天学到的每一个中国字,都将成为未来求职的护身符。"他迈出杨子荣"打虎上山"的武步,让洋学生见识一下京剧的做派。

"你做梦呢,杰?"亨利的阴阳怪气引得同学笑声一片。

"怎么,你不信? 我告诉你,亨利,等中国制造大军占领澳大利亚,中国话呀,你不说也得说!"卢杰把食指一挥,像是用手枪对准亨利的脑袋。

"要是真有那么一天呀,澳洲的娘子连,就能把所谓的中国大军踢进印度洋。"丹尼斯站起来,做一个足球射门的动作。

"哈哈哈哈!"

"澳洲人倍儿小家子气。你们知道中国妇女的厉害吗? 早在澳洲妇女刷锅、洗碗、抱孩子的年代,毛的中国妇女早就顶上半边天啦。"他把右手高高举过头顶。

"毛既然那么尊重妇女,干吗娶那么多媳妇?"亨利用拇指和食指并出一个圆圈圈来。

"这叫枪杆子里面出政权!"卢杰伸伸拳头,像是入党宣誓。

"枪杆子撑起的——应该是一座自由女神!"丹尼斯拿起一本书,做出手举火炬姿势。

卢杰双手往台下一挥。"废话少说,拿出纸来,准备测验。"

"什么? 又考试?"丹尼斯的圆珠笔直落书桌。

"学语言就得死记硬背。"卢杰挺胸抬头。必须给学生点儿颜色看看。

“打我们上幼儿园，就没背过一个字。”连女生都吭声了。

“乘法口诀，你们总背过吧？”卢杰不信。

“还用背呀？一推就算出来。”亨利补充。

“在这个课堂上，我说了算！”卢杰拿出考题。

“应试教育，除了克隆一批批绵羊以外，能培养几个有独立思考能力的人？”另一个女生小声嘟囔。

“语言这东西，非下苦功夫不可！”卢杰手掌向上一举，像是托起一座大山。

“我们的教育是玩中学习，学中作乐。”丹尼斯伸个懒腰。

“你们的放羊式教育，惯出的是一批批懒汉。”卢杰发放考题。

“我们玩着就能想出新点子。乃们（你们）勤快，却是一群跟屁羊。中国文化就是抄袭文化，具有极大的不可塑性，这就是乃们（你们）缺乏创造性的根源。”亨利抛起手中笔。

“砸碎了骨头，砸不断筋！我所教的，都是中国文化的精髓。”卢杰使劲把考题往教桌上一摔。别看你们现在闹得欢，等我打分时，管叫你们像枪口前的袋鼠一样无路可逃！

104

卢杰早早就穿好西服，打好领带。刚要像小鸟一般飞出学生宿舍，小鸟却被何莉莉的纤细玉手一把薅住。他摇晃一下身子，一把推开她。

“急什么嘛，老公？甜点还没吃呢。”

“我可没这口福，上班要紧。”他摇摇手里的通勤包。

“急急急，阿拉的事，侬从来不急的啦。”

“你又不上班，有什么急事儿？”他又要往门外溜。

“妈咪探亲的手续，办得肿么样（怎么样）了嘛？”她拉住他的皮带。

“不就哄你妈一乐吗？”他拉开她的手。

“什么？侬这不是要人吗？”她夺过他的包。

“我父母还没来过呢。”他一摊双手。

“父母给阿拉生命，为阿拉操碎了心，侬就忍心让他们当空巢老人？”

“我小时候，我父母可没怎么在乎我。”卢杰一想自己是被奶奶看大的，就有一种后娘养的感觉。

“什么话！他们忙着上班，还不是养侬？父母可以挖心给侬，情愿拿命换侬的健康。侬却这么想侬的父母。”

"我也想尽孝心。可是,钱呢?"他一想起还住在学生宿舍的事儿就闹心。

"侬也晓得没钱不行啦。不过嘛,没钱可以挣,可是父母哪天突然没了,侬只好孝顺黄土啦。时间不等人,父母正在一天天老下去……"

"好啦,我没时间扯淡。我只知道,一天不上班,就一天没饭吃。哎,你老在家闲着,也可以出去做做事嘛。"他的粗眉向上一挑,嘴巴向下一拉。

"什么?阿拉是嫁人的,不是外来妹。"

"那你就赋闲在家,养着吧。"他抢回通勤包,抬脚就去拉门。

"站住!一个男子汉,连点主动承担的精神都没有。阿拉的结婚签证就要到期,侬晓得不啦?"她推上门。

"是吗?我都忘了。"卢杰止住步,拉拉领带。

"侬搞搞清楚,还不去登记结婚?"她从抽屉抽出一个黄色卷宗。

"不还有一个月呢吗?"他一甩头,一撮头发耷拉到前额上。

"一天也不等啦。走,现在就去。"她穿上外衣。

"现在?马上就开课啦。"他推门出去。

"搞什么搞?要把 PR 拖黄呀。"她追出门。

"那倒不是。我只是没弄清楚,你来澳洲,是冲我来的,还是冲澳洲户口来的?"他挺胸抬头,在过道大步穿行。哼,越容易得到的,就越不会珍惜。

"阿拉都冲。"她甩开长发,步步紧随。

"我一猜,就不是冲我来的。"卢杰一指自己的鼻子。

"脑子进水啦?侬要是没点优势,谁嫁一小老头呀?"她吼起来。

他赶紧钻进后院的车库。"既然如此,那我也要化优势为胜势。"

"侬的胜势就是 PR。"她挡在车前。

"你知道我们当初在澳洲流多少血、流多少汗、流多少泪,才攻下 PR 这个山头啊。你来了就捡洋落儿呀。一个澳洲 PR 户口起码值七位数呢!"他觉得把她办来,就像一笔血本无归的投资,赔本赚吆喝。

"好哇,侬敢卖身份?"

"你告我去呀。地狱里,尽是不知感恩的人。"他觉得既然赢得不了她的芳心,那就在身份上吊吊她的胃口。

"记仇不记恩,记坏不记好,本来就是人的本性嘛。为何现在才摊牌?"

"我要的是——没有条件的婚姻。"

"婚姻就是男女之间有条件的结合。侬不配阿拉,就要从物质条件上找齐,连这点现实都不敢面对吗?"她把住车门。

"不平等的婚姻没有根基。"他学着西人的样子耸耸肩。

"侬把阿拉从上海叫来,不想结婚?"

"婚姻应该感情第一、物质第二。等你什么时候把二者的顺序弄对了,我一准儿登记。"他从裤兜里掏出车钥匙。

"卢杰,六合彩不会老落到一个人头上。"

"没有感情的婚姻,中彩也不幸福。"他一想流产这事儿,就气儿不打一处来。她也许是想为查尔斯留肚子。

"拿什么糖呀?侬不过是辆二手车而已!"她指指锈迹斑斑的"捷豹"。

"你呢?物质小姐一个!"他抛了一下车钥匙。

"侬图的不是美色吗?都二十一世纪了,别自欺欺人啦。男女走到一起,不都是各有所图、各有所需吗?婚姻不就是交易吗?"

"交易?那你的美脸也太值钱啦。"他用后背挤她,打开车门。

"万物都有价值。以貌取人就要付出更大的代价。"她使劲摔上车门。

"你还真把自己当成商品啦?跟你说,你就是想买 PR,我还不卖呢。好啦,我颠儿啦,回来再说吧。"他拉门钻进汽车,向何莉莉喷出一屁股汽车尾气。

105

何莉莉狠狠摔上学生宿舍的门。好呀,在这个节骨眼,卢杰这小子收起救生圈。夫妻本该同舟共济,行动和意念要像舵和桨一样协调一致,才能挺过人生的惊涛骇浪。可是他跟阿拉,一个往东,一个往西;一个想上天,一个想入地。除了内耗,谁也不称心如意。

干吗非吊死在他这棵树上?与其坐以待毙,不如看看查尔斯那里有什么活路没有。人家终究是土生土长的澳洲人,信息怎么也比阿拉多吧。虽说他有配偶,可是看看那个老女人,不到四十就满脸褶子。这白人老得也太快啦,怎么跟阿拉这些细皮嫩肉的亚洲女孩比?试试再说,也许还有一拼。

106

何莉莉像只袋鼠,连蹦带跳跑进企鹅大学。

她在教学楼里走来穿去,从一个大课堂里听到查尔斯的浑厚嗓音:"虽然我开的这门课叫'比较文化',但这种比较是相对的。在全球化经济浪潮的推动下,各种价值观互相杂交,渐渐形成混杂文化。然而,不管如何杂交,其克隆出的胎儿出自同一子宫:全世界都在向着性文化和金钱文化这两大方向共同发展。各国的文化纵然千差万别,可是,不论什么人种,都具有某些共同的文化特质和集体性格。譬如,玫瑰好比女人,蜜蜂好比男人。蜜蜂的最大乐趣就是在玫瑰身上采集花蜜。有的玫瑰利用优势,让蜜蜂为欲望付出代价。有的玫瑰误以为蜜蜂爱恋自己,倾情奉献。其实,蜜蜂呢,见玫瑰就想采,为了酿蜜,舍得一身剐。男人企望成为女儿国的蜂王,女人也巴不得荣获世界选美冠军。然而,天下没有两片一模一样的玫瑰花瓣儿,连双胞胎的性器官也会形态各异、大小不一……"

"哈哈哈哈!"坐在最后一排的何莉莉,怎么也忍不住自己的笑意,像小孩儿一样捂起肚子。

查尔斯一扬眉,向她投来鹰般的眼神。"比如,同是追美女,西方人开放直白,中国人含蓄婉约……"

"丁零——"下课铃声一响,他像座高山一般耸立在她的头顶。"怎么?和尚念经,都把你给逗笑啦?"

"哈哈哈,侬这嘴皮,能把南半球给搬到北半球去。女人就那么缩水吗?"她坐在椅子上,像尊雕像。

"不就打个比方嘛,深入浅出!"

"侬怎么不打别的比喻呀。"她的美人鱼眼往心中的洋王子身上游来游去。

"好,以后,我就拿你比较。"

"去侬的,阿拉有什么好比的啦。"她低垂眼皮,美人鱼孔雀开屏,露出长长的睫毛。

"你就是我心中的玫瑰。怎么,过得怎么样?"

"哦,一朵快要凋谢的花呗。"她一脸惆怅。

"这要看花儿种在什么地方啦。你不幸福,这瞒不过我的眼睛。"

"想托侬介绍个对象,要澳洲人的啦。"

"我就知道,你跟卢杰长不了。走,到我办公室开个茶话会,慢慢聊。"

107

查尔斯用钥匙拧开办公室的门,把何莉莉让进门来:"请!"

"查尔斯,听侬讲课,真是一种享受。"她走到写字台前。

"还不拜我为师?"他带上门,伸伸长臂,冲她指指沙发椅。

"阿拉哪有这个福气呀。"她站着不动,回想起站在情人饭店2012号房间的情景。

"坐呀,座上没有针毡。你来澳洲,不就是要戴顶博士帽儿吗?"他打开窗户。

"是呀,做梦都想当博士。可是,阿拉身无分文,只能当个'梦想'博士啦。"她坐下来,大腿显得格外修长。一股花香从窗外扑进她的鼻孔。

"我正招博士生呢。免学费,还有全额奖学金。"他给她沏上一杯黄黄的茉莉茶,坐在她对面的沙发椅上。

"哇,阿拉行吗?"她的大眼睛亮成两颗钻石。要是能读三年博士,签证就有救了。

"你大有潜力,将来可以当居里夫人。"他探过身去,一把拉住她的手。

"条件是什么?"她推开他的手。

"你的一个吻!"他贴近她的嘴,闻到一股清新的石榴香味儿。

"小心被老婆抓到哟。"她看着他的大门牙。

"来,告诉你啊,我要离婚啦。"他的嘴凑近她的耳边,又滑下来,贴上她的嘴唇。

108

"砰"的一声,查尔斯办公室的大门被一脚踢开。何莉莉回头一看,卢杰破门而入。

"啊?"何莉莉吓得站了起来。

卢杰像个跳远运动员,几步跳到查尔斯面前,横眉竖眼。"查尔斯,你手够长的,敢碰我爱人!"

"我……"查尔斯站起身来,往后退步。

"暴打女人,侬从不手软!谁是侬爱人呀?"何莉莉挺胸挡在查尔斯的身前。

"什么? 莉莉,你如此美好,他居然舍得对你动粗?"查尔斯以何莉莉为盾牌,用右手拨开卢杰的手指。

卢杰又把手指点向何莉莉。"你说说,是我先动的手,还是你?"

"是侬,大脚踹掉阿拉的孩子!"何莉莉甩出一个兰花指。

查尔斯的嘴角露出惯常的哂笑。"啊? 够狠的呀你,卢杰! 我不得不提醒你,无论莉莉在家里遭受热暴力还是冷暴力、肢体暴力还是语言暴力、硬暴力还是软暴力,她都会得到移民局的保护。"

"查尔斯,你狗拿耗子!"卢杰踮脚抬头,尽力摆脱身高的劣势。

"每十八秒,地球就发生一次家庭暴力。像你这样的人,报一个,少一个。"查尔斯低头藐视卢杰,就像一头雄狮俯视一只小绵羊。

卢杰躲开查尔斯的咄咄目光,转头向何莉莉央求道:"莉莉,别理他。他的诺言,还没他的精子存活得时间长。走,快回家吧。"

"回家? 再遭你的毒打?"查尔斯把脸扭向何莉莉。

何莉莉心头一颤,腿脚向后移动。

卢杰的眼珠跟着她的步子转。"骑墙的人,往往两边儿都够不着,到头来落个被车裂的下场。莉莉,你跟不跟我回家?"

"谁对阿拉好,阿拉就跟谁回家。"她又后退一步。

"看,你对她不好,她不会跟你回家的。"查尔斯向前跨上两步,用大块头身躯把何莉莉挡在身后。

"查尔斯,再挑事儿,我就找校长参你一本,告你破坏婚姻。"卢杰踮起脚尖儿,如牛犊一般仰头怒视。

"你犯家暴罪,先进大墙面壁几年的是你!"查尔斯的阔鼻孔吹出两股气来,正中卢杰的脑顶。

140

"好呀,你们俩捏咕好啦,是不是? 莉莉,你真要告我? 好歹是我把你带来的,你不会过河拆桥吧?"卢杰的脸上交织着恐惧、可怜和委屈的混杂表情。

"莉莉只要去移民局诉上一状,不但签证问题迎刃而解,而且财产半儿劈!"查尔斯把脸转向何莉莉。

"哦,对,可不是!"何莉莉醍醐灌顶。

卢杰的眼珠子快要暴出眼眶。"查尔斯,你见奶磕头,就差勾搭你亲妈啦! 莉莉,搞婚外情的,连配偶和朋友都敢骗,还有谁不敢骗?"

"我起码不打女人。莉莉,你在我这里,永远是公主。"查尔斯单腿下跪,摆出向何莉莉求婚的姿势。

卢杰凑到何莉莉的另一侧,双腿下跪。"莉莉,婚外情的承诺就像风中的尘埃一样飘忽不定。他满足完性欲,会像扔避孕套儿那样把你抛弃。而你,却要为此忍受一生的感情伤痛。"

何莉莉犹豫起来。这个查尔斯靠得住吗? 可是,这个卢杰更不是靠山!他居然用户口故意卡自己。刚才,查尔斯说他要离婚。果真如此,阿拉既能跟心上人在一起,又能实现读博士的美梦。不管是真是假,先抓住查尔斯这个救生圈再说,省得被卢杰上屋抽梯。她伸手把查尔斯扶起来,背脸说:"卢杰,只要侬不再骚扰,阿拉不会恩将仇报。"

"莉莉,今天早晨都是我的不是。走,现在就去办结婚手续。"他支起小腿,去拉她的手。

她躲开他的手。"再说吧。侬先回去吧。"早干什么来的？现在见风使舵，晚啦。

查尔斯伸出手臂，向大门口一挥："请吧。"

"查尔斯，你这个到处乱撒精子的色棍！你等着，我饶不了你！"卢杰走到门口，又站住脚步，回头冲何莉莉斜了一下肩说："莉莉，判断力决定命运。貌似完美的人，实际上最不完美，也最有欺骗性，还危险。跟西门庆走，只能走上一条万劫不复之路。早点儿回家，我等你。"

何莉莉向他摆了一下手，像是默许，也像是送客，更像是道别。查尔斯把门关严。"莉莉，你岂能委身于这种人？"

"阿拉老觉得，有点欠他的。"她一脸茫然若失，软绵绵坐在沙发椅上。

"藕断丝连，只能成为他的盘中餐。一个走回头路的人，肯定要误了前面的路。"他把写字台上的茶杯递给她。

"阿拉来澳洲的条件，就是要嫁给他。"她大口大口把半杯茶喝了个滴水不留。

"闪婚只能让夫妻变仇人。委屈嫁给一个不爱的人，岂不白活一次吗？"他接过她手里的空杯。

"离开他，阿拉就没有安身之地的啦。"她把求助的目光投给查尔斯。

"我父母不待见悉尼的闹腾，回昆士兰老家躲清静去了。二老的宅子闲着，如果你乐意，可以住进去。"查尔斯掏出一串儿钥匙，拍进她的手心。

"真的啦？"她站起身来，拉住他的健壮胳膊。

"走，看看房去。"他拍拍她的美手。

109

"悍马"悄然开进一座镶有"霍歌家宅"字样的临海高宅。

查尔斯用食指一点回廊："莉莉，从现在起，你就是这房子的女主人啦！"

"哇，好老公！"她环顾这座在上海梦也梦不到的桃源别墅，油然升起一种澳洲主人翁的自豪感。宅子像个亭亭玉立的少女，默默注视大海的浪涛。一个房子就是女人的一切，爱情只需要一个屋顶。宅子就是丈夫。阿拉不再为居所发愁，阿拉可以在这个"城堡"里尽享人生啦。啊，阿拉真的很幸福。

她闭眼迎上他努过来的嘴。啊，他爱阿拉！多么幸运。一个大教授，一个洋帅哥，居然爱上自己。啊，阿拉有救了，阿拉有依托了。不用再为爱情发愁，不用再为身份发愁，不用再为金钱发愁，更不用再为住宅和汽车发愁的啦。

"汪汪!"一条德国黑背狗猛扑过来,吓得她抱头就往后院跑。查尔斯大步追上,一把将她推进波纹起伏的游泳池。

"啊!"冷水像是在她身上浇上一道电流,把她全身的细皮嫩肉刺激得一阵乱抖。她刚要上岸,又被赤身裸体的查尔斯吓回水里。

她甩开修长的四肢,往小桥那边奋游过去。刚到桥前,只听"咕咚"一声,一个大白身子腾空入水,在桥洞前拦路堵截。她一缩脖子,在水里翻个跟头,转身回游。查尔斯像条大鲸鱼,用满是肌肉的双臂划出蝶泳的雄姿,一米米向她逼来。她扎入池底,像潜艇一样直往岸边溜去。

她的头刚一冒出水面,一股倾盆水柱像瓢泼大雨一般直往她的秀发淋来。她抬头一看,几头石狮悬在岸边,张开血盆大口,为静静的后院奏出一片"哗哗"的欢腾落水声。她使劲抹一把脸上的水花,拍水大笑。啊,激流打出欢快的浪花,水声营造谐和的氛围。

查尔斯像条大鳄鱼一样猛扑过来,四肢像鳄鱼的大牙一般紧紧夹住她的身体。她挣搏几下,只觉有个名叫"爱情"的庞然大物,毫不客气地侵入她的身体。俩人在水里冲起一层又一层波浪,荡出一圈又一圈涟漪,跳上一个又一个水上芭蕾。他把她抱上跳台,双臂像铁环一样紧紧缠住她的腰肢。俩人心连心,肚贴肚,空降入水,浪花飞溅。

查尔斯抱她蹿出水面,宛若烈日下的一根冰棍;水滴从头到脚滑落下来,像一个融化在夏天里的冬雪人。他从水里化到岸上,把她浇灌在后院的万花丛中。

"我就是蜜蜂!"他不停地在她身上采集花蜜。

"阿拉就是向日葵!"她向着悉尼的烈日开怀怒放。

骄阳在她身上点起一把火,烧出一个骚燥的火凤凰。伴随极乐欢愉,他在她心上刻出一个又一个"爱"字。

"哇,好厉害!"

"有一个德国兵,在诺曼底防线,连扫八小时的机关枪。"查尔斯梗起粗脖子。

"侬也是见兵就射吧?"

"我的准星,只瞄一人。"

"子弹可不长眼睛的啦。"

"我百发百中,从不偏离一个中心。"

"哇,好将军! 查尔斯,老实讲,侬想给谁当将军? 阿拉,还是阿曼达?"他爱的也许只是阿拉的躯壳,不是心。

"在她那儿呀，我甘愿当逃兵。"他大口大口地冲她脸上吹来一股股粗气。

她吸进他输来的爱情氧气。"阿拉是侬的什么吗？"

"你是我的轴承，我是你的车轴！"

她在查尔斯这里，果真找到公主的感觉。就像小时候在父亲怀里那样，她总是被关爱、被呵护、被体贴。当然，查尔斯可比父亲坏多啦，老是拜倒在芙蓉花下，像个烟不离口的瘾君子。不是亲，就是吻，不是摸，就是抱。在他面前，她可以尽情释放感情。她想哭就哭，想笑就笑。啊，终于从卢杰那剑拔弩张的金刚脸上逃进自由女神的怀抱。

110

未婚妻成宿不归学生宿舍。

卢杰以她平时睡的地方为靶子，对着弹簧床狠练拳击。"打！打你这个臭不要脸的！打！我打死你……"他的嗓子都喊哑了。好呀，这个芭蕾舞演员，肯定正在查尔斯的舞台上劈叉呢。不行，我要冲到查尔斯的家中，把他的房子烧成灰烬！

他穿好西服，打好领带，对着镜子一照。啊？我怎么一脸杀气，活像个歇斯底里的希特勒！冷静，冷静。他一把拉下领带。这俩人要联合起来告自己呢。不要轻举妄动，不要干蠢事。关键是找到何莉莉，把她争取回来。

111

第二天一早，卢杰如发疯的 KingKong，冲到查尔斯的办公室，一把拉住他的领带。"她呢？"

"你先松手。"查尔斯指指卢杰的手。

卢杰松手喝道："有屁快放！"

查尔斯整整领带，歪头说道："你很粗鲁呀。别忘了，要不是我大力推荐，你还跟大多数中国博士一样，不是满大街开出租车，就是在唐人街开小店儿呢。"

"别跟我耍哩格儿楞。说，把她拐哪儿去了？"卢杰的单眼皮瞪成双眼皮。

"她马上就要回上海，跟你没关系啦。"查尔斯稳坐不动，一脸公事公办的冷漠。

"查尔斯,你想学华人那一套,包二奶?"这种事都可以在澳洲上头条新闻。

"是我把她过户给你的吧?"查尔斯从写字台后站起身来。

"悔棋? 晚啦!"人类还没发明出后悔药呢。

"返还要求,永不过期。"查尔斯踱到写字台前。

"查尔斯,你敢睡我媳妇儿,我就把这事儿捅给你老婆。"卢杰跟过去,用食指狠点对方的脑门儿。

"哎哎哎,这是我们两个男人之间的事儿。你要不按规矩出牌,就不是站在这儿跟我说话了。别说大学教职,恐怕连刷碗的活儿都找不到啦。"查尔斯把脸一沉,像个八国联军指挥官。

"吓唬谁呀? 我可不是吃素的。不把她交出来,我就坐你这儿办公。"卢杰的嘴角几乎把整张脸给拉到下巴颏儿。

查尔斯从笔筒里抽出一张纸。"你先看看医生的诊断书吧:'胎儿流产,系遭外部重击所致。'你不仅犯有家庭暴力罪,而且还升级为杀婴罪啦。"

"胡咧咧!"卢杰夺过证明书一目十行。这两项罪过可够大的。

"小庄和小孔是目击证人,赖是赖不掉的。不过,民不举,官不究。民若举,那只好劳驾你进班房浪费 N 年青春啦。"查尔斯一指大门。

"查尔斯,你不服气。那就守在家里,看好你媳妇儿!"卢杰伸着中指跳出办公室。

112

何莉莉回上海一趟,再进悉尼海关,护照夹页已经粘上学生签证的通行条。

虽然她是学生,却用不着往大学跑。霍歌家宅就是她的课堂。就是查资料,她也往其他图书馆钻,为的是避开卢杰的视线。她不像读博士,倒像是度蜜月。查尔斯一有时间就过来。她的主要任务不是搞科研,而是陪查尔斯度过一刻刻春宵苦短的慢生活。

啊,爱情真神奇呀,变不可能为可能。阿拉从小到大,没做过一顿饭。在一本本图文并茂西餐菜谱的指点下,阿拉不但厨艺大长,而且天天花样翻新,把他喂得红光满面,浑身是劲。

查尔斯边享用边叫唤:"哇,你真是鬼种的辣椒,辣死我啦。"

她天天用小米喂他。查尔斯一见小米就昂头,摇着粗颈把一粒粒小米啄进嘴里。啄空一碗,再来一碗。

小鸡撑破肚子,就玩玩别的游戏。可是这只小鸡像个饿死鬼,不一会儿就饥肠辘辘。她抛出一把把饲料,又有成千上万粒小米嗑进了鸡肚。小米一桶一桶供上,任小鸡随时充饥解馋。

113

大学一放假,何莉莉被查尔斯当成濒临灭绝海洋生物偷运到大堡礁,从头到尾任他"调研"。

绿岛如一块宝石,镶嵌在浩瀚的南太平洋上,就像她手指上戴的那粒玉色钻戒。白云为蓝得发绿的大海披上一层纱衣,浪花舒展出一轴轴天上人间的立体画卷。

"哇,就是一块玉啊!"何莉莉从来没见过如此纯美的自然仙境。"人死后要是真能上天堂,也就是这个样子吧。"

她和查尔斯天天潜水,与色泽艳丽的热带鱼相伴共舞,全然把悉尼的喧闹给抛进无边大海。他在她的美人鱼身躯里纵深下潜,海底淘珠。海水的浮力与他身躯的压力为她平衡出无限张力,让她快活得几欲窒息。啊,有什么比快乐更重要?她纵情亲吻大海,亲吻他的每一部位,升起一阵阵乐得要死的眩晕。

她把爱献给大海,献给查尔斯,任他和大海把自己变成一道细流,一滴海水。她求爱神派来的使者永驻心海。她希望他变成鲁滨逊,她就是他的"星期五"。

啊!一条刺魟(stingray)阴险地游动过来,尾上那根长长的毒刺足有一米多长。

"啊,阿曼达!"她尖叫着躲到查尔斯的身后。

"啊?哪儿呢?"

"那条大扁片鱼,像个女妖!"她吓得腿肚子直转筋。

"哈哈,不用怕。你不惹它,它不会伤你的。"

"那史蒂夫?艾尔文怎么被毒死啦?"就是这根像长矛一样的鱼尾,把澳大利亚的民族英雄"鳄鱼先生"刺进天堂。

"SteveIrwin跟动物太亲近。可是那条扇子鱼不懂人事儿,还以为Steve要逮它呢。"

"哦,游走啦。哎哟,吓死阿拉啦。"她往岸边落荒游去。

"有我在,就是阿曼达来了,你也不用怕。"他伸手去够她的脚后跟。

"人与人还是保持距离吧。"她迈开长腿,双脚陷进松软的沙滩上。

"是呀,彼此离得远远的,你好我好他也好。离得越近,危险就越大。不过,你我除外啊。你离我越近,我抱你才越紧呀。"查尔斯双手紧抱她的双肩。

"去,侬老婆挡在中间,怎么紧?"海风把她的黑发吹起。

"就这么紧。"他与她耳鬓厮磨。

"嗨,帅哥,特怕老婆吧?"看他怕老婆有几分,就晓得他爱阿拉有多深啦。

"大美人,我最怕的是你!"他亲她的长发。

"侬跟阿拉在一起,她晓得吗?"地下情人可真不阳光。

"她呀,还以为我去了北欧,正开学术研讨会呢。"

"查尔斯,阿拉跟阿曼达,侬更在乎谁?"她坐在被毒阳晒得滚烫的沙子上,只觉得屁股沟暖洋洋的。

"小公主,这还用问吗? 我一回家,就跟进了疯人院似的。"他跪在她面前。

146

"哈哈。那,干吗不休掉她?"阿拉要尽早成为阳光太太。

"快啦,快啦。跟她在一起,老有一把达摩克利斯剑悬在我头上。啊,我总算从她的压抑中获释出狱啦!"

"阿拉晓得,跟她在一起,侬不会有什么成就感的啦。阿曼达那么老,有什么舍不得呀?"何莉莉把小手伸到他的粗脖子上,给他按摩。

"不是舍不得。离一次婚,就等于扒一层皮。要软着陆。"

"侬可真能撑。什么都好搞,就是老婆凑合不得的啦。老婆就像一架飞机——质量高的,让侬展翅飞翔;品质低的,让侬粉身碎骨。次品就像暗藏在身边的刺客,一日不除,就一日不得安宁的啦。晓得吧?"他老婆那辆破飞机,还有什么好开的啦。

"晓得,晓得。"查尔斯学着上海口音说。"婚姻的确比坐飞机还危险。几乎每个结婚的人都认定自己搭错了班机。人只要乘上婚姻这架飞机,就再也不能享受陆地的自由自在啦。"

"这么说,侬跟阿拉,不准备结婚的啦?"他在玩阿拉?

"你可是一架最好的飞机。"

"没有最好,只有更好。谁对阿拉更好,阿拉就嫁给谁!"老公非他莫属。

"我保证对你好得呀,让你都受不了。"他打个榧子。

"侬早日离婚,才是对阿拉真好嘛。要不,阿拉早晚要被阿曼达拍死在沙滩上。"她用沙子堆起一个小城堡。

"别愁,小美人。这档子事儿,是我的头等大事!"查尔斯把大手放在她那坚挺的乳头上。

114

酒精成了卢杰的新爱。

周末,学生宿舍的室友们依然欢歌笑语。卢杰闷在屋里,打开一瓶老白干儿,"咕嘟"、"咕嘟",一杯接一杯,仰脖灌个酒饱。酒精就是保持生命活力的泉水。啊,这瓶陈酒,可比何莉莉烈多了。起码,我可以把酒瓶牢牢握在手中。嗯,酒比女人口感好。啊,好酒,我真的离不开你!

"我并没有醉,我只是心儿碎……"功放机飘出邓丽君的缠绵金曲。《何日君再来》的仙乐又往他的耳鼓穿来,在他的脑窦里环绕回荡。

啊,辣,真辣!来,再干一盅!这盅酒,为何莉莉而干!"咕嘟",又是一口烈酒冲进喉结,像一团火一样燎过食管。啊,莉莉,祝你快活!我把你拉进澳洲天堂,你却把我推下失恋地狱。

啊,"咕嘟",来,再为自己干一杯!父母花费多少精子和卵子,才撞出我这个火花呀!为我的万幸,干杯!哈,真爽!

酒后无德,不能再喝下去啦。血管快让酒精给撑爆了。这哪儿是喝酒呀,简直就是喝汽油。酒一进胃就着火,把肚子烧得好苦呀。不喝?有一百只蚂蚁往骨头里爬进来。不喝?这一百只蚂蚁不干呀。啊,痒痒死我啦。

他又给自己倒上一杯。干!干吗那么想不开呀?喝!啊,真解气!哈 147
哈,这人说死就死,活就活个痛快!查尔斯,你不让我痛快,我也让你好活不了。查尔斯,我要不把你的脑袋割下来当球踢,就对不起这盅杯中酒!来,美酒,为我壮行!来啊,干呀,干呀……哈哈哈哈……

"扑腾"一声,他的身躯重重跌到地毯上。

小庄跑过来一看,惊叫起来:"小孔,快来看呀,卢杰的脸白得跟打印纸似的!"

115

"维多利亚女王号"游轮告别静寂的霍曼顿岛,载着何莉莉的好梦继续向南漂游。一轮红日刚从海面探出头来,就被一片朝霞遮住嘴脸。大船逆光行驶,往布里斯班方向推波前行。云彩追逐海轮,太阳又露出头来,往浩瀚的海面洒出一片光芒。

在甲板上,何莉莉依偎在查尔斯的怀里,被东方的一线鱼白点亮睡眼。

红白相间的轮船像一支笔,在蓝蓝的海水上挥毫泼墨。

海面一浪高过一浪,把轮船摇晃成不倒翁。何莉莉的肚子也翻江倒海起来,对着纸口袋大口呕吐,把刚才享用的早餐全都返还轮船。

"啊,我的小可怜。"查尔斯轻拍她的后背。

"哦,查尔斯,阿拉可能有啦。"她张着嘴,喘着大气。

"有什么有?"他停了手。

"当然是小查尔斯啦。"她一摸腹部。

"啊?真的?快打掉!"他的黄头发被海风吹直。

"堕胎,可影响生育能力哟。"他这么怕怀胎,心里怀的是什么鬼胎?

"更影响我俩的前途。"他紧紧握住栏杆不放。

"看看,尾巴露出来了吧?侬根本就不想娶阿拉的啦,是不是吗?"她的美人鱼眼睛在海上漂来漂去。没有爱的结晶当信物,怎能长久下去?

"不是不娶,是时机不到。"他搂住她。

"哈哈哈哈,阿拉逗侬玩呢。不过是晕船而已嘛。"早结爱果,俩人的血液才能在同一血管交流。

"啊,你这个小妖妇,我要把你扔到'星期日岛'!"他把她抱起来,原地转圈。

客轮在蓝盈盈的汪洋大海里兴波助澜。时有几条黑鲸腾空而起,在大船的四周翩翩起舞。一团团飞云往头顶吻来,陪他们度过一刻刻卿卿我我的暖时光。

太阳走,云也走。太阳神从一个小烧饼渐渐变成一张大烙饼,陷进千姿百态的火烧云。海涛被夕阳染成一池刺眼血浆,推船向岸上的万家群楼拥抱而去。

116

"女皇饭店"像个选美皇后一样超群于市中心的高楼大厦。布里斯班市政厅塔楼的大钟敲出悦耳而悠远的钟声,穿透如纱的白云,飘进如海的蓝天,传进何莉莉的美耳朵。她卧在凉台的躺椅上,把小手搭在查尔斯的大腿上。

河风袭来,把杯中美酒吹皱。脚下的"水上猫"公共汽车在布里斯班河奔蹿。河南岸的艺术建筑群被亚热带丛林包围得错落有致,市中心的天然浴场被层层群楼环抱。城市之光与自然风景浑然一体。

河畔的摩天轮把城市转得五彩缤纷,也把何莉莉转得欢天喜地。在观光舱里,她依偎在查尔斯怀里,好似坐在直升机里,在蓝天、绿地和河水之间升升降降,变换出一幕幕昆士兰东南海岸的秀丽风光。

一连几天,查尔斯都想投进自然怀抱探幽,却被何莉莉硬拉进一座座人造迷宫赶集。她拿出红军长征的韧劲,逛遍布里斯班的大小商厦。他身穿她从上海带来的"紫禁城系列"情侣"帝装",紧跟在她的"后装"身后,活像格格的贴身随从,为她拎包提袋。直到他的长腿打起弯儿来,她才在唐人街的牌楼下停住脚步。

117

查尔斯甩出满清王爷的长袖,一指一家形似仿膳的门脸儿,模仿京剧道白:"走——,进食为天酒楼,吃入丸子——呀呀呀!"

"哈哈哈哈,还中国通呢!是汆丸子!"她捂嘴大笑。

"学生天天泡在电脑上,都快不识字儿啦。"他跟她迈上楼梯。

"侬呀,淫秽。"她转身入座。

"把我累成这样儿,想淫也淫不起来啦。你逛起商场一阵风,比我攻门的冲劲还大。"查尔斯要杯啤酒,大口喝干。

"当然啦,阿拉是 citygirl!不赶时髦,就成乡巴佬啦。"她吸入一口苹果汁。

"我宁当乡下人。"

"哦,澳洲就是大乡下。"

"我喜欢放浪于山水之间,不推崇那些人工雕饰的玩意儿。等我退休,跟我进村儿吧。"他抓住她的手。

"哎呀,都市建筑可是人类智慧的结晶啦,不要这么没文化品位嘛。"

"大城市呀,暴殄天物,就是地球上的肛门。"他伸手摸一把她的翘屁股。

"哈哈哈哈。那乡下呀,就是地球的厕所啦。"

"凡是城市,就难逃交通堵塞、空气污染和人满为患之灾。我的老家在昆士兰内陆,面积有两个丹麦那么大。你猜,总共住多少人?"

"一万?"

"三百六十五人。你想想,那么大的地方,住那么点儿人,能不惬意吗?无尽的乡间美景让我遐想联翩。回归大自然,才能静享人生。"

"哎哎哎,阿拉可不跟侬上山下乡呀。"

"要不,以后搬到布里斯班住。这座城市,像个大花园,有一种恬静的美。人也朴实,不像悉尼那么乱糟糟的。"

"哦,这里的太阳也太足啦,都快把人给晒傻啦。"

"哈哈,怎么也比待在人工暗室阳光多了吧。哎,吃完饭,也该亲近一下大自然了吧?"

118

粉红色的夕阳映红半个天空。何莉莉挽着查尔斯的胳膊,往布里斯班的最高点——库特山植物园爬去。这回,她终于体味出他所神往的原始意境妙处。各种她从没见过的亚热带植物随风起舞。大小水鸟在蓝天绿水间悠悠漂游。时有一条条青褐色四脚蛇在肥沃的红土中潜伏,突然在她脚下甩起长尾,吓得她比跳高运动员蹦得还高。

她抬头望望,红彤彤的云霞在参天桉树伴她漫游。尤其那座中国花园的小桥流水,让她重温孩提时代留在苏堤的一片片遐想。她忘了红尘的种种物质引诱,她忘了人间烦恼,她忘了她自己。她化成大自然的一粒原子。

登上山顶,从咖啡屋和美食馆飘出的香味又把她引诱回物欲世界。布里斯班的金色灯火和花绿地标让她眼前一亮。她的眼里晃悠出一个黄金海岸、两个阳光海岸。

"来,莉莉,就在这天魔帝力的美景中醉死吧!"查尔斯打开一瓶雪莉酒,一手把住她的细腰,一手跟她交臂干杯。

"查尔斯,推杯换盏!"她只觉得胸怀开阔,精神昂奋。

119

何莉莉多想把这场爱的美梦一直做下去啊。可是,她刚回悉尼的霍歌家宅不久,春梦就让查尔斯给摇醒。

"美眉,我要去北京了。"

"什么?把阿拉一人丢在这里?"

"没辙呀。我跟东方大学有合同在身,一年去一次。"

"侬把合同撕掉,不就行啦。"

"北京,可是我的第二故乡。我的大儿子科林,就是我在北外进修时生的。所以呀,我对北京的感情呀,不是一天两天啦。"

"阿拉跟侬一起回去!"

"傻姑娘,那你的学生签证就废啦。"

"不,不让侬走!"

"放心，没你这个沙发座，我在北京坐得住吗？"

她还想说什么，却被他的热吻堵住嘴。

120

查尔斯一到北京，就被袁媛黏糊上身。袁媛上次在"天上云乡"宾馆尝够洋教授的甜头，不但勾魂摄魄一场，而且还得到一笔澳元赏金，正盼何日君再来呢。

他刚一在网上跟她接上头，她就给他发来"别做寂寞哥、有妹伴你歌"的电子邀请函。他在网上为她订好机票，让她当夜就在首都机场从天而降。

俩人一进出租车，就像大小袋鼠一样贴在一个座位上。开车师傅把他们当成久别的新婚夫妻，一路快开，几把轮就把他们送到外国专家公寓。

查尔斯的钥匙刚一插进门眼儿，袁媛就像接到"芝麻开门"的口令一样，一头钻进查尔斯的宝洞。

121

查尔斯这一走，何莉莉没了主心骨。自己忙着跟他谈情说爱，论文才开个头。哎呀呀，这不是难死人吗？阿拉的学术水平本来就有限，再用蹩脚的英文表达高深的理论，不是逼哑巴说话吗？妈咪呀，照这个速度写下去，阿拉就是读到老年大学的岁数，也未准拿到博士文凭的啦。

当初要不是查尔斯破格录取，阿拉怎能做上博士梦呢？啊，查尔斯，唯有查尔斯才是救世主。她把"绪论"的底稿给查尔斯电邮过去。啊？这么快就打回来啦！除了改掉几个错别字，哪里润色什么啦？她向查尔斯发去一封封热浪情书，可是抛出去的绣球全都变成狗不理包子。啊，这个鬼娘养的，早把阿拉忘到网络之外啦。

她那双水灵大眼被电脑熬得满眼血丝，眼圈黑得像是戴了副黑框眼镜。不行，必须对他动之以情：

> 亲爱的查尔斯：
>
> 有木有（有没有）接到阿拉的伊妹儿吗？阿拉真想从悉尼大桥跳下去，游回中国，把侬接回。为何连封信都不回？准是掉进网络欲海，在北京四处打捞浪女呢。
>
> 阿拉梦见侬染上艾滋病，恐艾症一天胜似一天。有一次，侬搂

151

着几个女人弄潮作浪，突然变成一具骷髅。阿拉这份哭呀，都哭醒啦。在梦里，阿拉独自游荡在爱的坟墓，四处寻找侬的孤魂鬼影。侬躺在棺材里，任一群狐狸精在身上蹦来跳去。阿拉进去救侬，侬跟那些骚狐狸一眨眼就化成一股白烟。

侬走了，带走阿拉的心。虽然侬有老婆，但斩不断阿拉对侬的爱河长流。阿拉等侬，一直等到成为侬妻的那天。侬能给阿拉安全感吗？怕就怕绝情绝义，禁不住网上蝴蝶的引诱。网上布满虚掩的井盖。万一侬一脚掉进艾滋病的地沟，阿拉只能在天国跟侬成亲啦。那些网骗一钱不值。侬一大教授，何必成为"煤饼"（放荡女子）的殉葬品？

论文一字写不下去，只是一天到晚想侬，想侬。阿拉多想跟侬再戏鸳鸯水。侬占有阿拉的身体，也占有了阿拉的心。阿拉再也不能把侬从心里抹掉。想侬是一种幸福，爱侬是一种美丽。感谢上苍，让阿拉结识侬，爱上侬。阿拉多么幸运呀。

等待就是煎熬，盼只盼挺到重聚的那一天。查尔斯，快回吧。阿拉看见侬越过大海，顺风而来。

对啦，阿拉真的怀上侬的孩子。小家伙天天踢阿拉的肚子，肯定是问："爸爸呢？爸爸呢？"

看在孩子的份上，报个平安吧。每分每秒都在期盼侬的回信。阿拉别无所求，只求侬珍惜爱的缘分。

永远爱侬的：莉莉

于霍歌家宅

122

在外国专家公寓餐厅里，澳式大餐往袁媛的血管里补进一股股白白的胆固醇，牛油的热量也为她撑起一股股牛般的力量。她把一块块肥厚的牛排塞进查尔斯嘴里，陪他把一杯杯冒泡"VB"（维多利亚啤酒）灌进肚里。待查尔斯的肚子越鼓越高，袁媛便像牵一头公牛一样把他拉回公寓。

袁媛吐出美女蛇般的长舌，就像刚才吃西餐那样，从头到脚品尝查尔斯的人肉。啊，多么浓密的胸毛，多像咱东北老家的粉条儿。她的舌头舔得津津有味，像一具雪橇在他的肌肤上爬行。一道道湿乎乎的轨迹，就像小时候滑雪一样阡陌纵横。

雪道把袁媛的思绪带回东北老家,她给查尔斯讲起成长的故事。

咱打小儿就懂得孟子的"食,色,性也"之哲学。婴儿时,咱以吸吮母亲的乳头为乐。即使不喝奶,嘴也要叼住乳头不放,尽享嘬的快感。咱生来就追求快乐。

八岁那年,咱就学着父母在大火炕上的样子,与村里的一个小男孩儿在猪圈里玩起"拱猪"游戏。不料正好被刚下工的老爹逮个正着,一巴掌把咱从猪身上打下来,在猪窝里打出好几个滚儿。

"比猪还埋汰。再干这事儿,老子把你剁成肉馅,喂猪吃!"父亲怒不可遏。

从此以后,咱开始自得其乐,把爸爸喝空的二锅头酒瓶当成手中宝。家人发现"酒瓶门"事件以后,见瓶子就藏。咱只好把手当成一条蛇,找个空间就逍遥。有一天,咱在一堆草垛里玩孵小鸡游戏,被村主任一头撞见。主任把咱当成一只母鸡,险些在咱身上孵出小鸡来。

"袁家门缺了哪辈子的德,生你这么个贱骨头?"咱妈赶紧把咱送到城里的大姨妈家。

进城之后,咱决心健康成长。可是,老有异性把咱当成试验田。有一次,在公共汽车上,一圈男人贴在咱周遭,把咱当成敌人的碉堡;像黄继光那样奋不顾身堵枪眼,把咱的腰眼顶得那叫酸疼酸疼的。

"鸡巴,鸡巴!"咱动弹不得,发出炸雷般的救命声。

"挤吧,挤吧!"司售人员正要抓流氓,车里的男同志们大声起哄,此起彼落。一车人哈哈大笑,倒好像是咱的错,没跟敌人拼刺刀。

咱去医院看病,老有男医生专在不该碰的禁区"号脉",侵犯咱的身体自主权,把咱整个透心凉。咱姨父找院长举报。院长摇摇秃头,打打官腔:"诊治需要嘛。她要这样,以后就别生产啦。"

这些猥亵诱使咱旧病复发。孙悟空钻进咱肚子,不把他抓出来,就别想安生。每天早晨,咱要干的第一件事是春水荡漾,否则下不了床。就是到了紧张万分的期末考试,咱也要用根香蕉使自己振作起来。没有性亢进的刺激,咱就打不起精神来。

上大学以后,男朋友在咱的石榴裙下换来换去,像是一匹匹种马在咱身上小试牛刀。咱也想把男人百炼成钢,可没一个争气的。谁也没本事使咱达到真正的性高潮。只有自助,咱才能伸手够到极乐世界的屋脊。

大姨妈时常谆谆教诲："色即刀刃，避色如避刀！"

咱也想让灵与肉获得双丰收。其中有几个情哥哥，咱对他们还是相当痴情的。可是这些男人仗着自己有一门大炮，把咱的红心当成敌军的阵地，这通炮轰和摧毁。这些家伙一心蹭吃蹭喝。只要一提饭票，他们溜得一个比一个快。虽然咱天天享受性的大餐，却从来没在爱的乐园领到一盘灵魂小菜。这些硕鼠，不就是想搭顺风船吗？也好，咱索性来他个草船借箭，让生命之火劲扬风帆。

咱当初的奢望只是当个凤凰女，成为来自农村的成功城市女孩。一来大上海才如梦初醒，多少上海小姐仅凭劈叉那点儿小功夫就摇身一变，成了珠光宝气的阔太太。咱多卖点儿劲，争取一步劈到西方男人的胯下。咱要从城市跳到西方发达国家，实现人生的三级跳远。咱也要学会用"下面的眼睛"看世界，先把目标对准华侨，甘愿当一枝野花，等候各国伪军把咱采摘到欧美列国。可是，只要咱"爱"字一出口，各国华侨马上就像逃兵一般流散回五大洲、三大洋。

没人爱咱，也没人想娶咱。咱也想开了。一个女人，就要像武则天那样，把男人当成器物，这才不辜负父母生咱一场的好意。

做梦也没想到，这个大鼻子查尔斯居然迷上了自己。嘿，咱苦这么多年，连老天爷都看不下去啦，从天上给咱送来一块大"洋肉"。咱可不能糟践掉。咱要把这匹澳洲高头大马驯服在咱的胯下，一路飞进西方乐天堂。

124

何莉莉每隔十分钟就从霍歌家宅向北京的查尔斯发一次伊妹儿，可是投进水里的石头溅不起一滴浪花。

她买来一张国际电话卡，向查尔斯的手机发起一次次猛攻。

"Oh, caughtinabadromance..."查尔斯的手机老用 LadyGaga 的一首劲歌打发她。"接，接！快接！"

何莉莉把电话当作上帝的手，冲话筒高叫："耶和华，只要他接个电话，阿拉马上就成为侬的忠实信徒！"

再拨，话筒里终于传来说话的声音："您拨叫的号码暂时无人接听，请稍后再拨。"再打过去，"不在服务区"或"已经关机"的坏消息又接踵而至。

"呜呜呜……这个洋骗子！呜呜呜……"她把话筒当成棒球棍，把机座打得乒乒乱响。

一连好几天，电子邮箱空空如也。她快魔怔了，耐性已经磨到极点。她

拉过键盘,向查尔斯发出最后通牒:

查尔斯:

侬还在地球吗?侬离开阿拉,本身就是一种抛弃。现在又跟阿拉玩"躲猫猫",好在北京与那些网上邪花尽情偷欢,是不是?看来卢杰说对了,侬就是个巨骗!连阿拉怀的孩子都不闻不问,真让阿拉失望到家啦。男人就是叛徒。专一不是这个时代的好字眼。

延颈企踵,心在流血。再不回音,一刀两断!

恨侬的何莉莉

125

朝阳刚一露头,卢杰就在企鹅大学的足球场上绕圈长跑。蓝天向他招手,绿地给他力量。长长的跑道就是何莉莉的影子。我要不抓住影子上的真人,誓不停步。

夕阳一落入海面,他就在健身房与钢筋铁板较劲。这些变形金刚就是查尔斯。我要不把这些破铜烂铁打个落花流水,誓不为人。他戴上耳机,猛蹬健身自行车,意念飞到环法大赛的长路。对,一定带莉莉去巴黎旅游结婚……

126

在外国专家公寓,袁媛把练就的床上功夫全套服务在查尔斯身上。

"我靠,牛气冲天,宝宝!"她喝下一瓶春药。"伟哥,伟哥,你真牛掰!"

"我是孙悟空。这四十来年撑起的金箍棒,要是把它接起来,能顶出一个悉尼塔来。"

"哇,真高!只要您把咱带到悉尼塔,咱这一身唐僧肉,您爱咋拱,就咋拱。"她骑在他的后腰上,给他做全身按摩。

"哎,我不是猪八戒,不拱猪。"他翻过身来。

"说嘛,咱去悉尼的宏伟目标,顶不顶嘛?"她在他的大脚上左右揉搓。

"这样吧,只要你能自己到悉尼,我在机场顶你。"

"贝贝,让咱破费,您忍心吗?"她偷看他一眼。

"财上分明大丈夫。"

"咱跟您,可没算那么清。不是咱跟您得瑟,咱要出台,一次,少说也拿千儿八百吧。"她双腿劈出一个长叉。

"只要你不出台,你要多少,我给你多少。"他从钱包抽出一沓澳元,塞进她的内裤。

"不不不,咱为您,情愿倒贴。"她掏出钞票,拍在他的肚子上。

"这么说,你打算从良啦?"

"从今以后,您就是咱的男人。好不好呀,老公?"她叫得甜极了。

"想叫我老公,你先要从 bus 变成 car。"

"公车要是没人上,自然就成私车啦。"她用拇指和中指捻出一个响儿。

"哈哈。这么说,你还想当空中客车呀。"

"咱们女人嘛,要么为悦己者容,要么找个靠山。放心吧,老公,有了您这个知音,咱自然就是您的专车。您呢,也该把咱当成一辆专机,直接开到澳洲去。"她拉起他的双臂,像是开飞机。

"哈哈哈哈。哎,中国,泱泱大国,在地球上已经成为一种超级力量,GDP 世界老二,你干吗往外跑?"

"中国再富,一块大蛋糕,切成十三亿份,咱能摊多少?这嘎哒,哪嘎哒有咱弱势群体的活路?去西方,咱只想得到公平待遇。"她扔下他的胳膊。

"在澳洲,也不是人人公平。"

"咋说也比这嘎哒公正吧?澳洲,咱是去定了。您既然是咱老公,这个忙,您帮也得帮,不帮也得帮。"她一拍他的胸毛。

"哇,你真是个出国迷呀。"

"出国是咱这些女人的最佳出路。咱嫁出国去,也给中国腾腾地儿。"她挪到床的另一边给他按摩。

"哈哈。澳洲恐怕也没你的立身之地。"

"您不愿给咱地儿,把借壁儿老头说给咱,也行啊。"她给他揉揉肩。

"啊?那不太不般配了吗?"

"不亏,不亏。也不能白让人家当一回运输大队长吧。咱在这嘎哒活着,穷得就剩下青春啦。到了澳洲呀,咱就是您的邻家媳妇。您一招手,咱翻墙就到。"她给他掐掐脖子。

"哈哈,计划周密。"

"绿卡一到手,咱就把婚离,甘当您的地下夫人。"她坐下来歇口气儿。

"两年移民监,你扛得住吗?"

"这两年,咱先去移民学校操练英语。"她撑起双臂,在床上拿个大顶。

"哇,你倒是门儿清呀!"

"只要门儿一开,哈(啥)事儿整不清呀?"说完,她拉住他的手臂,在床上大跳霹雳舞。

127

何莉莉天天趴在霍歌家宅的大写字台上唏嘘不已。

查尔斯的头像被她设在电脑显示器的首页,向她挤出一个持久不变的媚眼。

"看什么看,呕像!"她像拔笔帽一样拔起液晶屏,朝机箱狠劈下去。"鬼!鬼!鬼!"一下,两下,三下……显示器突然闪出一个亮点,让查尔斯再也不能借表情装好人。

"呜呜……"她一头钻进被窝,号啕大哭。哭声越来越弱。在抽抽搭搭中,她渐渐捕捉到查尔斯。他一脸淫笑,被一群美女簇拥过来。她跟他打招呼,他搂着那群女人冲她纵声大笑,前仰后合。她被笑得发毛,转身就跑。查尔斯率众妖女如影随形。她呼吸急促,大脑缺氧。回头一看,查尔斯和那伙女人已经追到身后,向她伸来一只只妖臂,张牙舞爪。她吓得瘫软在地。一具具裸体向她身上压来,叠成一座肉山。她被压得七窍生烟,眼看就被活活憋死。"啊——"她猛地推开压在头顶的被子,像游泳健将出水换气那样,大口吸上一口新鲜空气。

"真囧!"她抓起酒瓶子,把查尔斯留下的威士忌当成查尔斯,大口大口吞进肚子。

她越喝越郁闷,越喝越孤独,越喝越想哭。屋里到处都是他的照片。过去,她对那张"猫王"脸百看不厌。现在,越瞅越像鬼。过去,她对他那副光鲜外表咋咋称奇。现在,她倒真希望他长得比敲钟人卡西莫多还憋镜头。他从照片上向她发出得意的笑容,像是在嘲笑她。她转过头去,可他仍死盯不放,眼睛炯炯有神。

爱情就是镜中烟花。她突然一扬胳膊,把满杯的威士忌泼在他的脸上,让他的笑面流下一串串黄色泪滴。他似乎哭了。不,假的,根本就是假的。看他那无所谓的样子,多像蒙娜丽莎发出的轻蔑宣言。脸上露出永恒的微笑,裤裆里却藏着说变就变的变色龙。

"啪"的一声,她把镜框摔到地上。从一片碎玻璃中,她抓起他的照片,把他那张勾魂的脸一撕两半。她仍不解气,抄起剪刀,将他的半拉脸剪成无数碎片。

要是把他的真人丢进碎纸机里,那该多舒畅呀。

157

128

工作日的早晨,袁媛在外国专家公寓给查尔斯喂饱"早餐",便用一个长吻让他在东方大学的讲台上挺立一天。

挥手道别的笑意还没抹去,她就打开他的电脑,在网上满北京认"哥哥"。她了解男人,他们脱裤子下跪,提上裤子就啥都不认啦。没一个男人靠得住,必须建立一支强大的后备军。

过去死守上海滩,人家本地人住在直升机般的高楼上,咱只能"下榻"一个只有三平方米的地下"胶囊公寓"。几十口男女蚁族合用一个洗手间。连烧饭的地方都没有,只好天天泡方便面吃喽。整天窝在耗子洞里,晒一回太阳就像下一回西餐馆那样奢侈。地下氧气不足,都把咱这张红扑扑的圆脸给憋成蜡人啦。

北京多好,宽敞明亮的外国专家公寓,居然也是咱进进出出的自由
158 王国。

129

在何莉莉的世界里,只剩下德国黑背这一条生命了。

她百无聊赖,整天躺在霍歌家宅的大床上昏睡不醒。幸好黑背忠实伴她左右。天一发黄,黑背就扑到她身上,像查尔斯一样,在她身上舔舔这儿,咬咬那儿。嘿,连霍歌家的狗都占阿拉的便宜。

她被黑背带到海边,吹吹海风,看看落日。海上夕阳是她黑暗一天的唯一亮点。

130

博士生年终总结的关头转眼就到。

"啊?连导言都没写完?"企鹅大学亚洲语言研究学院院长弗雷泽的灰眼珠子眼看就冲破眼镜,打到何莉莉那张无精打采的脸上。

"嗯。"她低头躲开这束灰光。

弗雷泽递给她几张表格。"快写个报告。要是理由不充分,你的奖学金就断顿啦!"

"哦!"她被弗雷泽的严厉目光给扇红了脸。

在洗手间掩面大哭一场后,她敲响卢杰办公室的大门。

"啊,是你?"卢杰像是被雷电击中,愣在窗前的写字台上不动。

"听说侬荣升高级讲师,特来恭喜。"她粉白黛黑,盖住哭肿的眼泡儿。

"噢,又不是当教授,有什么可贺的。不是来挖苦我的吧?"他从椅子上站起来。

"卢杰,阿拉是来告辞的,要回上海啦。"怎么说也是卢杰把自己办到的澳洲。

"啊?Why?"

"博士梦泡汤啦。"她不停地眨眼,使劲不让眼泪流出来。

"查尔斯把你坑了吧?"卢杰一脸奸笑。

"他不管阿拉的论文!"她低头站在他的写字台前。

卢杰扭出一张哀其不幸的脸。"你呀,让人给涮了,还以为爱了一回。"

"阿拉不是找骂的。"她是来听好话的。没想到,他还是那么自以为是。她扭头就走。

卢杰小跑过来,挡在门前。"哎哎哎,他不管,我管!怎么说,你也是我的未婚妻。论文呢?"

她的眼里滚出一滴泪来,双手把论文大纲递给他。

他一目十行,一拍大腿。"来,把总结表给我!"

他在表上奋笔疾书。她绕到他身后一看,只见他为自己陈述出两点有力理由。其一,论文选题不当。导师查尔斯未能把好学术关,致使她的论文研究课题走进一个死胡同。其二,大学要求导师每周至少面对面指导学生一次。查尔斯根本不履行职责,致使她陷入一种迷途难返的困境。

她跟在他后面,敲开院长办公室的门。

院长扫了一眼总结报告。"嗯。查尔斯身在海外,确实是个问题。杰,你能担任莉莉的第二导师吗?"

何莉莉的美人鱼眼睛向卢杰游去期待的亮光。

"当然,团队协作嘛。莉莉的论文必须重选课题。"他向她回敬过来一个讨好的眼神。

她把目光扫向弗雷泽的秃头。

"杰,说说你的想法。"弗雷泽露出饶有兴趣的笑纹。

"《史记》和《荷马史诗》研究已经变成人云亦云的故纸堆。其实,这两部巨著有许多新历史主义的书写理念。特别是,司马迁用小说手法颠覆历史人物,使《史记》达到最高意义上的真实。而《荷马史诗》用人物给历史勾魂,比任何历史记载都更有启示意义。如果对这两部杰作进行一番历史与文学相互混杂的比较,大有可为。"

卢杰貌似跟院长谈正事儿,眼神却一再往阿拉的脸上开小差。何莉莉又从他那张国字脸上找回一丝阳刚之气。

"嗯,这方面的研究确实缺位。"院长晃晃发亮的秃顶,像灯泡一样照亮她的心田。

"题目可以定为《<史记>与<荷马史诗>的文史杂交之比较》。"

"好,赶紧搞起来吧。"弗雷泽在表上匆匆划拉上自己的签字。

何莉莉本以为今生不再跟卢杰有什么瓜葛,没想到命运之神又让她叩开他的大门。拿下博士学位是这两年的重中之重。老何家祖祖辈辈没出一个秀才,阿拉要成为何家门第一个洋博士。虽说是查尔斯把自己带进的校门,可是,要不是借卢杰这块跳板跳过来,别说读博士,就是语言学校也读不起的啦。阿拉本是带着嫁人的承诺来的澳洲,到现在也没兑现。"大鹏鸟"一去不回,简直就把阿拉当成一个玩物嘛。再说人家有配偶,何必空等一个没有好结果的结局?

160

出了弗雷泽的办公室,她向卢杰投去一丝带有内疚成分的感激眼神。"卢杰,谢谢啦。奖学金一进账户,阿拉请侬吃越南粉,好不啦?"

卢杰笑不唧儿地答道:"你苦哈哈一学生,还是我请你吧。哎,对啦,我刚买套公寓,你不来看看吗?"

131

饭后,卢杰把何莉莉拉到新居,把每个角落都炫耀了个够。导游到书房前,他赶紧掏出钥匙。

"怎么?藏有金砖?"何莉莉那双游移不定的大眼总算定格在门上的一把大黑挂锁上。

"噢,过去有学生租房,我就安了锁。"卢杰说着把钥匙往锁上一插,铁将军乖乖缴械投降。

房门一开,一幅隶书直扑何莉莉的眼帘:"豁达延续生命。"

"练练字,可以修身养性,排解寂寞,让人心胸开阔。书法艺术妙不可言,使我们华人显得高贵。"卢杰把双手插进背带裤兜里。

"哇,有长进。侬,总算在悉尼有了自己的小王国。"

"小窝棚!以后再换个大的。"他把她引到吧台,为她倒上一杯葡萄汁。

"喏,不用二手货啦?"她在崭新的高脚椅上坐下。

"新家什为新人而备。"

"真的?"她并不正眼看他。

"我可不是查尔斯。"他唯恐她忘记被骗的经验教训。

"侬又吃臭豆腐了吧?"她站起来。

"没呀。"

"那侬嘴怎么这么臭啊!"

"好好好,不提! 永远不提啦。"他轻轻把她按回座位。

"嗯,乖点嘛。"她咬住吸管。

"一个好女人就是一所好大学。莉莉,是你造就了我。"他拿起他的吸管,插进她的杯子,跟她一起共享杯中玉液。

她像是怕传染什么病一样,抽出吸管,插在两片花瓣般的嘴唇之间,好似叼起一根长长的烟卷儿。"一个坏女人就是一座地狱。阿拉可是个坏女孩的啦。"

"你呀,不是人。"

"什么?"

"是仙儿!"

"别逗啦,阿拉要回家啦。"

"这儿才是你的家!"

"阿拉真要回去写论文啦。哦,愁死人呀。"

"有我在,你只管躺在床上睡大觉。我就是你的笔杆子。"他一把将她抱进卧室。

"就不!"她的胳膊摞在他的脖子上。

他跪在她的脚下,为她脱鞋。一定让宝物失而复得。过去自己太不知天高地厚了,老想在皇后面前摆皇帝老子的架子。人家是万里挑一的美女,属于地球一级稀缺资源,我只能俯首称臣。

"干什么嘛?"她用双手轻推他的双肩。

"看,这是什么!"他举起一个精美的首饰盒儿。

"哇,红宝石钻戒!"她的眼睛被宝石映成红色,倒在他的床上。

他很快就把她带上路。

"哇,侬怎么变得这么有耐力?"

"我每天都跑马拉松!"他越跑越快,把她变成一条没有尽头的跑道。

"哇,侬怎么成了铁马?"

"我天天骑铁车!"他越蹬越快,把她当成法国公路。

"哇,长江漂流队员,别累坏啦。"

"有钱难买乐意!"他把她变成一艘橡皮船,激流勇进。

水流越来越湍急,他越划越快。"呼——"前面突然出现一片空白。"啊——"他顺流而下,一头坠进万丈河谷。"哗——"他纵情蹦极,化成一股长长的瀑布,实现一个漂流勇士的英雄梦。

"哇,老好呀!"

"愿为你死!莉莉,回来吧,像过去那样,咱们一起吃饺饺、盖被被。"

"别人有的,阿拉也要有。"

"决不比别人少一根毛儿!"他把钻戒插进她的无名指。

132

何莉莉回到霍歌家宅,往褐色行李箱里塞上随身衣物和金银首饰。黑背狗在她的裙边儿蹭来跳去。她低下头来,使劲亲亲黑背的凉鼻头儿。

自从查尔斯去了北京,自己孤零零一人独守空房,都快让异乡的落寞给憋疯啦。阿拉在悉尼又没什么朋友的啦,还不如跟卢杰搭个帮、就个伴。阿拉需要一个可以托付的男子汉,而不是眠花宿柳的浮浪"叫兽"。

卢杰虽说样样比不上查尔斯,可他怎么说也是个靠山。比起那些可怜巴巴的边缘人来说,卢杰也算是融入主流社会的成功华人。再说,等学生签证一到期,有卢杰这个第二志愿垫底,不怕移民局不录取。

她把霍歌家宅的大门一锁,拉着黑背直奔宠物收养中心。

133

卢杰打开公寓的防盗门,笑接何莉莉的小巧行李箱。

"莉莉,我一定将功补过。"

"晓得就好。以后再敢犯规,马上红牌罚下!"现在阿拉经济独立,再也不用寄人篱下的啦。

他拿出一张纸。"放心,你想吹哨,我还不给你机会呢。太太万岁!瞧,这是从同事那儿抄来的——澳式'连理夫妻攻略'!我给你念念啊:一、好话只说一遍,错误总在喋喋不休的那一方。二、除非家里着火,不要大吼大叫。三、如果非要打架,那就让爱人去赢吧。四、提意见要充满爱意。五、不骗对方,但也不算旧账。六、不要攀比,过自己的日子。七、有错就改,小两口吵架不过夜。八、每天说一句赞美对方的话。九、与其非干一架不可,不如去踢会儿足球,把气儿撒在草坪上。怎么样?"他递给她看。

"阿拉不会踢足球的啦。"她连看都不看。

他把纸贴在墙上。"起码当个消火栓。人脑子里的火呀，一旦被拱起来，比丛林大火还难扑灭。所以呀，我保证没脾气，决不挑起战火。"

"阿拉可不许这个愿。每人都按自己的意愿行事。婚姻里只有国王或女皇，没有王法的啦。"她进了写字间，把战国匕首摆在书架上。

卢杰归置好打印机前的论文初稿，捧到她面前跪求："人生难得一好妻。小宝，嫁给我吧！"

"等戴上博士帽吧！"她有点儿恼火。下跪求婚的，怎么不是查尔斯呢？

134

查尔斯前脚刚回澳洲，袁媛后脚就将三个华侨"哥哥"俘虏到手：一个日本的，一个加拿大的，一个德国的。她很快就在北京吃百家饭、上百家床。

不过，她知道这些情哥哥啥货色都有，大多是见妞儿就泡的主儿；有的还专在"移动厕所"找乐子。癞蛤蟆能孵出一千多个蛋，性病传播之快，比那些小蝌蚪繁殖得还多。在这艾滋病大奏凯歌的时代，保命才是真侠女。尤其当下，有了一线出国的曙光，咱更要珍惜革命本钱，走到哪嘎哒也不忘塞上一只小气球。

她特意去大医院查了个底儿掉。谢天谢地！除了有些细菌感染之外，宝地完好无损。虽说咱有过那么多初恋史，可是头上罩的这束未婚大姑娘光环可不能受到半点儿玷污。只要花儿注意保鲜，啥蜜蜂招不来？当然，最佳人选还是查尔斯这样的原装货。一旦澳洲马背横在胯下，咱可不能让体检这一关卡在冲出亚洲的门槛儿上。

135

查尔斯一回悉尼，才发现小美人鱼又入卢杰渔网。他决定来个擒贼先擒王，把卢杰叫到办公室，询问何莉莉的论文进展情况。

卢杰把论文初稿递给他，露出一脸得意的自信。

查尔斯的蓝眼珠在白纸上来回扫描，嘴角渐渐露出惯常的嘲讽式微笑。"山寨版！"

"别玩浅幽默。"

"具有讽刺意味的是，你身为一老移民，居然忘了澳大利亚是英语国家。"

"废话。"

"这份中文论文才是废纸一堆！"他没想到卢杰敢开这样的先河。

"搞中国文化研究，本来就应该用中文写。"

"笑话！大学已有一百六十年的历史，还没有一部用外语写的博士论文呢。"

"都二十一世纪啦，视野也该开阔点儿了吧？用亚洲语言搞亚洲研究，早就势在必行。"

"英语是世界通用语，这是谁也无法改变的客观存在。这事儿就是从我这儿通过，也过不了学术委员会那一关。你趁早扔碎纸机里吧。"查尔斯把论文摔到写字台上。

卢杰连忙捡起散落到地毯上的纸张。"中文不行，可以把它翻译成英文嘛。"

"是你帮她翻吧？"他太了解何莉莉的英语底子啦。

"这可是世界上第一部比较《史记》与《荷马史诗》如何用文学手法反映历史本质的博士论文，出版社盯着这部书呢。一旦出版，给大学增多少光呀。哪儿写得不好呀？"卢杰把手里的纸张拍到写字台上。

查尔斯捏起一页论文，凝神精读两行。"我也承认，这确实是部重量级论文。可惜呀，它的知识产权应该记入你的名下。"凭着他给卢杰当过导师的经验，他一看就知道，这部论文并非出自何莉莉的手笔。小京油子，你为了哄住莉莉，真是做了不少功课呀。

"什么意思？"卢杰张嘴惊问。

"别揣着明白装糊涂啦。"查尔斯双手在胸前一叉。"你我共事多年，就别打什么哑谜了吧。收起你们华人天下文章一大抄的那套伎俩吧。我们大学要的是独创性！你还想把中国的学术腐败带到澳洲来吗？原创，原创，是我们大学的灵魂。还是让何莉莉另起炉灶，老老实实写一部属于她自己的论文吧。"没我指导，量何莉莉也写不出独创的论文来。

"这就是她写的。"

"蒙我？你们中国文化的另一大特点，就是自己扛不住自己的头，非把脑瓜儿插在别人的肩膀上，让别人替自己'思想'，坐享其成。"

"当然，我作为她的导师，自然要帮她修改和润色。可是论文中的全部学术见解，都是何莉莉的创意。何莉莉点多少灯、熬多少夜，才磨出这把利剑呀。"他憋红了脸。

"跟你一起磨吧？歇菜吧，我这儿绝对通不过。身为系主任，身为学术委员会委员，我必须把好学术风气这一关。如果让欺世盗名的论文蒙混过关，大学的声誉就要受到严重损害。大学必须确保学术领域的龙头地位，才

164

能吸引更多海外学生。对知识扒手，必须严厉打击。"查尔斯把手里的稿纸扔到桌子上。

"你少跟我假公济私。你这是故意卡人，好达到夺回莉莉的卑鄙目的。这，并不符合澳洲的公平原则吧？"卢杰的唾沫星子喷到查尔斯的大鼻子上。

查尔斯用食指刮下鼻头儿。嘿，这家伙的嘴简直就是洒水车。"这很公平。当初是我录取的她，我必须对她的行为负责。我不允许任何人败坏我的学术名声。一切公平都必须建立在遵守游戏规则的基础之上。你们弄虚作假，犯了规，必须受到惩罚。我的公平原则就是：何莉莉要么休学，要么另起炉灶。"

"查尔斯，你以权压人，我要投诉！"

"遗憾的是，你替学生写论文！要是我把这一作弊行为捅上去，大学先要赶走的，就是你！出了这么严重的教学事故，你根本不配当莉莉的导师。抄袭就是犯罪！我够客气的啦，留你一条活路。"

"查尔斯，你敢捅！"

"卢杰呀，卢杰，看看桌上这些求职信，比打印纸还厚吧。我劝你趋利避害，不要被淘汰出局。好啦，我很忙，请把门带上吧。"查尔斯把手臂挥向房门。

"砰！"卢杰瞪眼跳出门外，一摔大门，吓得查尔斯把脖子缩进领子里。

136

何莉莉挂断查尔斯好几个电话。

查尔斯如此绝情，不值得再为这种人扮演不光彩的第三者角色。她躲在卢杰的公寓，只希望查尔斯不要打乱自己的平静生活。

卢杰一下班，她就给他倒上一杯白开水。

"莉莉，告诉你一坏消息——论文被毙了。"卢杰从公文包里抽出论文。

"啊？"她最怕听到这种话。

"我们抽干了心血，绞尽了脑汁。查尔斯一句话，就把咱们给废了。太不公平了！"他把论文放在沙发上。

"他？"何莉莉猛一愣怔。

"我跟他，怎么说也是同事。这洋人呀，真是一点儿人情味儿都没有。幸亏你没上他的当。"

何莉莉的眼珠一动，泪水如霍歌家宅的石狮水柱一般喷涌下来。"呜呜呜……"

"莉莉,我知道,这对你的打击有多大。我也知道,这部论文对你意味着什么。不怕,我们重新翻篇儿,决不收枪。我一定帮你圆这个博士梦。"他揉揉她的肩。

"真要重写吗?"何莉莉终于开口了。

"看样子是没缓儿啦。"他搂住她的腰。

"呜呜呜……"何莉莉抄起论文,一页纸、一页纸地撕起来……

137

转过天来,何莉莉跑到查尔斯的办公室,推门就叫:"查尔斯,侬要赶尽杀绝的啦?"

"啊,莉莉,想见你一面,比见女皇还难呀!"查尔斯赶紧站起来,伸出双臂,呈拥抱状。

她一推他的胳膊,急巴巴吼道:"澳洲这么大,连一席之地都不给阿拉留呀?"

"来,坐下,喝杯咖啡。"查尔斯说着按下电水壶的开关。

"喝侬个头!"她站着不动。

"莉莉,当初我收你为徒,可不是让你抄我后路的。"他拿出一个红花陶瓷缸子。

"是侬先叛变的。"她的眼泪在眼眶里游起泳来。

"那你就跟卢杰旧情复燃?"他往缸子里倒上一包咖啡。

"要不是卢杰,阿拉早被学校扫地出门啦。"她硬把眼泪吸回眼眶。

"有我防守,出不去了界。"他又往缸子里撒上一小勺白糖。

"说,肿么(怎么)不回伊妹儿?"

"我的邮箱遭黑客袭击,死机了。妹妹的 e-mail,我敢怠慢吗?坐呀,我的小妹妹。"

"侬就会捣糨糊(蒙人)。"她坐在沙发上,由悲转怒。

"我要蒙你,随你阉割,决不起诉。"他提起水壶,把开水浇在咖啡上。

"哈哈,侬嘴上抹多少润滑油呀。"

"你才是我的润滑剂嘛。"

"去去去,从实招来,在北京泡了多少妞?"对待查尔斯这种人,必须拿出法官审犯人的口气来。

他用小勺搅拌一下咖啡,递给她说:"女性是美的象征,是爱的象征。公的怎能离开母的?"

"那侬就回北京,找那些母鸡去吧。"她不接咖啡,抬身要走。看来这小子真是本性难移呀。

"别别别,我认错,我认错。其实,那些女人,不过就是旱地里的雨水而已。"他拍拍她的肩膀,把她按回沙发椅。

"饮鸩止渴?"她说这话都像喝了口脏水似的。

"在北京,那不是远水解不了近渴嘛。活人又不能叫水给渴死。上帝给咱一把滋水枪,一天不滋水,比一天不吃饭还难过呀。"

"哈哈。侬呀,就是抽水马桶,专与臭水为伍。再抽下去,非抽出一身祸水不可。"这洋人怎么这么不嫌脏呀。

"好好好。以后呀,我就是活活憋死,也不坐那些恭桶了。啊,终于又有咖啡喝啦。"他跪下来,把头枕在她的大腿上。

"去侬的,谁是侬的咖啡呀?"她一把推开他的头。

"我向爱神发誓,从现在起,我的童贞只属你一人。"他碰了一下她的手。

"哈哈哈哈,就会过嘴瘾。"

"口舌快了,别的地方才能乐起来。"

"啊,咖啡好苦呀!"她的舌头舔着嘴唇。

"苦才有滋味嘛。我对你的感情浓度,就像这杯咖啡,浓得不能再浓啦。"他往她的缸子里倒进一点儿牛奶。

"查尔斯,听着,阿拉读博士,是想向世人证明,阿拉不是一个绣花枕头,而是一个有价值的人。阿拉不能白来地球活一回!"她瞪他一眼。

"我早说过,你就是未来的居里夫人。啊,不,是霍歌夫人!"

"想得美。"

"我要埋没了你,岂不成历史罪人啦。放心吧,有我在,你的博士帽不会刮到太平洋去的。"他轻轻握住她的手。

"论文(朒么)怎么办?"她扬头急问。

查尔斯用力握住她的手许诺:"只要你搬回来,不出一年,保你戴上博士帽。"

"离开卢杰,阿拉的身份问题怎么解决?"她推开他的手。

"回头我帮你谋个教职,技术移民不就得啦。"他伸直双臂,一手伸出一个大拇指,像打方向盘一样你起我落。

"真的? 老好呀!"人活着,幸福第一。用不着为感卢杰的恩而牺牲幸福。

"哎,你跟卢杰同居一场,别忘了,带走你那半儿房产啊。"

"算啦,算啦。他是个穷光蛋,不跟他计较的啦。"她把胸脯挺近他。虽

167

说利益当先,但也别把事做绝,见好就收。

"嗯,莉莉,厚道。哎,对了,我的儿呢?"他把手伸进她的怀里。

"好呀,这回露馅了吧。没看电邮,怎么晓得孩子不孩子的啦?"她拉出他的手。

"好好好,我该死。就摸摸胎气,还不行?"他又伸手。

"呸,还太气呢!"她挡住他的手。

"哎,是带把儿的吗?"

"还带小辫儿呢。谁给侬养孩子! 那是考验侬呢。"她最大的愿望就是跟他结婚生子。

"我就是你的白薯,任你的火炉烤得浑身流油。"他抱住她的骨盆,就像抱住未来的孩子。

"回头侬老婆该釜底抽薪啦。"她使劲推开他。

"我先把烧炉工辞掉!"他又扑回来。

她侧身一躲,让他扑个空。"听着,查尔斯。小三,阿拉是坚决不当啦。168 这回,鱼与熊掌,侬必须选一个。"

他跪起身来,仰头向她发誓:"我当然选美人鱼啦。至于那只熊掌嘛,不等晒干,我先扔进垃圾桶。"他从裤兜掏出一蓝色首饰盒儿,双手捧到她的大腿上。"瞧,给你带什么礼物来啦?"

何莉莉打开一看。"啊,蓝宝石钻戒!"

"钻石婚。"他的海蓝色眼珠闪烁出蓝宝石般的光点。

"侬,还撑得了六十年吗?"她千娇百媚。

"嘿,我要活到一百五呢。到那时,也不饶你。"

"去侬的,除了这事,还有什么正经的没有?"她怎么看怎么迷他。

"这是最正经的事儿。莉莉,好久没开你这辆靓车啦。现在,我要给你加足汽油,带你好好兜兜风!"他给她戴上戒指,顺势一拉她的双手,像是握住一个方向盘。

"哦,酱紫(这样子)呀!"她没想到,坏事就这么朝好方向转过去。冰河期总算撑过,阳春就在眼前。

138

卢杰一觉醒来,在洗手间照照镜子,犹豫着刮不刮胡子。昨天刚刮过胡子,一觉醒来,怎么又长出这么多"铁丝"来? 这证明新陈代谢好。这些日子跟莉莉过着乐陶陶的小日子,自己的身体棒得不能再棒啦。还是刮刮吧,省得叫莉莉说我杂草丛生。以后我要做个讲卫生、修边幅的好男人。

他洗漱完毕，把电动剃须刀贴在脸上，像木匠一样仔细把一根根冒出头的胡子茬儿刨平。何莉莉突然在镜子里闪了一下，朝他这边儿瞥上一眼。

莉莉的神色有点儿不对劲儿，她存不住隔夜事儿。卢杰关掉剃须刀，把头伸出卫生间，只见她的影子像鬼魅一样钻进书房。

他悄悄摸过去，竖耳朵一听，屋里有"沙沙"作响的忙乱动静。他一推房门，只见她手持战国匕首，正往褐色的行李箱里塞去。

"怎么？又要飞？"卢杰把手里的剃须刀扔在写字台上。

"哦，出差。"她的嗓音有点儿发颤。

"又去找那个青蛙吧？"难道她又跟查尔斯接上头啦？

"还田鸡呢。"

"查尔斯不是什么青蛙王子。"她肯定又让那个洋蛤蟆给撺了掇。

"反正不是癞蛤蟆。"

"你既然进了我的鸟巢，就不能出去当野鸡！"不能让到手的鸟再一次飞走。

"翅膀长在阿拉身上。"她把最后一本书塞进箱子，拉上拉链。

"放着一品良妻不当，又给查尔斯当二房？"

"侬的观念也太孤独了吧。阿拉喜欢什么，就做什么。去，让开。"

"敢？我看你敢迈出屋子一步！"

"情感是绑架不住的啦。"她拉起行李箱就走。

169

他一把夺过行李箱，拉开拉锁，让箱子来个底朝天，把衣物抖落得一片狼藉。"我就管。你不能像墨尔本的天气那样，一天四季！"

"侬敢丢阿拉的东西？啊？那，阿拉就砸侬的电脑！"她说着掀开他的笔记本电脑，一撅两半，摔在地上。

"嘿！拿我开涮？是吧！"他冲到她的后背，把左臂弯成一个枷锁，卡住她的细脖子。

"喀——"她使劲咳嗽一声，像是呛了一口水；继而用指甲狠抠他的手背。

"找抽呢！"他用右手把她的右臂生给拧到背后，左手按下她的脖子。她的头一点儿点儿向写字台垂去，左臂宛如正在降落的机翼。

"啊，松手！"她气得大口喘气。

"你这颗头，美得有点儿过头。"他让她的脸贴在写字台的桌面上。

"阿拉的头，为爱而美！"她满脸通红，全身的热血似乎全都涌到脸上。

"呸，你的头只配舔洋流氓的屁股！"他继续用力压她的头。

"啊,救命!"她的脸被桌面挤变了形。

他够到地毯上的战国匕首,举到半空,冲着她的后脑勺扔下一句狠话:"再叫我戴绿帽子,我就让你人头落地!"

139

悉尼法庭的口水大战仍在激烈进行。法官玛格丽特知道菲利普在玩金蝉脱壳的游戏,伸手问道:"请问福特先生?你指控霍歌先生和霍歌太太涉嫌杀人,证据何在?"

菲利普对玛格丽特那张美女脸点点头。"法官阁下,我请求法庭传霍歌太太出庭对质。"

"理由?"玛格丽特一脸威严。

"霍歌太太的嫌疑最大。奥利弗,是让霍歌太太举刀杀人的直接导火索。这个私生子,不仅使她的婚姻危机雪上加霜,而且还成为家产的最大争夺者。她必须赶在这个孩子还没有还手之力以前动手,以绝后患。"

阎超挺着他那麻秆儿般的身躯,对粗坛子般的菲利普质问道:"你的证人连车号都看不清楚,恐怕连上帝都不信她的证词。"

菲利普满面红光地辩道:"要知道,那辆新款本田'里程'牌汽车刚刚上市,买这种车型的人凤毛麟角。"

"你的说法根本没有证据支持。开'里程'车的人再少,在悉尼也大有人在。你咋能断定,就是霍歌太太的车呢?请法官阁下制止这种缺乏证据的表述。"阎超把脸转向玛格丽特。

玛格丽特把眼球击到菲利普身上。

菲利普接住法官的目光,大声申辩:"为了避免让我的当事人蒙受不白之冤,而让真正的凶手逍遥法外,本律师再次请求法庭传讯阿曼达·霍歌,以正视听。"

玛格丽特一直静静倾听各方的争辩。大家各说各话,真假难辨。她思索片刻,意味深长地总结道:"司法公正建立在人道基础之上。我们宁可错放几个嫌疑人,也决不冤枉一个无辜的守法公民。在有些事实没澄清以前,将卢杰先生押还看守所,择日再审。休庭!"

话音未落,她手里的法锤已重击在案台的底座上。

第八章　美眉蹦极悉尼桥

140

何莉莉被卢杰拧倒在地。

卢杰大步跨出书房。何莉莉用酸痛的双臂撑起身体，站起来正要跟出，门却被卢杰一把拉住。

她跑到门前，只听"咔哒"一声，门外响起扣挂声。她拼命推门。门只是来回晃悠，就是把着不开。啊，这小子，真损，一定把大黑锁挂在门鼻儿上了。

"咚咚咚!"她在屋里使劲拍门。"卢杰，阿拉不是侬花瓶里的一朵花。171开门，给阿拉自由!"

"你拿着鬼混当爱情。所以呀，你的自由就像鱼缸里的金鱼，只能在这个小屋里行使。"他的声音听起来比北京的三九天还干冷。

"啊，救命啊!"她声嘶力竭，希望一里地以外的人都能听见。

"你来澳洲练嗓子来啦?"他关严窗户。"当一个白眼儿狼对自己的恩人以怨报德的时候，这个人的福气也就到此为止。谁也救不了你。好啦，我要迟到了，拜拜!"

"砰——"重重的防盗门撞击声差点把她的心给震出来。

"呜呜呜呜……"她两颊鼓动，捂脸号哭。

啊，有人吗? 救救阿拉吧! 阿拉一个大活人，被关在禁闭室里。他这是要逼死阿拉呀。

"啪，啪，啪……"她抄起写字台上的战国匕首，对准卢杰的博士毕业照一刀一刀猛扎过去。卢杰的方脸布满刀痕，像是长出一脸麻子。她仍觉不解气，把他新出的论著一刀刀扎成活页纸。

一座大山压在胸口上。啊,不能在这个小笼子里活活憋死!他锁住阿拉的身体,锁不住阿拉的心。他如此污辱阿拉人格,岂能跟这种歹徒多待一天?阿拉走定了。他这一锁,反倒打开阿拉的心。

她把衣物码回行李箱,将战国匕首塞进箱底儿。

她搬个椅子,"噌——"的一下登上窗台;打开窗户,伸头一看,不就二楼吗?没多高,摔不死。

"咚!"她先把皮箱抛下去投石问路。

她的左脚迈上窗台,双手把住窗框;再迈上右脚来,头先伸出窗外。啊,脚下就是一棵参天大树。她憋足一口气,使劲一蹬双脚,飞到半空,伸出双手,一把揪住茂密的树枝,从空中往地上摽出一个悠。

她在松软的绿地上打个滚,拔出拉手,拉着箱子跑出公寓。

141

172　卢杰回家推门一看,屋里空空如也。窗子大开,窗帘随风飘动。

他连跳台阶带滑楼梯扶手,跑进车库,飞车返回大学。

他一脚踢开查尔斯办公室的房门,揪住他的脖领子,把他从座椅上拽起来,眼珠里都快流出血来。"今儿你要不把她交出来,我跟你死磕!"

查尔斯举起双手。"哎哎哎,动劲儿,你可不是我的个儿。"

"你不说,我就胖揍你!"卢杰挥起右拳。

"勇者相遇,智者胜。耍混只能蹲班房。"查尔斯把下巴拉得比猩猩还长。

"今儿我就混一回啦。去你妈的!"卢杰说着一拳打在查尔斯的长下巴上。

查尔斯的嘴唇被牙硌出血,一把将卢杰推出两米开外。"拔什么份儿!我要是叫来保安,大学非把你开除不可。"

"我还打烂你的头呢!"卢杰的小脸蜡黄。

"狂呀你。听着,你非法拘禁莉莉,限制她的人身自由,形同绑架。我已经给她找好律师啦。"

"我也有律师,告你一个诱奸罪!"男人最怕强奸罪。

"这得女人说了算。你没做变性手术吧?"

"查尔斯,把媳妇还我,咱们还是铁磁!"只要把何莉莉找回来,给查尔斯下跪都值了。

"卢杰呀,卢杰,即使你能占有莉莉的身体,你能强暴她的心吗?别自讨没趣儿啦！"

卢杰的脸像出了故障的红绿灯，一阵儿红，一阵儿绿。"查尔斯，你有媳妇儿，有网友，大享齐人之福，干吗死缠莉莉不放？君子不夺他人之美。"

"怪只怪你长着一双'黄油'手，守不住自己的大门。像莉莉这样的美人坏子，男人要是见门不攻，不是性无能，就是种族主义者；不是基佬，就是伪君子。人人都有攻门与守门的权利。"

"查尔斯，你专攻别人的女人。老小子，你不仁，我也不义。我要找校长，告你利用职权跟女学生搞不正当关系！"卢杰的嘴角一通乱哆嗦。

"你告我？"他从抽屉里翻出一黄色卷宗，从中抽出几封信来。"先看看你的问题吧。这是学生的投诉书。看，这封信上说，你'毁'人不倦，把亚洲国家那套陈腐习气带进了澳洲大学。再看这封，你大搞师道尊严，对学生盛气凌人，动辄训人，根本没有以学生为本的意识。这些问题足以砸碎你的饭碗。"

"啊？乱扣帽子！"卢杰使劲一摇脑袋，像是头球攻门。

"有的说，你对学生不一视同仁，满脑子偏心眼儿，严重违反澳洲的公平原则。有的说，你充满偏见，把你的见解强加于学生，破坏澳洲大学的民主学术气氛。"查尔斯把信摔在写字台上。

卢杰跳了起来。"啊？一定是丹尼斯或是亨利写的。他们不及格，是他们自己不用功……"

"还有人抱怨说，你像个狂徒，在课堂上为专制主义大唱赞歌；学生听你的课，有一种被强奸的感觉。"查尔斯低头扫看另一封信。

啊？这个帽子比紧箍咒还紧呀。"肯定是那两个顽劣学生的诬蔑之词。"

查尔斯又找出一个紫色卷宗，在空中一晃。"瞧，还有更多的投诉。有中国学生说，你专挑软柿子吃，对自己的同胞吃拿卡要。你看，这是一个毕业生写的信，说你一再故意刁难他，不让他过关。直到这学生塞你一红包，你才放他一马。噢，这儿还有一封女生的信，说你有意卡她的分数。后来她跟你上了一次床，你给她一个好得不能再好的分数。"

"诬蔑，全是诬蔑！"这群王八羔子学生，要置老师于死地呀。人真是太可怕了，得罪不起呀。

"白纸黑字，证据如铁。这些信一旦重见天日，你肯定要卷铺盖啦。你要是知趣儿，趁早乖乖辞职，免得被人一脚踢出校门！"查尔斯把信插回卷宗，塞回抽屉，用钥匙锁好。

"砰——"卢杰大拍写字台。"查尔斯！大学又不是你开的，你少放狂话。你杀掉我,可以。想让我自杀,就是熬到死,也盼不到那一天!你要逼我辞职,我就叫你下课!"

"这些信,不是锁在抽屉里吗?哎,跟你透个信儿,国际金融危机,海外学源骤减,大学正要裁人呢。"

"哎,你可别胡来啊!"卢杰的心室猛颤。我们少数民族拼死拼活才挤上大学教职的宝座。口音先输掉当地人一头。有个什么风吹草动,肯定是首当其冲。

"你不还想往上爬呢吗?怎么说我们也师徒一场。你要还是朋友,我保你当副教授。"

"没有永远的朋友,只有永远的利益。此话当真?"卢杰的教授梦怀揣已久。

"你是我的得意门生,我不提你,提谁?杰,我们都是过来人。傻帽儿才结婚呢。婚礼的庆典一开始,幸福的丧钟也就敲响了。结婚时喜气洋洋,离婚时两败俱伤。莉莉对你三心二意,你就是真娶到她,也没好日子过。还不如把她当成一枚邮票,留个纪念就完了。老弟,陆上的女人比海里的鱼虾还多。我劝你还不如上上网、钓钓鱼,捞条更合适的呢。"

查尔斯拍拍他的肩膀。

卢杰快快不乐地走出办公室。是啊,找查尔斯算账,只能治标不治本。根源在何莉莉。她的情感她做主,别人又怎奈何得了?

142

卢杰回到家,公寓静得像一座坟墓。"唉——"往日的两人小世界,现在只剩下他一人摇首叹气。他像散场落下的帷幕,瘫坐在客厅的地毯上;把胳膊架在膝盖上,双手撑住比铅球还重的脑袋,呆望天花板。

鲸鱼造型的吊灯像一把转椅,在他的头顶上旋转起来。他两眼一黑,"扑通"一下,倒地不起。"哇——"一股酸水如洪水一般在胃里泛滥开来,喷出口腔,泄到地毯上。他掏出手绢,擦擦嘴角,把麻木的脑袋枕到右臂上。啊,头颅变成一颗定时炸弹,随时都会把脑浆子炸得血肉横飞。

他的脑海转出一幕幕令他头晕目眩的往事碎片。他和莉莉在这个房子里朝夕相处,一起吃饭,一起研讨论文,一起看电视,一起欢声笑语,一起亲吻做爱……他摸摸三角喉结,只觉得它像堵在气管上的一块石头。睹物思人,拥有时是那么习以为常,失去后才知道什么是刻骨铭心。

一切都没了,刮走的风不再回头。爱情就是叛徒脸上的甜蜜一笑;爱情就是卖火柴小女孩手里烧过的火柴梗。男女关系的背后就是阴谋。双方揣起占有对方财产或肉体的真实目的，乐呵呵走到一起来，又哭啼啼不辞而去。这出爱情闹剧，还没开演，就已谢幕。男欢女爱，就像阳光下的白雪，早晚也要冰消雪化。

唉，人生就是一场移床游戏。从婴儿床转到单人床，再从单人床爬上双人床，现在又回归孤独的旅行床。不管美梦还是噩梦，一切都是假的，一切都是空的。粉红色的记忆残存的只是爱恨交加。女人就是梦，梦就是何莉莉。她就是莲花池上一朵粉荷花，风一吹就随波逐流。芙蓉载我入梦。藕已断，梦亦醒。

莉莉就是一首生命之歌。哪怕能听听她的声音，我也能在坟头睡个好觉呀。没她那张美脸陪伴，我在棺椁里也消停不下来。有梦就有希望，可我的梦做完了，留下的只是破碎的遗恨。桃花不再盛开。没有她的日子，生不如死。

143

卢杰带着一颗废墟般的冷心走上火热的街头，犹豫着怎么一头钻进车轱辘，寻求心灵的解脱。不行，车速太慢，弄不好落个轮椅人。死就死个利落，不受一点病榻之苦。

他爬上一座过街天桥，低头一看，川流不息的汽车就在脚下飞奔。脚一迈下，这一百多斤的血肉之躯就被上百只轮胎碾成一个柿饼。何莉莉看到晚间新闻，怎么也会升起一丝怜悯之心吧？说不定还后悔莫及呢。哈哈，那时，就让我在天堂里放声大笑吧。

慢！死前怎么也要买回醉，死时也不会太痛苦。他在酒吧喝得正欢，一只肉乎乎的白手搭在他的后脖梗子上。

醉眼蒙眬中，他看见一位迷人眼目的蓝发澳妞儿向他露出诱人的媚笑，甘之如饴。"先生，我们可是上市公司，质量上乘，生意井喷。"

他翻着白眼，一把搂住美女的细腰。女郎把他搀起来，像个亲密伴侣，牵上他的手，把他引向神秘的旋梯。

他一脚踩到红白黑拼出的立体感瓷砖地，跟她在迷宫般的走廊左右穿梭。穿过两根云石圆柱，他被洋妞儿领进一扇半敞的红门。

他刚从浴室出来，就一头扑进女郎的大腿根儿。长腿女郎端坐在紫红色被褥上，随手抓起床头柜上的一只银色哑铃，一上一下来回挺举。卢杰一看这阵势，竟然情不自禁地跑起马来。

第八章　美眉蹦极悉尼桥

被窝还没暖和起来,他就被笑眯眯的性工作者领到门口,像只老鼠一样从绿色"出口"指示牌下蹿出。

一出后门,他跟一美男子撞个满怀。他举起手来,刚要道歉,美男子却低头闪进入口。嗯?那不是好莱坞一线奶油小生吗?怎么?他也缺女人?也光临这种风月场所?

真实的人生就是如此。罩在头上的光环不就是给人看的假象吗?自己这么个没头没脸的小人物,何必为女人往地缝儿里钻?

144

悉尼 A 区警署的门口停满警车。

阎超有点管不住自己的大脑了,连睡觉都在琢磨何莉莉的无头案。他的脑仁儿已经疼了好几夜,太阳穴终日跳个不停。他恨不能把脑髓抽出来,当成一剂安眠药喝进肚里。到底是吗人杀的何莉莉?

176　他跑过电话公司,在何莉莉生前的通话记录上查到霍歌的家庭电话号码。是查尔斯打来的?还是阿曼达打来的?要是查尔斯,咋就打一次?如果是阿曼达,就不是吗好话了。她到底跟何莉莉说些吗呀?

他又在卢杰的电脑里发现他与"劳拉"的在线谈话记录。这个"劳拉"又是哪一出?她跟卢杰是吗关系?跟这起杀人案有吗关联没有?还有,查尔斯分别跟何莉莉和袁媛通的那些电子函件,字里行间又意味着吗意思呢?

最为关键的是,那件代号"MOV011"的视频录像,为吗从何莉莉电脑神秘消失?那段录像记录了吗玩意儿?那天查尔斯坐在电脑前鬼鬼祟祟的,难道是他删除的?他为吗要捣这个鬼?

阎超跑出门外,跳上警车。

145

阎超直奔凶宅,对墙体做拉网式排查。他拍拍这儿,摸摸那儿,一切都显得那么正常。他拿起空调遥控器,对准墙旮旯那台空调机一按,冷气就像北极熊吐出的哈气,一股股从缝隙间冒出。他盯了足有一分钟。哎,那个针鼻儿大小的黑点儿咋不出气儿呀?他掏出万能钥匙,卸下机盖,一个超微型摄像机像只手机,潜伏在一片气雾之中。

在吊灯、防盗门、火警器、壁炉、天花板、家具,甚至油画和花瓶等各种玄关里,他找出一只只针孔摄像头。

这些高倍感光探头肯定录下杀人全程。只要找到电脑里的监控文件，杀人证据就确凿在手。

146

"说，你把拷贝藏吗地方啦？"阎超突审查尔斯。

"什么？我什么也没藏过。"

"那天你坐在电脑前，做了吗手脚？"

"我在法庭上已经陈述得清清楚楚，我只发过一封电邮。"

"电脑里的录像文件，为吗不翼而飞？"

"我没见过什么录像片。那是莉莉的电脑，我就用过那么一回。"

"那个房子，不是你的吗？"

"电脑可不是我的呀。"

这小子，死不交代，我有吗法儿。阎超一挥手，像轰苍蝇一样把查尔斯给放出审讯室。

真是乱象丛生啊。这个杀人案的盲点太多。卢杰，阿曼达，还有查尔斯，这三个人都有作案的动机和可能。究竟是谁行的凶呢？是卢杰因何莉莉叛变而仇杀呢？还是阿曼达为保家卫夫而狠下毒手？抑或查尔斯为平息婚外恋而斩草除根？还是袁媛争宠，纵容查尔斯暗杀何莉莉？必须胜诉，还被害人一个公道，也好早日晋升正职。

177

147

卢杰经青楼女子一刺激，意识到性饥渴这玩意儿就像肚子一样，昨儿还撑得大腹便便，今儿却饿得扁成一层皮。他下班后天天玩电脑，不是把眼球死盯在黄色网站的人肉大战上，就是在大海般的网络寻找饥不择食的洋"大喇"。他要用女人刺激自己，好从人生的低谷反弹上来。

每天晚饭后，他都在离家不远的树林兜圈子，心比沉寂了上万年的原始森林还寂寞。他踽踽独行。哎，丛林里有了生灵。一肥一瘦两只黄丁狗撒欢儿跑来，给他的孤寂世界带来一片生机。

只见肥丁狗正在拼命追逐瘦丁狗，瘦丁狗绕树逃窜。不知是瘦丁狗腿软了，还是故意停下来，瘦丁狗回头就给肥丁狗一口。两只狗你咬我一口，我咬你一口。

卢杰躲在树后看热闹。瘦丁狗又逃，几步就被肥丁狗追上。这回，瘦丁狗不再反抗,老老实实站住不动。肥丁狗"噌——"地一蹿,前爪扶到瘦丁狗的后腰上,尽情地玩起狗祖先几万年前就玩的游戏来。

他妈的,连澳洲野犬都成双结对儿。我一文明社会的人类,却一天天活人被尿憋死。卢杰突然想起那个"劳拉"。她不是一直想会会自己吗?嗯,眼巴前儿,该是跟这个"金丝猴"交交手的时候啦。

<h1 style="text-align:center">148</h1>

卢杰把"劳拉"约到悉尼大桥下的情侣咖啡馆。

一身穿紫红色低胸吊带裙的高个儿辣妹,手拿一份中文报纸,刚一踏进咖啡馆的大门,就让卢杰小嘴大张:"啊?阿曼达?"

卢杰在查尔斯的生日派对跟阿曼达虽然只有一面之交,但她右嘴角下的那个朱砂色痦子却让他过目不忘。这可真是天赐良机。卢杰的眼珠滴溜儿一转,忙起身迎上,伸过手去。"师娘,原来是你呀!"

178

"啊?你是——"辣妹躲开他的手,一脸尴尬。

"小袋鼠呀。"卢杰调皮地挤下眼,为的是让辣妹放松下来。

"不不不,你认错人了吧。"辣妹转身就要出门。

"别走,'劳拉'! 我有话跟你说!"卢杰冲到门口,挡住辣妹的去路。

"我不认识你。让开!"辣妹把中文报纸塞进珠片晚装袋,一只红色坡跟鞋迈出大门。

"阿曼达,我有你丈夫的猛料儿,你不想听听吗?"他亮出一个谜面。

"查尔斯?"她甩过头来,一头发髻如熊熊燃烧的火海。

"来来来,既来之,则安之。我又不会吃了你,嘻嘻。"他露出友善的憨态,为自己营造亲和力。

阿曼达大步走向屋角的一个餐桌。

卢杰忙追过来为她拉出座椅。

"告诉我,你是谁? 怎么知道我的真名儿?"阿曼达一坐下来,沉重的高胸乱颤几下,像是两个瓜熟蒂落的西瓜,随时准备从怀里滚落出来。

"我叫卢杰,是查尔斯的同事。"他再次把手伸过去。

她一扭上身,只当没看见。"嗯,听查尔斯提过你。我们见过面吗?"

他学着无实物表演的动作,跟空气虚握两下手,并创造性地扬起手来,对走过来的女服务员摆摆手。"你可真是贵人多忘事呀。那次,我到府上赴宴,不是说过话嘛。"卢杰点了卡普齐诺咖啡和花花绿绿的糕点。

"我怎么记得住?你们华人长得都一样。"阿曼达咧开红嘴,露出白得透明的牙齿。

"现在看清了吧。"卢杰直勾勾往她的嘴里窥探。

"你不会告诉查尔斯吧?"她一拉膝盖上的裙边儿,把一条大腿搭在另一条上。

卢杰觉得她那双绿眼珠就像两片秋叶,直往他的脸上落来。他故作神秘地眨巴一下单眼皮,用黑枣般的眼珠挑起对方的"落叶"睫毛。"放心,他的绯闻,比你多大发啦。"

"又玩了哪个浪妞儿吧?"阿曼达嫣然一笑。

"性质比这严重多啦。"卢杰被她那对绿眼珠拉进两个碧绿的漩涡。他扬一下浓眉,像是要把自己打捞上来。

"什么?"阿曼达的眼珠子更加发绿。

"他在外面包养一个女学生,用的是你们夫妻共有财产。"卢杰的腮帮子来回鼓动。

"女的是谁?"她的绿眼珠瞪成一对即将出膛的炮弹。

"正是在下的未婚妻:何莉莉!"他把食指指向自己的胸口。

"啊?"

"他诱奸学生,罪过可太大啦! 这要是告他一状……"卢杰把头凑近她。

"告他? 那不等于告我自己吗! 哎,你不会把这事捅给校长吧?"阿曼达把交叉的大腿平放下来,上身向椅子背上靠去。

"你是我的网友,我听你的。"他低眼看去,只觉得辣妹的大腿交汇处像 179
树根一样深不可测。

"夫妻即使反目成仇,也永远在同一条船上。可是,小三儿却是一块礁石!"她的项链在袒露的胸窝前晃动,就像一条小溪在河谷里流淌。

卢杰觉得这个澳洲女士透明得像土著绘画,连人体的骨骼都透视在画面上。"你和查尔斯的婚姻形同虚设。跟他离婚,你和孩子至少还能分走七成的财产。"

"离婚嘛,就是用刀抽血,斩得断吗? 孩子身上流的是夫妻俩人的血。就像逻辑学的两圆相交理论——孩子是中间的大圆;夫妻是一左一右两个小圆,与中间的大圆交叉重叠。夫妻和孩子这三者,你中有我,我中有你,好比自行车的链条把大轮盘和小轮盘连在一起。就是形式上分开,这血脉关系、利益关系,能离得开吗?"阿曼达喝口咖啡,抿抿嘴。

"问题是,查尔斯那个大轮盘已经掉链子啦。"卢杰快扫一眼阿曼达的白脖子。啊,多像奶油蛋糕,看一眼都馋掉牙。他赶紧塞上一口慕斯蛋糕,把口水塞回肚子。

"我再把链子安回去,不就得了吗?"她从晚装袋里掏出一串钥匙。"环上的每一把钥匙,都是我家的成员之一。决不能让外人混进钥匙环里。"

"好!"

"夫妻之间肉连着骨、骨连着肉。离婚就是生把肉从筋骨上撕扯下来,能不伤筋动骨吗?"她把钥匙往空中一抛,收回手心,塞进包里。

"夫妻就是火与水的关系。不是你烧了我,就是我淹了你。早晚的事儿。"要给她来个离婚总动员。

"我可不想让孩子失去原装父亲。离开他,我就能找到更好的吗?不!即使我在肉体上背叛他,也不在情感上背叛他。他永远是我的'猫王'。"她摇摇白皙的裸肩,任红发在脖子上摆来摆去。

他被她的表演迷住,像是欣赏好莱坞影后的精湛演技。"你既然那么忠于查尔斯,怎么还交网友?"卢杰往阿曼达身旁凑过去。一股高级香水味呛得他骨头发软。

"他动不动就往北京跑,让我守活寡。我只能靠小说解闷儿,外加一点儿网聊。我需要过正常的性生活。"

"是呀,师娘,谁不需要?"看两只白白的大咂儿就在吊衣里独守空房,多可惜呀。

"什么师娘、师爹的,真肉麻。"她口无遮拦。

"好,就叫你阿曼达。其实,你比我还小一岁呢。"她裹个床单来赴会,看样子已经作好铺床的准备。

"好呀,你虚报岁数。查尔斯比我大七岁。当初,我们爱得多热烈呀。我还没成年,就怀上他的孩子。他博士毕业后,早早就当上教授。阿嚏——"阿曼达双手捂嘴,连打两个喷嚏。乳房像两只排球一样欲弹出吊带,又被乳罩给拦住网。"啊,请原谅,花粉又来啦。可惜呀,教授难过女生关啊。现在可好,又在网上搞妞儿。他怎么对我,我就怎么对他。"

"小袋鼠情愿被大袋鼠收入囊中。"他垂眼一看阿曼达裹在胸前的"窗帘",啊,半个滚圆的丰乳直往他的鼻子尖儿拱来。报仇的机会到了。

阿曼达盯着他的短鼻子笑起来,硕大的乳房也跟着一起颤悠。"哈哈,你可真调皮。你的鼻子要是再长一点儿,我就真陷入情网了。可惜呀,我交网友的前提是:出门不认人。家庭就是我的宗教信仰。没有家的人,是世界上最寂寞的人。""查尔斯不尽夫妻义务,我乐意代劳。"乳房对他的刺激,让他迫不及待地抛出橄榄枝。

"我就知道,男人没好东西。其实,我真不愿上网。可是,我怕孤独。人没钱都能活下去。要是没伴儿,我可活不下去。"她的绿眼睛滚起清澈的碧波,像是秋天的湖水。

"我当你小伴儿吧。"他向她的胸前伸伸头,占有敌国的欲望越来越强烈。

"小袋鼠,真愿拜倒大袋鼠的袋子里?"她用手指刮一下他的鼻尖儿。

"当然,随时进袋儿。"他喝干杯里的咖啡,肚里泛起一股热流,燥热得直想脱衣服。

"莉莉住哪儿呀?"

"怎么? 找她算账?"他可不希望何莉莉受到伤害。

"你看我像那种粗人吗? 我不过想跟她谈谈心。"

"我也在找何莉莉。"他一摊双手。

"既然你帮不上忙,那就告辞了。"

"别急,一有何莉莉的消息,我立马儿给你打电话,还不行?"他晃晃手里的最新款"苹果"手机。

"听起来不错。我得回去给女儿做饭了。"

"今晚,你不想给我当回女王吗?"他觉得对敌人妻室的征服,就是对敌人的最好打击。

"听着,小袋鼠。我有一瓶储存多年的白兰地。我等你电话,到时我陪你喝个一醉方休。好吗?"阿曼达向他挤一下左眼,甩着胳膊扭出咖啡馆。

卢杰顺着她的袅婷背影看去,但见门外的悉尼大桥像一座星外飞船一样横在眼前。桥那边的悉尼歌剧院也被奔流不息的海水驾驭起来,冲他乘风而来。

149

查尔斯一回家,发现书房只剩半壁江山。一本本砖头厚的精装书逃离书架,不翼而飞。他把眼珠子往阿曼达身上斜过去。"我的那些宝贝书呢?"

"宝贝? 连你都是垃圾!"阿曼达看都不看他。

"什么?"他跑到后院一看,那些命根子已经变成一堆灰烬。片片残页躺在几个绿色大垃圾桶里随风摆动。

"好多藏书都是孤本秘籍呀,价值连城!"他跑回屋里,用食指和大拇指比划出一本书的厚度。

"我没把家宅烧掉,就是你的福气!"

"你,还学中国人的焚书坑儒啊?"他本来见了阿曼达就肝儿颤,这下更升起一种家即地狱的巨恐感。

"你连我都扔了,我扔你几本破书算什么?"

他一听这话,觉得有必要先把炸药捻子掐灭。酒吧的重金属敲击噪音,都比媳妇儿的河东狮吼养耳朵。对阿曼达这只母老虎,不能碰屁股,只能胡噜胡噜头。"我扔你,不等于扔我自己吗?"

"还装呢。你在外面养个婊子,当我是瞎子呀!"

"婊子?"坏了,谁捅的?

"我早就料到,你跟那个亚洲女孩儿,莉莉,不会是什么好关系。"

"噢,你说她呀。她是我的博士生。"他笑得把眼睛都缩进眼眶里。

"行动更方便,对吧?"

"她是卢杰的人,跟我有什么关系?"

"关系暧昧。除你以外,谁要破鞋?"

"噢,她确实从卢杰那里跑了出来。卢杰对她拳打脚踢。"

"那是因为——你插了一杠子吧?"

"卢杰打她,我这个当博导的,能见死不救吗?"

"救到你床上吧?"

"咱家的床,能装那么多人吗? 当然是安排在女生宿舍呗。"

"地址?"

"我把她交给别的学生啦。她具体住在哪儿,我也不知道。"

"你知道干什么最累吗? 编故事!"

"真的,我真不知道! 哎,哪个毒舌散布的谣言?"

"小庄,小孔,大学的人都这么说。"

"他们不了解实际情况。开心活着,管别人说什么呢。你要是老发愁呀,小心脸上起皱纹。"他知道太太对这种话题最感兴趣。

"别人都去做美容,我那点儿工资够干吗的呀?"

"都赖我,这段时间一直忙着赶学术著作,对你关心不够。来,好好美美容,健健身,多买些时装。也好让我觉得你越来越有魅力呀。"他掏出金笔,在支票本上划拉几笔,连撕几张,双手捧给妻子。

"算你收买了我。不过,你要是再跟何莉莉黏糊,我让你的活鸟,变成一只'火鸟'!"她把支票塞进裙裤里。

"哈哈,你要是烧死它,谁来给你点火呀?"查尔斯挤眼笑道。

"呸,你个棺材瓤子,你以为呢!"她冲他吐出长长的红舌头,扭着低腰裤,露着股沟,转身而去。

"哈哈哈哈!"

查尔斯冲她的扭态哈哈一笑。阿曼达把家里的书撕了,我还可以去图书馆借嘛。女人呀，就像一本书。妻子好比摆在自家书架上的一本旧书，想看就看。人忙得很，索性就叫书架上的闲书睡大觉吧。而外面的女人就像借来的书，不快看，就过期啦。越好的书，借的人就越多。不吃不喝，也要先睹为快。家里没有的好书，再旧、再破，也是洛阳纸贵。

150

在查尔斯家后院的网球场上，父女俩杀得难解难分。

"老爸，捡球去吧！"凯瑟琳一记重球狠扣过去。

"啊，年轻就是反应快。我输啦！"查尔斯眼看网球砸在底线，飞向铁网。"来，闺女，别渴着。"查尔斯从裁判椅上拿下汽水。

凯瑟琳接过来大喝一口。"老爸，来，再刷你一盘。"

"哎呀，老爸还要买书去呢。改天再打，行不？"查尔斯拍拍女儿的肩。

"不嘛。周末有个大赛，陪我好好练练嘛。来，老爸！"凯瑟琳把两只网球塞进短裤兜里，去捡第三只。

"这回，该你满地找牙啦。"查尔斯双手握拍。

"就会夸口，老爸。这样吧，咱们打个赌。要是我输了，我请你吃冰激凌。要是你败下阵来，答应我一条件。"她用拍子原地击球。

"什么呀？"查尔斯横起球拍。

"以后你要天天回家，陪我打球！"凯瑟琳把黄黄的网球抛入蓝蓝的空中，挥拍猛击。

151

晚上，阿曼达在游泳房冲完凉，挺起渔网状抹胸裙，扭着两块肥臀踏进客厅，一屁股坐在查尔斯的小肚子上。

查尔斯把手里的报纸扔在沙发扶手上，高举双手。"哎哎哎，跟凯瑟琳打一下午网球，就跟打场澳网公开赛一样，累死我啦。"

"嘿，净在外面打野食儿了，也该往家里交点儿'公粮'了吧？"阿曼达一头扎进丈夫的肚子里，红发上下舞动。

"起来！小心宝刀把你削成尼姑！"查尔斯推开阿曼达，抽出一把匕首，站起身来，逃进自己的卧室。

152

查尔斯关上主卧房门，品味把玩战国匕首，爱不释手。啊，莉莉带来的这把宝刀，就是中国的一部开国史啊。他抖抖手腕子，做个击剑动作，收回刀鞘，轻轻放在床头柜上。

他换上睡衣，钻进被窝；梦中舞剑，追逐莉莉的情影。他觉得腹部有点儿胀痛。啊？还没比武，就憋了一肚子尿？不行，梦做得正甜，岂能叫解手搅梦？可是下面怎么越来越胀呀？谁往肚里打气呢？

他侧侧身，可是那个气筒子却死咬不放。肚子鼓得像个气球，再这么打下去，非打爆不可。他使劲一推。嗯？莉莉不见了。他眯起一条眼缝儿，只见一个黑影儿在肚下摇头晃脑。谁呀？他一欠上身，影子跟着一动，把他吓得脖子缩进肩膀里。啊？原来阿曼达正强奸自己呢。

"哎哎哎，睡觉！睡觉！"看她这副披头散发的样子，真像个女鬼。

"猪！"

"今晚，就饶了我吧。"他一看那张看了二十年的老脸，实在提不起性趣来。

"噢，跟别人疯够啦？不行，老娘要来例假了。你不干也得干！"

这娘们儿变成万吨水压机，都快把我压成肉饼啦。她疯啦？浑身剧烈抖动，触电啦？他只得任她电击，找不到关闭电源的按钮。

气儿越打越快，越打越急。一下，又一下，肚子眼看就要爆裂。他索性翻身上马，把她当成出气筒。

"啊，啊——"这骚娘们儿发出要死要活的叫春声，比地狱里的鬼叫还吓人。给我鼓劲儿呢？看她这副浪劲儿，比发情的母马还能尥蹶子。这个母老虎，一上床就变成一匹野马。不就让我驾驭吗？好呀，那就快马加鞭！

可是，他并没骑马的畅快，倒像操作老掉牙的机器。活塞运动，循环往复；重复来，重复去，实在腻味死啦。家花没有野花香？这念头刚一上脑子，活塞马上怠惰下来。

"来，快来呀！快快快！"她把嘴张大，大得不能再大。

嘿，我不送她上天堂，她还不叫我下地狱？他开足马力，索性把自己变成一台机器。活塞快似闪电，一秒不敢停歇。哪怕松懈半秒，整台机器就会瘫痪。

他一看阿曼达那副失魂落魄的狼狈相，禁不住皱皱鼻子。老伴儿就是下水道，堵了通，通了又堵，啥时是个头呀？机器疲软下来，越来越慢，眼看就要熄火。他赶紧把莉莉拽进脑海，让她给自己加油助威，机器这才恢复运转。啊，莉莉，莉莉，快来救我！他把阿曼达当成何莉莉，牢牢囚禁在意念中。只要莉莉逃出大脑半步，机器马上就会卡壳儿。

"啊！啊！棒！巨棒！"阿曼达挺着健乳高叫。

"母驴！"他心里大骂，嘴上不敢发出音来。我只能先把自己当成野兽，才能打垮她这头动物。她要是犀牛，我就是大象。

"啊，爱我，快爱我！"阿曼达狂叫起来，越叫越凶，以至于叫出一声"小袋鼠"来。

"谁？"查尔斯停下。那不是卢杰的网名吗？

"谁也不是。快来呀！快！"她的嘴又大上一圈，都快撑破了。

"啊？"难道她跟卢杰有一腿子？卢杰一再声称，要找老婆说道说道。阿曼达要敢偷汉子，我就泡更多的妞儿。多得手一个妞儿，就是对她的多一次打击，就是对她的最大报复。这个烂货，天天装成一副音乐老师的端庄相。其实，她在跟我上床之前，早就身经百战。结婚之后，她究竟上过多少人的床，只能成为哥德巴赫猜想。这个浪货，本身就是一个未知数！

查尔斯这一走神，气球不觉撒起气儿来，越撒越快；一只"普天同庆"足球瘫成一堆软片，怎么也鼓不起来了。

"砰！"阿曼达从床上弹跳起来，朝大瘪球猛开一脚。"我没何莉莉骚，是不是？"

查尔斯像个被踢进门网的皮球，一头倒在被子上。"你敢踢我的球？"

"踢的就是你这根儿烂肠子！"阿曼达一看他那吊儿郎当的样子，飞身补射一脚。"看你还射不射何莉莉的大门！"

"啊——"查尔斯捂住私处，在床上打起滚来。滚着滚着，他突然腾空跃起，照她的白胸就是一拳。"就不射你！"

阿曼达栽下床去，抱胸跺脚。"软蛋！该硬的地方硬不起来，不该硬的地方倒挺硬。"

"莉莉就是比你柔！"

"那也别想在她那儿硬起来！"阿曼达抄起床头柜上的战国匕首，左手握鞘，右手一把抽出明晃晃的利刃。

查尔斯连忙抓起枕头。短刀被灯光反射出道道寒光，在空中画着光弧，如一把刺刀，直朝大腿根儿扎来。"噗——"，他一横枕头，用"盾牌"挡住来刀。刀光如乱箭般射来，海绵枕头转眼被扎成筛子。他像个守门员，死保下三路，不给皮球任何穿裆过胯的机会。

"嗖——"刀刃朝他的上三路袭来。他一举枕，右手背划出一个血道子。

他往另一边躲去,左手心又挨了一刀尖儿。

"别扎啦!阿曼达,我服你啦!"让她扎成这样儿,还怎么见莉莉?

"反正你也是残废,不如一残到底!"阿曼达挥刀朝他的小肚子猛刺下来。

查尔斯就势躺在床上,双脚乱踹,让匕首够不到自己的命根子。阿曼达左划右刺,在他的大腿上文出一道道红印子,画出一幅血色抽象派立体画。查尔斯在床上一滚,抄起睡衣,裹住身体,逃到大床的另一侧。

阿曼达披发包抄过来。"你的香肠全让何莉莉抽空了,就剩下一层外套啦。干脆,我把它剁烂,省得你在何莉莉那里装大个儿的!"她持刀冲来。

"冲动是魔鬼的利剑!"查尔斯一把攥住她的手腕。

"我宁可变成魔王,也要斩断你对何莉莉的性冲动!"阿曼达举刀压向他的鼻尖儿。

"砰砰砰!"门外响起敲门声。

匕首停在空中,夫妻俩不约而同向房门望去。

门把手旋转一百八十度,门缝儿越来越大。一张青春脸蛋儿挤进门框。是凯瑟琳!一头金发披在粉色的睡衣上,两颊吓得惨白。

"凯瑟琳?没惊着你吧?"查尔斯宁肯跳楼,也不愿让女儿看到如此丑陋的打斗场面。

"老爸,老妈,星球大战该尘埃落定了吧?"凯瑟琳声音微弱,像是在二战沙场遇到两个德国兵。

"好好好,我宣布,无条件投降!"查尔斯说着松开阿曼达的手。

阿曼达把刀移到背后。"凯瑟琳,这儿没你的事儿。回屋睡觉去!"

"你们不休战,我只能藏在被窝躲枪子。明天我还得起早儿呢。"凯瑟琳眨眨蓝宝石般的大眼睛,缩脖退出门外,轻轻带上门。

"好啦,太太,别闹了。睡觉吧。"查尔斯使劲系系睡衣上的腰带。

"给我跪下!"阿曼达用刀尖儿挑起床上的抹胸裙。

"什么?"

"谁叫你为何莉莉脱裤子来的!"阿曼达一手握刀,一手套裙。

"谁给谁下跪呀?"

"还不低头?"阿曼达往前跨上一步。

"舔我的屁股吧!"

"嗖——"阿曼达挥起匕首,用刀尖儿一划他的脸皮,比削土豆皮还快。

"啊——"查尔斯扭头一躲,右下巴还是被刺了个皮翻肉裂。他用手一摸,满手是血。"阿曼达,你这条毒蛇,真下得去手!"

186

"你玩何莉莉,就白玩啦?你在我心上扎的刀,比你脸上擦的这点儿皮,可疼多了。没把你骗了,算你走运。你也该破破相了,省得再用白下巴勾引黄脸妞儿。"

"呸!你这个该死的女人!该死!"查尔斯跳脚大骂。

"该死的是你,无耻混蛋!我要是有枪,'啪——',一枪让你的脑门儿开朵红花!"阿曼达双手端起刀把儿,眯起左眼,瞄准查尔斯的大脑袋,食指做扣动扳机状。

"来,婊子养的,朝这儿扎!看你有多大胆儿,来呀——"查尔斯拍着胸毛,发出一声狮吼。

"你两腿之间夹的那个祸害玩意儿,早该割下来!"她举刀扑来。

查尔斯吓得推门就逃。

153

凯瑟琳从闺房冲出,在长廊拦住妈妈,把阿曼达推进次卧。

凯瑟琳又把查尔斯拉进健身房,找出急救箱;捏起一根棉签儿,轻轻把父亲下巴上的血迹擦干,贴上创可贴。

"这个婊子,我要告她!"查尔斯喘着粗气,像是刚打完一场世界杯比赛。

凯瑟琳把一只软软的小手封在爸爸的嘴前。"爸,小点儿声!"

"她毁容!"查尔斯拉开女儿的手,双手竖在嘴边,合成一个大喇叭,对窗外高声广播。

女儿用手掌使劲捂住他的嘴,让他发不出声儿来。"爸爸,轻点儿,拜托啦。"

查尔斯耸肩举手。

凯瑟琳这才放开手。"妈妈要是被警察抓走,谁照料我?"

"她就是我的火坑。看,这么大疤瘌,怎么见人?"他把下巴贴近长镜子。

"事已如此,你就饶了她吧。要不然,你扎我两刀?"

"扎你?还不如扎我自己呢。谁敢碰我的小天使一根毫毛儿,我的心脏就敢停跳五分钟。"

"爸爸,我爱你!"凯瑟琳拥抱爸爸。

"闺女,你还挺向着她的。"他抚摸一下女儿的金发。

"一个是老妈,一个是老爸,您说我站在哪边儿?你们俩打架,就跟我打我自己一样。爸,妈妈照顾这个家,挺不容易的。就别跟她较劲了。"女儿给爸爸倒杯矿泉水。

"她就是我的地狱！跟她多待一天，就多在魔界熬一天。当妻子污辱丈夫以后，她就必须作好离婚的准备。"查尔斯甩甩狮子头。

"爸爸，当初你跟妈妈结婚时，不是发过誓——不论发生什么事，都不离不弃吗？"

"不离婚？她是我的天敌。她给我的全是打击，全是泄气。我在她的漫骂、欺辱和伤害中，忍气吞声了二十多年。我一生中最黄金的时光，就在与她的争吵不休中消磨掉。她的脾气一天比一天大，弄不好哪天还杀了我呢。离婚，是通向幸福大道的唯一出路。"

"老爸，你不想让我生活在一个单亲家庭吧？爸爸，我天天都需要你的呵护。你要还把我当成女儿，就让这事儿过去吧。"凯瑟琳抱住爸爸的胳膊。

"不行，我早就受够啦。跟什么人待在一起，是活着的首要问题。我在大学教课，顶多也就签几年的合同。合同一到，不高兴就跳槽。就是签了合同，还可以违约呢。可是婚姻可好，一纸婚约，一签就是一辈子。两个人一结婚，就像判了无期徒刑。要想冲破婚姻这所狴犴，要么越狱，要么争取提前释放。人生短暂。夫与妻就是同一个牢房里的两个狱友，要在婚姻的无期徒刑中折磨到死。婚姻违反人的自由天性。人只要与别人在一起，就不自由，就发生冲突。连父子、母女都是仇人，更别提一男一女两个异己分子啦。两个自由的人被一张婚纸捆在一起，互相毁灭，浪费生命！我劝你别结婚。结婚就等于找个人跟你干仗。结婚就是找个出气筒！"查尔斯的伤口又渗出血来。

"爸爸，婚姻就是要满足个人私欲的。"她帮爸爸换个创可贴。

"婚姻使人的自私自利本性无限膨胀，又反过来压抑人的欲望。婚姻扼杀人性。我这辈子最后悔的事儿，就是糊里糊涂地结了婚。"

"爸，你后悔结婚，就是后悔生我。婚姻本身没有错，爸爸。婚姻不幸是人为造成的。人就是因为太自私，老索取，所有才平添出那么多矛盾来。学会让步，才是真正的英雄。对妈妈，能妥协就妥协吧。将心比心，其实女的比男的苦多了。家务活儿是座挖不完的大山。妈妈不但要上班，还要照顾孩子，打扫卫生，洗洗涮涮；要采购，要变着花样做一日三餐。"

"还不是她自个儿嘴馋？"

"甭管怎么说，这二十多年来，妈咪的压力一直很大。她帮你成就了事业，自己却一天天凋谢下去。"

"凯瑟琳，你知道吗？在这个世界上，我最恨的就是你妈！可是，最爱的又是她给我生的女儿。唉，既生凯瑟琳何生阿曼达？"

"傻爸爸，我的身体里，不还有你一半血吗？"

188

"夫妻就是一对拳击手,不把对手打趴在地,是不会收兵的。"查尔斯恨得把嘴唇咬出一个牙印。

"行啦,行啦,老爸。妈咪千不好,万不好,不是还给你生了我嘛。要对妈妈多一些感激之情,才能赢得她的爱心。她一拳打来,你就变成一团棉花。多给母亲一些关爱吧。当她需要帮一把的时候,你就伸伸手吧。当她孤独时,你就花时间陪陪妈妈吧。你还要巧言令色,哄她高兴。妈妈气顺了,不就万事大吉了吗?"

"我就是太顺着她,才把她纵容成恐怖分子啦。"

"爸,男人的天职就是让女人享福,即使献出生命也不在乎。爸,妈妈不就是划你点儿皮吗? 爸,我可不想失去你。天塌下来,也要以家庭大局为重。你要是离婚,最受伤害的人,就是我。爸爸,你不想让我伤心吧?"

"凯瑟琳,因为你,我是世上最幸运的父亲。在这个地球上,爸爸唯一能为谁去死的人,就是你! 不是我想离开这个家啊,是你妈她一拳一拳地往门外打我呀。好好好,闺女,爸爸知道你伤不起。回头我向你妈投降!"

"爸爸,我要一个健全的家。"凯瑟琳用左手的食指勾勾右手的食指。

查尔斯亲亲女儿的脑门儿。"好,我答应你。心肝儿,没事了,快去睡吧。当心明早儿起不来床。"

"爸爸,我爱我们的家,我爱我们的生活,我爱你!"凯瑟琳贴贴他的脸颊,悄悄摸进妈妈的卧室。

154

查尔斯溜回主卧,把房门反锁好,以防阿曼达杀个回马枪。

他揭开创可贴,把脸贴到镜子前。啊,鲜红的血肉从皮肤里翻卷出来,像卷心菜一样。他觉得憋屈。长这么大,从没吃过这么大的亏。小时候,总是我把别人打得头破血流。今天,我堂堂一须眉,却让一个娘们儿在面门上留下一刀"战利品"。我要是报官,这个蛇蝎婆娘不蹲班房,起码也得破上一笔钱财。可是,这不是自毁长城吗? 对女儿有什么好处?

他颓丧得一头倒在床上,心里这份窝火。当初没孩子时,她把我当成儿子来照顾,无微不至。可是家里一添人丁,她马上就把爱的优先权移情到自己掉的肉上。他一直处在失落状态,不但找不回受宠的优待,反而像美元那样越来越贬值。

离开她,成为生活的最大目标。她对我颐指气使,把自己当成女王啦? 跟这种刁婆子在一起,怎会有家的感觉? 干什么都得看她的脸色。一切以她的意志为转移。她动不动就大发雷霆,摔锅摔碗。我只能在她的淫威下苟且偷生,成受气包啦?这女人越来越狭隘,越来越刻薄;从早抱怨到晚,全是负面的,消极的;令人沮丧,让人焦虑,叫人愤怒。连凯瑟琳都受不了母亲的飞扬跋扈。

阿曼达在她父母的吵闹声中长大。她把她妈整她爸的所有招数照搬到我家。一山不容二虎。好啦,阿曼达要当老板,就让她当个光杆儿司令吧。坏女人就是一只拦路虎。阿曼达想让我守在她身边当牛做马,给她挣钱,给她剪草,给她修车,给她当苦力。呸,我不是她的长工。她怎么不体贴体贴我呀?反倒老想控制我、限制我、监视我、教训我,活像一个管教。让碎嘴婆子管着,跟坐牢有什么两样儿?

婚姻就是一场男女大战。所有的仇人都会渐渐自动退出历史舞台,唯有配偶这个仇人始终与你形影不离。旧恨未了,新仇又来;循环往复,无止无休。早晨打了一架,上午刚忘,下午再燃战火。这场战斗刚停火,下个战役又打响。仇人就在床上,看你往哪儿躲?这个持久战一直要打下去,除非离婚,或是死去。婚姻只能毁灭爱情,只有凯瑟琳和两个儿子是婚姻中仅存的硕果。

对啦,凯瑟琳怎么办?离婚就意味着抛弃凯瑟琳。想跟可爱的凯瑟琳享天伦之乐,就得跟可恶的阿曼达委曲求全。我要离掉阿曼达,就等于跟凯瑟琳骨肉分离。唉,失去凯瑟琳,就像自己活埋自己一样,就像被押赴刑场一样。不爽,不爽,真不爽!好事总是不能两全其美。

哎呀,干吗这么想不开!怎么跟个大男孩儿似的。不就擦破点儿皮吗?女儿的劝慰在他耳边响起。难道自己还没孩子知书明理?干吗跟阿曼达一般见识?他深呼几口气,心里数起数来:"1,2,3……"啊,幸运的是,我还结结实实地活着!连那些天王巨星都爬进棺木,再也不能与女人共舞。我一个普通人,还可以继续把性生活享下去,这是多大的"性"事。反正我也泡过那么多妞儿,也该让老婆出出气啦。阿曼达不就是个日落西山的徐娘吗?一个快到更年期的女人,能不发疯吗?阿曼达没什么可怕的,怕就怕她深夜行刺命根子。啊,匕首还在她手里。他双手捂腿。跟这种疯女人住在同一屋檐下,睡觉都要睁开一只眼。

当然,这一刀也不能白挨。她不是在我脸上刺字吗?那我就在她的心窝上多插几刀。何莉莉就是"战国匕首"。至少,想她都是一种慰藉。渐渐地,他又回到何莉莉的梦乡,一头扎进满是荷花盛开的池塘。

在次卧室，阿曼达手持匕首，跳脚高叫："查尔斯，你跟那个中国婊子，去死吧！"唉，刚才那刀扎得太轻啦，应该把他的大鼻子给削下来，看他还怎么跟何莉莉"性"福！

凯瑟琳进来劝道："妈，您就别再搞家暴啦。都什么时代啦？外遇算什么新鲜事儿？妈妈，男女不就是臭皮囊与臭皮囊的摩摩擦擦嘛，就像彼此握握手一样。只要爸爸的心在这个家里，就够了。"

"你爸爸爱的就是女人的臭皮囊。妈妈年轻时，他多爱我呀。我还不到四十，他就厌了。色衰爱弛。孩子，对男人，要格外小心呀。"阿曼达真怕女儿也有这么一个婚姻。

"妈，我会的。"

"好啦，凯瑟琳，我没事。你去睡吧。"阿曼达感到累极了。

"妈，你需要什么，随时叫我。"

"好好好，休息去吧。"阿曼达挥挥手。

"晚安，妈妈。"

"晚安！"阿曼达锁上屋门。

她抄起床头上的马爹利，拿着烈酒当水喝。黄色的酒水从嘴角流到脖子上，她的眼泪也跟着滑下来。酒与泪汇合在白胸上，把她的冷血熨热。

她挥舞战国匕首，像个女剑客，把空气当成敌人，胡抡乱砍。她越刺越热，脑门儿上冒出串串汗珠。她索性扒下抹胸裙，越舞越带劲。她身上起了火，比桑拿浴排的汗还多。她端起刀把儿，把匕首当成一杆步枪。"啪——啪——"，她变成一名女兵，右眼瞄准刀尖儿，连连虚拟射击。只可惜没有子弹上膛。

她拖出床下的仿真实体娃娃，这是她平时散心的壮男性玩具。嘿，做得跟真人似的，多像查尔斯啊。

"死吧！死吧！"她对着假人的左胸猛刺下去，一刀比一刀到位，以待来日在真枪实弹中一扎一个准儿。

第二天早晨，查尔斯胆战心惊去上厕所，瞥见阿曼达正在厨房里忙得碗碟交响。他溜进次卧，把战国匕首塞进裤裆。

191

第八章 美眉蹦极悉尼桥

网上新娘

他穿好西服，把匕首塞进公文包，刚要出客厅，阿曼达就笑呵呵迎过来拥抱。

"查尔斯，吃完早点，再去上班。"

"啊，谢谢，妈妈！"老婆不但不再提昨晚的事儿，而且还上赶着和好。看来她还是有悔改之意嘛。他的气消了一半。

昨晚那么一折腾，肚里空空如也。他转身进了饭厅，拿起餐桌上的三明治就往嘴里送。哇，真香！过去老有人问我最爱吃什么。我还傻乎乎答出一串山珍海味。其实，你最饿时吃的那样东西，就是世界上最好吃的东西。他越嚼越香。

他的嘴巴突然停止运动。嗯？怎么有点儿牙碜？他又嚼几下。嘴里进沙子啦？管它呢，先填饱肚子再说。他咽进一口，又去大嚼第二口。"沙沙沙"，嗯？到底是什么玩意儿，这么硌牙？他掰开两扇面包片，仔细检查里面夹的东西——番茄片、咸肉片、生菜、葱头，还有一片煎鸡蛋。哦，准是鸡蛋壳混进了鸡蛋。桌上有一瓶封口的冰镇矿泉水。他拧开瓶盖儿，大喝一口，把嘴里的食物送下食管。

他又吃第三口。"嘎巴"一声，咬着鱼刺啦？他掀开面包，用指甲刮刮抹在上面的巧克力酱。面包片的孔隙布满亮晶晶的小白点，被厚厚的古铜色果酱紧紧裹在里面。噢，是白砂糖吧。他捏起一粒，用舌头舔舔。不对味儿呀，一点儿不甜。他又喝一口晶莹剔透的矿泉水，只当漱漱口吧。

啊？味儿怎么这么怪呀？砒霜？哇，阿曼达给我投毒！

他悄悄把三明治塞进裤兜。见阿曼达从厨房出来，他赶紧掏出手绢，一边擦嘴，一边鼓起腮帮子做咀嚼状。

"怎么样，还可口吧？"

"嗯，好吃，真好吃！"他的声音发闷。

"来，再来一份！"

"不不不。没时间啦，我得走了。"他拎起手提包，深深吸口气。

"把水喝干净呀，别浪费嘛。"阿曼达递过矿泉水瓶，显得挺急。

"啊，肚子没地儿啦。我带车上喝吧。"他拧紧瓶盖儿，捏住瓶子头儿就往车库走。

她跟了出来。

"来，把院门帮我带上，妈妈。"他莞尔一笑，在阿曼达的脸上做个蜻蜓点水式的吻别仪式。

车轮一拐,查尔斯把汽车开进圣约翰医院。

"那些小颗粒呀,是灯泡碎末儿!"医生递给他一张化验单。

啊,我想起来啦。早晨路过厨房时,我好像看见阿曼达用意大利擀面杖来回压什么来的。啊,这个阿曼达对我进行慢性谋杀!

"矿泉水里有汞的成分。"医生又递给他另一张化验单。

啊?水银可以让男人成为废物。这个阿曼达,是想给我做"结扎"手术,切断我对莉莉的豪"性"呀!

不,没必要告她,不能让凯瑟琳受这个刺激。但是,我正好可以借题发挥,让她离我远远的。他没去上课,而是直奔法庭,申请到一份限制令,强制她跟自己至少保持一百米的距离。

158

查尔斯有了不回家的理由。他在父母留在悉尼的那座闲宅——霍歌家宅扎根落户,优哉游哉,与何莉莉高枕无忧。他一周只有八个课时。其余时间全泡在何莉莉身边,边拥她入怀,边把卢杰写的那份论文译成英语。

查尔斯尽享东方美人的柔情似水。这个从不干家务活儿的娇小姐,把俩人的吃喝洗涮全包在她一人身上。他的嘴唇一发干,她就捧上一杯冰鲜橙汁。他的脖子一扭动,她的绵软小手就把僵硬的脖梗子揉成软面团。

查尔斯觉得,这个小母猫让自己轻松愉快,有一种满足感。而家里那个母老虎只能叫自己疲惫万分,意兴阑珊。

159

邦迪海湾迎来太平洋的海风,把查尔斯引进冲浪的天堂。何莉莉坐在沙滩的坡顶,看梦中人在宽银幕一般的海面上滑来滑去。

地球是圆的,只有在这里才能得到真切的感受。坡度把蔚蓝色的海浪撑上白云。啊,澳洲之水天上来。她愿变成汪洋大海,任查尔斯这条大鲸鱼在她肚子里纵横驰骋。这个澳洲中年人健壮如牛,一身肌肉,比斗牛士还气冲牛斗。她听说澳洲人天性好冒险,还有一股永不言败的犟劲儿。今天算是从查尔斯的弄潮中领略到澳洲男性的雄风。何莉莉挥挥手,向查尔斯投

193

去着迷的目光。

在茫茫的蓝色海面上,查尔斯穿一身紫红色泳衣,宛如沙漠中的小红帆,在一片片排山倒海的白浪中一往无前。海面上空无一人,死一般的静。查尔斯没了,他掉进海里啦?"哗——"他突然浮出海面,对哭丧着脸的何莉莉做出一个鬼脸。查尔斯重新踩上滑水板,在颠簸起伏的海面稳跳平衡木。海浪拱到半空,再沉落下来,把他压入谷底。他像一条狡猾的小鲤鱼,在抛物线状的惊涛骇浪中钻出一个小空当来。冲天大浪一次次把他裹进漩涡。他一次次死里逃生,以胜利者的姿态向她招手振臂,游刃有余地驾驭脚下凶猛的海水。看啊,大海就是他的乐园。

何莉莉被查尔斯拉下海水,吓得趴在滑水板上不敢动弹。查尔斯像一条鳄鱼,驮上她就往浪里冲去。她用双臂套住他的脖子,任海浪如猛兽般打来打去。一个大浪把滑水板打到半空。俩人连成一体,从波峰坠入波谷;再冲回高峰,如坠楼一般掉进海谷。

她刚躲过一个小浪,又一个巨浪眨眼扑来。她来不及躲闪,面门被汹涌的海浪猛击一拳。海水灌进嘴里,把她呛得脑浆子发裂。她刚一抬头,更大的海浪把她压进深海。她在水里憋得发疯,死期说来就来?刚才她还爱海爱得死去活来,现在却要被咸咸的激流活活吞没。男人老说女人是祸水,而自己就要成为查尔斯的牺牲品。她后悔不该跟查尔斯冒险下海。

一只手伸过来,像是上帝的手。那是查尔斯的大手,一把将她拉出海面。她的小嘴刚一吸到海面的空气,又被查尔斯那口鳄鱼般的大口吞没。她闭上眼睛,觉得自己变成一条鱼,再也不能离开大海的怀抱。她一睁眼,美人鱼眼立即竖成一个惊叹号,从狂喜万分转成惊恐万状。

"啊!"查尔斯从她的瞳仁里看到一条大鲨鱼从身后游来。他背上何莉莉,趴回滑水板,展臂劲划。大鲨鱼张嘴狞笑,把尖利大牙伸向何莉莉的大腿。查尔斯连蹬两脚,踢得鲨鱼龇牙咧嘴。鲨鱼摇摇尾巴,又要扑来。"哗——"一个巨浪袭来,把鲨鱼卷成一堆雪。查尔斯拼命划水,像一艘鱼雷快艇,驮着何莉莉溜之乎也。一股股海浪推来,把他们冲上沙滩。

何莉莉抱住查尔斯不放,她的魂儿仍在海里飘摇。她觉得那条鲨鱼就是阿曼达,早晚要拿自己打了牙祭,吞进肚子,化成粪便。

"哈哈哈哈!"查尔斯大笑起来。

"笑什么笑!何时离开大鲨鱼?"她跳上海滩。

"不是已经逃出虎口?"

"侬家还有一条更大的!"

"噢,她呀,回头把她喂了鲸鱼!"

"一个没家的人，就是一个掉入苦海的人。"阿拉必须早日跟他成家。

"放心，莉莉，我就是你的救生圈。你呢，给我造一艘大船，装一大堆儿女。"

"那侬可要开好船，把一家人载入幸福彼岸哟。"何莉莉枕在查尔斯的宽胸上，凝视海里的一艘红船。

"我把你们带到昆士兰老家。一个乡里，就咱们一家人。绿坡上跑的，湖水里游的，全是咱家的孩子。"

"哇，cool！"

160

在霍歌家宅的大床上，何莉莉天天早晨留恋床笫。

"啊，晚啦！"查尔斯翻身下床，大白腿遑遑钻进黑裤筒，边往外走，边拉上裤裆的文明锁。

"老公。就让学生们等会儿好啦。"何莉莉没填饱肚子。

"好吃的慢慢品嘛。一会儿就下课。"他匆匆打好领带。

"等侬，老公。"她使劲吻别。

嘿，看他那慌手慌脚的毛躁劲儿，连笔记本电脑都忘带了。

"嘟——"，躺在写字台上睡大觉的笔记本突然响了一声。谁来的？干吗不趁机查查岗呢？

她掀开笔记本，点击两下，不由花容失色。一行不堪入目的汉字像悉尼同性恋游行的队伍一样拥上显示器："大鹏鸟，你就忍心让咱自我交媾下去？快扛着你的洋枪，穿过'性浮洋'，游回水帘洞，把咱荡到澳洲的邻家大院……"何莉莉打开附件，只见一张张毫发毕现的阴户直往她的眼里钻来。"啊！"她一头倒在键盘上。

她擦泪抬起头来。笔记本里不定还藏着什么见不得人的艳照。她连击鼠标，脱下一件件衣冠禽兽的外衣。电脑比人脑老实多啦。查尔斯，看侬往哪藏？侬没实话，笔记本替侬坦白交待。

哦，看这个贱货给他写的"黄书"："在客厅，咱是万众瞩目一贵妇；在厨房，咱甘当锅碗瓢勺大主妇；在睡房，自然就是'鸡'情四射的荡妇啦……"

啊——呸！

嗯？"圆圆"？就是"天上云乡"那个卖淫女？查尔斯居然养了一只"鸡"！看这些肉麻短信，全是身体写作那套玩意。每封信里还配有一张张臭不要脸的裸照。真是千姿百态啊。看她引颈受戮的姿势，活生生就是一只鸡！

阿拉还以为他逮到什么好鸟了呢。原来是这种黑乌鸦。阿拉还以为他在北京只是玩玩一夜情而已。没想到，他居然天天泡在"公共厕所"里。查尔斯，西服革履，白白净净，金发碧眼，看上去多绅士啊。实际上，藏在外表里的那些隐私比大粪还肮脏。

她打开另一视频附件，这回换了男主角。趴在"圆圆"身上的，居然是卢杰！啊？哦，这世上还有没有好男人？

人呀，何其虚伪。人在阳光下是天使，在黑夜里是魔鬼。阳光不能二十四小时照在人的身上，人就在阴暗角落坐马桶。虚伪正是人的本质。职工为金钱而上班点卯，却美其名曰"为社会作贡献"。商人首先想到的是雁过拔毛，却自己夸自己是"顾客至上"。将军明明要士兵为他们送死，却振臂高呼"精忠报国"。政客明明想当官做老爷，却口口声声说是"为选民服务"。男人首先想到的是三点式，却把自己打扮成"爱的使者"。女人明明最爱自己的孩子，却一口一个"老公、老公，我爱你！"在这点上，女人起码比男人诚实。女人起码还有神圣的母爱。这些臭男人，除了异性的下半身，他们真爱什么呢？

人活在虚伪中，活在欺骗中。人一生拼命作秀，就是为了演好一出"空城计"。难怪世上有那么多"表演艺术家"。人与人之间明明在做戏，可是表演得那份逼真，那份热情，那份单纯，真让戆徒感动。好话说尽，表里不一，言行不一，正是人的本来面目。人与人之间打交道，全是为了切身利益而骗骗骗！人们为得到想要的东西而闷头猛走，一条条弯路就这么走了出来。

查尔斯这个爱情骗子，这个大淫棍，真是一分钟也离不开女人！怎么办？爱阿拉的人，阿拉不爱他。阿拉爱的人，却又是个大众情人。阿拉的生活还有什么意义？何去何从？阿拉活着的支点，就是有个像阿拉爱他那样爱阿拉的男人。这个查尔斯是个"博爱主义者"，当然不会钟情于阿拉一个人。没人爱最可怜。没有爱的人生是无法容忍的人生，没有爱的生活是最最没有意义的生活。

在这里，自己身无片瓦之舍，只能在查尔斯的羊圈里转来转去。这个私人空间并不真正属于阿拉，只有公共场所出入自由。可是，连家里都不保险，出门就更加如履薄冰的啦。陌生人、恶犬、飙车，还有情敌，像被污染的空气一样潜伏在四周。坏人们，这一辈子拼命干的一件事，就是把自己装成好人。

啊，阿拉在这个囚室透不过气啦。今天，爱谁谁，阿拉要出去散散心，大吃一顿小笼包，庆贺自己的自由解放。

何莉莉用黑风衣包住身体,用墨镜遮上脸庞,再用一条黄纱巾裹上头发,形单影只地往久违的唐人街一步步溜达过去。周围没人注意自己。她一闪身,推开上海酒楼的侧门,要了两屉小笼包。

餐馆里食客如云,小笼包成了抢手货。老板娘笑呵呵给她倒上一杯香片,请她耐心坐等。墙上的山水电子表推着时间一秒一秒向前行进,她那蒙古包般的屁股随山水的转动在椅上扭摆。啊,又要尝到家乡的小吃啦。想一想都流口水。

门外突然传来嘈杂声。她的眼睛在墨镜里一斜,正如调好焦距的镜头。只见门口拥进一片饿狼,像一群蝙蝠。为首的小个子是华人。啊!她不禁打个寒战。那个溜肩的瘦猴,被一群学生簇拥在中间,怎么像是卢杰呀?

嘿,那个领班怎么往阿拉这边张望!爆棚啦,只有阿拉这个桌子还有空位。糟啦,领班把他们带过来啦。

"嗒嗒,嗒嗒……"看中间那人的罗圈腿,一走三晃,好像地不平似的。再看他的胳膊,一只不动,另一只摆得像个军人。不是他是谁?

她把头扭过去,给卢杰亮出后脑勺的黄纱巾来。

"坐,坐!"真是卢杰的声音。

"G'day!"嗯?有个澳洲学生坐在邻座,正跟阿拉用澳洲俚语打招呼呢。不理他。不要出声。

"亨利,贴一脸冷屁股吧。哈哈哈哈!"有人在嘲谑这个邻座。

"你我他仨!这么没礼貌的主儿,在澳洲真少见!"卢杰吭了声。

阿拉的小笼包怎么还不出笼?

"丹尼斯,别乱嚼舌头。也许人家是英语睁眼儿瞎。"

"噢,我怎么把这个忘啦!"

这群唧唧喳喳的大学生。

"杰,谢谢你高抬贵手,叫我们补考及格。"

"是呀,杰,谢谢光临答谢宴会。"

卢杰发话了:"亨利,你试试中国话呀。"

"你好,小姐!"邻座冒出的这句话,与其说是普通话,不如说是山东话。

"没反应。肯定是日本人。"

"要不就是南韩的。"

"也没准儿是越南人。"

"杰,我们光学中文,还是没法儿跟其他亚洲人沟通呀。"

"汉字!过去日本人、朝鲜人和越南人都用汉字。这女的也许识汉字。"卢杰给学生出馊主意呢。

"你好,小姐。这是什么字?"邻座又改说英语啦。

千万不能回头。决不能落入卢杰的手心。

"哎,这位美女达人八成儿是哑巴吧?"又是卢杰那阴阳怪气的声音。

"哈哈哈哈!"

这帮人肯定在看阿拉的后脑勺呢。不能再坐下去啦。

她一撅屁股,拔腿就走。

"嗨,小姐,你的小笼包!"

她闻到一股肉香味,却不敢回头,只是冲老板娘摆下手,便把袅娜的身子移出餐馆大门。

162

"何莉莉!"卢杰跑上街头,大叫一声,飞身便追。

亨利他们一窝蜂跟来。

"找黄纱巾!"

众眼睛随卢杰的话音广撒雷达网。

"上电车啦!"丹尼斯踮起脚尖儿大喊。

"冲!"卢杰像个黑老大,横着身子冲向一辆有轨电车。众学生如黑打手般紧随其后。

卢杰的手指头刚够到车门,电车扭身就跑。卢杰双腿紧捯,电车轮子越转越快。卢杰伸手抓过去,电车猛一转身,拐进有轨电车专道。

卢杰使劲朝电车的后屁股空踢两脚。

"出租车!"亨利拉开车门。

"追!"卢杰的手臂向前一挥,摆出"毛主席挥手我前进"的忠字舞雄姿。

出租车像一艘潜艇,从侧路紧紧咬住巡洋舰般的银白色电车不放。

163

跟踪三站地,卢杰仍不见何莉莉下车。他叫"的哥"加大油门,抢在电车前,直扑下一站的"情人港"。

卢杰像牧羊犬一样跳上电车站台,众学生似一群大白羊跟上。"瓮中捉鳖！宁可让车轮把她轧成照片,也不能为查尔斯作嫁衣裳!"

"别别别,杰,可别激情杀人啊!"亨利拉拉卢杰的胳膊。

丹尼斯一拍卢杰的肩膀。"不会,杰的拿手好戏是——谋杀!"

"哈哈哈哈!"众学生大笑。

电车徐徐进站,乘客像一片云一样从车门飘出来。卢杰他们把住三个车门,却怎么也找不到"黄纱巾"的影子。待电车变成一个小火柴盒,卢杰这才看到一位白衣女郎横穿马路的背影。

"那边呢!"黄头巾早就换成白色遮阳帽,黑风衣也变成雪纺连衣裤。卢杰率众学生从过街天桥包抄过去。"遮阳帽"沿小径往情人港"漂移",穿过一个螺旋状喷水池,又掠过一家家商家店铺。卢杰跑出马拉多纳带球晃人的碎步,离"遮阳帽"越来越近。

"遮阳帽"猛一横移,隐遁在前方建筑群的一个咖啡厅里。卢杰拐进过道一看,"遮阳帽"正顺着一座滚梯攀升而去。移到建筑物的顶层,"遮阳帽"停住不动,上下起伏。

"快! 她瘫啦。"卢杰的食指向上一指。

丹尼斯和亨利像两名冲锋队员,率先攻上,挡住"遮阳帽"的去路。

"遮阳帽"钩钩食指。两个澳洲学生像争抢头球的球员,两个脑袋一起往食指冲顶过去。"遮阳帽"双臂一合,丹尼斯和亨利像两个西瓜一样撞在一起。

"啊,笨蛋!"卢杰一跺脚,恨铁不成钢。

"遮阳帽"像只足球,朝前面的空中电车站长传过去。两个大个儿学生移动长腿,像是追赶一只即将滚入球门的"普天同庆"。

199

<h1 align="center">164</h1>

"遮阳帽"移至空中电车站的检票卡前,把手里的电子票插进去。两片黄色铁板像两把铁戟,架住不动。

丹尼斯飞腿冲来,手尖儿直往"遮阳帽"伸去。

"咣!"双戟霍然移开。"遮阳帽"一探身,刚跨进卡子,就被丹尼斯捏住脑后的宽边帽檐儿。

帽子滑落下来,露出何莉莉盘起的秀发。

"就是她! 别让她跑啦!"卢杰在丹尼斯身后大叫。

"咣!"战戟猛然变脸,挥臂一合,站回岗位,挡住丹尼斯的去路。丹尼斯朝铁面无情的卡子狠踢一脚,疼得原地跳起高来。

"刷卡！刷卡呀！"卢杰击掌大叫。

"没带！"

"闪开！"卢杰掏出钱包，把十几张卡片握在手心，像玩扑克牌一样搜索"王牌"。

"呜——"一列空中单轨电车像一头鳄鱼，忽地扑进站台。卢杰抬眼一看，何莉莉已经钻进车厢。

他低头一摸，终于抽出刷票卡。待他冲进站台，空中环城单轨电车像蝙蝠侠一般，一眨眼就飞进高高低低的群楼之间。众学生仰天摇头。

"我就不信，她能荡到天宫去？"卢杰朝空中猛挥一拳。

165

卢杰丢下众学生，顺一根铁杆从站台上滑下，在大街拦住一辆白色出租车。

出租车像颗卫星，紧随悬在半空的单轨电车转来转去。卢杰把头伸出车窗，往半空瞄去。只见何莉莉耳贴手机，嘴唇碰来碰去。她的眼神猛地朝卢杰俯冲下来，又一扬眉，把眼球升回空中。

"吱——"出租车的急刹车把卢杰的脑袋拉回车厢。红灯把出租车憋在路口。卢杰眼看空中电车不慌不忙进站停车，何莉莉的长腿从车门一闪而出。

绿灯一亮，出租车如一条龙一样左摇右晃。车水马龙让出租车腾云驾雾不起来。卢杰急得把用右手拇指把左手中指的骨节压得"咔咔"直响。

何莉莉的高跟儿鞋挪上一辆黄色出租车。

"跟上！"卢杰大叫。

一黄一白两辆出租车在悉尼大玩赛车游戏。

绕着绕着，黄出租车猛一调头，往相反的方向飞奔而去。白出租车扑个空，只得紧急制动。

"白痴！"车后传来一阵鸣笛和咒骂声。

166

黄出租车开到悉尼大桥的收费卡前，插翅难飞，只好老老实实排队，贴着前车的屁股走走停停。

白出租车突然出现在黄出租车的后视镜里。何莉莉的耳朵又贴上粉色手机。

白出租车左右串车道，像一条蛇一样摇来摇去，越靠越近。何莉莉慌忙合上手机。

卢杰跳下白出租车，冲黄出租车猛跑过来。

何莉莉往车座上扔下一张黄塑料钞票，推开车门，如逃犯般在车海里乱蹿。卢杰比警察抓小偷还豁命，从一个个车当子间飞身横穿。

"吱——"，一声刺耳的刹车声吓住他的脚步。一辆汽车向他冲来，拖出两道黑黑的刹车胎痕。

"啊——"卢杰双臂一压，把车头压在腿前。

"急着投胎呀！"司机探头大骂。

卢杰飞也似地蹦跳过去。他一回身，不见了何莉莉的踪影。

"哈哈哈……"卢杰循着笑声抬头看去，只见一行游客正沿旋梯往桥上盘旋。何莉莉就在队尾攀援而上。

他跑到售票口，交过攀桥费，伸出双臂，像只猴子一样节节攀爬。

何莉莉的紫色高跟儿鞋越来越近，卢杰唾手可取。高跟儿鞋又上一阶，让他一手抓空。再抓，右手刚够到鞋后跟儿，就用不上劲了。他向上抬腿，只觉得右脚沉得像是拖住一座大山。他低头一看，右脚腕子被一只大手紧紧拉住，手臂下吊着一个澳洲人。啊？是查尔斯！

哼，除了这个花流氓，何莉莉还能招来什么正经人。英雄救美？我让你们一起去见海龙王。

卢杰双手摽住扶手，像踢足球一样，左脚跟儿一磕，正中查尔斯的右手腕子。

"啊！"查尔斯松开右手，又伸出左手。

卢杰一转上身，像玩单杠一样，左腿一悠，尥开左脚上的大头鞋，照查尔斯的大脑袋一记劲射。查尔斯像只足球，从阶梯上一级级滚下去，一直滚到下面的平台上。

卢杰举头仰视，何莉莉的身影越来越小。他往手心里啐口吐沫，两手猛搓几下，奋起直追。

167

何莉莉马不停蹄往上攀去。一阶又一阶，白云离她越来越近，海水离她越来越远。她终于攀到顶层的第一观景台。海风越来越大，把她的长发吹得天女散花。她觉得自己就像身旁的澳大利亚国旗，只能任劲风把单薄的

201

第八章 美眉蹦极悉尼桥

网上新娘

身体吹它个左摇右晃。

脚下的游客正在旋梯上战战兢兢观光。她跳上旗杆座,使劲抱住栏杆,低头一看,海面在晃动。她一扭身子,衣兜里的钱包朝脚下的滚滚波涛直落下去。"啊!"她的心忽悠一下,只觉得心脏已随钱包一起拍在水面上,溅出生命的最后一朵浪花。

幸亏在上海的高层居民楼和蹦极跳台有过高空历练,她这才把心给拉回胸膛。是呀,跟上次悉尼塔的悬空体验相比,这点高度能吓住谁呀。她把手心出的汗擦在连衣裤上。啊,多有悬空感! 看,随风而流的海浪像一头头鲸鱼一样翻滚而去。"呜——"一艘紫红色游船汽笛长鸣,从自己的胯下徐徐爬过。甲板上的游客悠然自得地观赏两岸风光。"轰隆隆隆——",一列城铁像一队装甲车一般从大桥上浩浩荡荡驶过,把大桥震得浑身抖动。"嘀嘀——",五颜六色的汽车在大桥公路上连成几串流线,把悉尼的沸腾生活画成一幅立体境像。"嗒嗒嗒——"头顶上又传来机关枪扫射般的闹腾声;一架红色直升机像是土著人玩的回飞镖(boomerangs),在她头上旋来转去。

168

卢杰埋头爬得正欢,只觉一个人影儿像一片乌云一般飘上他的头顶。啊?查尔斯的大长腿率先站在第二观景台上。他肯定是抄了近道。卢杰稍一愣神儿,一只尖头大皮靴像个不明飞行物,"呼"的一声,朝他的脑门儿直飞过来。

"啊!"查尔斯,真孙子,就是让你撒欢儿射门,你也用不着使这么大的劲儿呀!

卢杰刚蹿上平台,又是一脚踢来。趁查尔斯金鸡独立,他低头一躲,一手揪住查尔斯的脚腕子,把他拉倒在地。

查尔斯飞腿把他铲倒,滚到他身上。他用力一推,又把查尔斯压在身下。查尔斯咸鱼翻身,又骑在他的肚子上。"啊——",卢杰刚要继续翻盘,却发现俩人已经滚到平台边沿。再滚下去,只能玩一回不带绳子的蹦极跳。卢杰把住栏杆。查尔斯一挥胳膊,直往他的腮帮子捣来。卢杰嘴角淌血,来不及招架,更狠的铁拳呼啸而来。啊! 他只觉得脑袋一震,两眼连放礼花。

169

何莉莉站在旗杆座上,平视远方。连衣裤被海风吹成一面小旗,像是在给国旗伴舞。

悉尼的景色多么令人心旷神怡啊。前面是瑰奇的悉尼歌剧院，像一群嬉戏的白鲸，也像是散落在海边的贝壳。海风拂面，天朗气清。只要跨过栏杆，她就可以投入蓝天，扑进大海的怀抱。

她不敢再动。她要最后看一眼活过二十七载的大千世界。阿拉的亲人呢？父母在哪里？查尔斯在哪里？他们会为阿拉祈祷吗？他们会为阿拉流泪吗？

170

卢杰在第二观景台上摇摇脑袋，只见查尔斯往上攀去。他撑起身来，一阶阶追上去，终于够到查尔斯的脚腕子。查尔斯抽腿想逃，卢杰奋力向上一跳，双手攥住查尔斯的右脚，在他的大腿上荡起秋千来。查尔斯伸出左脚，冲卢杰的天灵盖狠踹一脚。

"啊——"卢杰疼得从台阶上滚落下去，摔回下面的平台上。

171

"莉莉，我来了。快下来，跟我走！"何莉莉循声一看，但见查尔斯爬上台来，扶着护栏冲自己大喊大叫。

"何莉莉，敢跟他走，我就把他推下去。"卢杰摸到查尔斯的身后，拦腰一抱，往上一举，像个举重运动员，把查尔斯的上半身托出护栏。

"都别过来！"何莉莉迈出旗杆座的围栏，高跟儿鞋踩在外沿上。

查尔斯像个被批斗的坏分子，双臂倒背拉直，握紧栏杆，悬空大呼："莉莉，快回来！我没事儿！"

卢杰再往外挤一下查尔斯。"莉莉，你跟他走，还是跟我回家？"

何莉莉背靠栏杆，双手一左一右紧握杆头，一步步侧移出去。她的脚腕子一扭，一只高跟儿鞋像手榴弹一样飞到半空，往海里一头扎去。

"莉莉，别动！"查尔斯的大半个身子被卢杰推出护栏。

"何莉莉，别现啦。不敢跳，就趁早儿跟我回家！"卢杰把眼觑成一条细缝儿。

"莉莉，别中他的计！"查尔斯双手抱头。

"姓何的，有种，你就跳！你不跳，都不是我的人！"卢杰睁大圆眼，双眼冒光。

"莉莉,别听他的。他这是要你死呀!"查尔斯猛然一挺上身,回手一把锁住卢杰的脖子,往他肩上一压。俩人像相扑一样摔倒在平台上。

"躲开!都躲开!阿拉谁也不要!"何莉莉只觉得脑袋掉进炼钢炉。她本想大哭一场,却让熔岩烤得流不出泪来。

卢杰用胳膊肘朝查尔斯的肩胛骨猛击下去,正中他的麻筋儿。查尔斯疼得原地打滚儿。卢杰站起身来,照他的屁股狠踢一脚。"你这个人渣儿,都是你造成的!"

查尔斯来个扫堂腿,把卢杰撂倒在地。"你这个王八蛋,干吗把她骗到澳洲来?"

卢杰跳起身来,十指交叉,举过头顶,双手像一把镐头,向查尔斯的脑袋重重一夯。

何莉莉垂下眼睫毛一看,两个男人打得难解难分。

脚下就像山涧。她不想死,死亡就像这一百三十多米的落差。她爱查尔斯,可是她实在看不到俩人走进婚姻殿堂的希望。阿曼达就像一条鳄鱼,咬着查尔斯死不松口。卢杰也在悉尼编网,让自己寸步难行。没爱情,毋宁死!

查尔斯把卢杰撅倒在地,鞋底踩在卢杰的脑袋上,向何莉莉伸出一条长臂。"来呀,莉莉!"

围观的游客聚满平台,她感到无地自容。

她松松手,又往旁边移动一脚。另一只高跟儿鞋也不甘寂寞,急着坠落下去,到海里去找寻它的伙伴。连鞋都如此义无反顾,自己却耗在这里厚颜偷生。糗大了!不,不能再犹豫。越耗,就越下不了决心。胆小就别上来,站在这里就没有退路。

"没有下不完的雨!"有人冲她喊道。

"世界多美呀!"一女游客展开双臂。

"永不言死。活着就有成功的希望!"一男游客紧握双拳。

"好日子还在后头呢!"一对老夫妻齐唱。

人声嘈杂。

哈哈,阿拉成了众人的笑柄。啊,空气多么清新,海鸥多么自由。她低头一看,突见卢杰和查尔斯一左一右包抄过来,眼看就要够到她的脚后跟儿。

她血脉贲张,血液一浪高过一浪,直往脑袋奔涌上来。她敛心屏气,纵身一跃,有如跳水运动员一样弹跳起来,投进自由的空间。她的心脏失去平衡,似乎正往胸外蹦跳;人没落水,心早已沉进海底。五脏六腑已经迸向四面八方,整个身体也散开了架。

她正在升天,并没有落地的感觉。此时此刻,她才顿悟生命的宝贵。活着多好玩啊。上天呀,再给阿拉一次机会吧。阿拉定会百倍珍惜。查尔斯万一真娶自己呢。是呀,雨过天就晴,活着就有希望。干吗自掘坟墓?她想收住脚,可是双腿已经真切探到海水的冰凉。

172

阎超越来越觉得这案子不像他想得那么简单。他在案件分析图上画满问号。在这场生死较量中,阿曼达·霍歌与被害者的利害关系似乎比谁都大。这起命案很可能另有玄机,阿曼达才是最大的潜在嫌疑人。趁休庭良机,阎超敲开阿曼达的家门。

"霍歌太太,有人指证,你去过何莉莉的住宅。"阎超站在门口,使劲嚼着一块口香糖。

"何莉莉?我连见都没见过。对于她的死,我既震惊,又同情。这只能说,天下女子一般可怜!"阿曼达点燃一根"三五"烟,冲阎超的脸吐出一个烟圈儿。

"嗯,你很善良。测谎试验,敢做吗?"也许电子仪器能突破阿曼达的心理防线?

"我从不说谎,有什么不敢的!"

趁阿曼达摇头晃脑进卧室换衣服,他鼓弄几下客厅的电话机,往话筒里塞上一个小芯片,又就手把摆在门厅的一双十号男鞋塞进公文包。

173

阎超把阿曼达引进测谎室,在她的手指、上臂和胸围连上电极,接通测谎仪的电流。

"有证据显示,命案发生时,你就在杀人现场。"阎超的眼珠斜在测谎器的液晶显示器上,看上去有点儿对眼儿。

"没影儿的事。我天天在家做早点。"伴随她那女中音的嗓音,电频扫描图呈现忽高忽低的曲线。

"谁能作证?"阎超瞄着心跳频率和血压指数记录,皱起眉头。

"我女儿,凯瑟琳。当时,她就在家里。"曲线升至波峰。

"你找过何莉莉!"阎超的眼光又打回阿曼达的脸上。

"没有，从来没有。"曲线跌入波峰。

"何莉莉怀上查尔斯的孩子，你知道吧？"继续考她。

"不知道。"不及格。

"人是你杀的吧？"阎超诈道。

"不是！我连蟑螂都没杀过，更别说杀人啦。"分数低得不能再低啦。

"就是你！"阎超一听就搿了。

"我？我没！是她自己找死！"嘿，她说这话时测谎器给她打出一个诚信的高分。

"你咋知道？"阎超一按电钮。

"哦，谁也不愿当王八吧。"谎言只能蒙混一时。

"你没说实话。"扫描线上下起伏，阎超仿佛看到一颗乱蹦的心脏跟着上蹿下跳。

"不说啦。我什么也不说啦！"阿曼达闭目养神。

阎超一把撕下打印纸，递到她的胸前。"扫描结果显示，你的回答大有言不由衷之嫌。"

她猛然张开眼皮，低头扫视图纸。"我不懂你的意思。"

"测谎仪证明——你在说谎！"阎超伸伸胳膊，摆出一副准备缉捕罪犯的架势。

"你的仪器出故障了吧？良心证明，我的话全是真的。"阿曼达把右手贴在左胸上。

"看，测谎仪给你打的分数是百分之四，也就是说，百分之九十六是假话。机器不会制造谎言，说谎是人的专利！"阎超用食指一点自己的太阳穴。

"测谎仪唯一能证明的，就是它只是一台机器而已。除此之外，它什么也证明不了！快把你的老古董扔进垃圾堆吧。"她把打印纸揉成一团，扔进纸篓，就像扔掉一片卫生纸。

阎超低头寻思，测谎仪充其量是个试验工具而已，不被法官采信。是呀，多少真凶蒙过测谎试验。离把阿曼达送上法庭所需要的铁证还差十万八千里。唉，人啊，除了吃饭是真的以外，恐怕连睡觉都是假的。

"谢谢你的合作。"他只得把右胳膊举起来，朝她摇摇手腕，目送她把高胸挺出门外。

第九章 "就爱阿拉一天"

174

悉尼大桥下,玉花飞溅。何莉莉想与海里的鱼虾为伍,被无情的大海灌个水饱。她顿感自己并非海洋生物,还是在海面上呼吸更为自然。正当她大口大口痛饮盐水的时候,一只大手把她拉出海面。

"啊!查尔斯!"她看见一头金发浮在海水上。

"快,躺我怀里。"查尔斯伸过另一只手。

"啊,海水真咸。"她从没像现在这样感到空气的可贵。

"哇,你真够勇的。"他把双手插进她的腋窝。

"说,爱不爱阿拉?"何莉莉一急,又灌口海水。

"不爱,跳得下来吗?"查尔斯托住她的脖子仰泳。

"爱阿拉什么?"

"爱你不需要理由。"

"爱都是有理由的。"

"你最柔美。"

"那个袁媛,不更骨酥肉柔吗?"她又呛一口水。

"圆圆?还方方呢。"他躲开一个浪花。

"侬的笔记本,阿拉全看啦。"她不想跟他打哑谜。

"好呀,你侵犯我的隐私权啦。"一只海鸥在他的头顶鸣叫两声,像道闪,一掠而过。

"侬跟那个卖肉的,倒是一点隐私也不讲嘛。"她恨死那个袁媛了。是她害自己跳海自杀。

"哎,上帝作证,我跟她没有肌骨之交!"

"那次在'天上云乡',侬的骨头都露出来啦。"婊子无情,戏子无义。没想到大教授也这么矫情。看来说谎是人类自我保护的一种本能。

"我屡屡被她强奸,属于受害者。"

"哈哈,查尔斯,是猪不够'坚强'吧!"

"好,以后,比大鲨鱼的牙还尖、还强。"

"侬要再摆乌龙,阿拉就往鲨鱼的肚里钻!"对他这号人,必须以死相逼。

"我先拔掉鲨鱼的牙。"他说着往下一沉,只剩下蓝蓝的海平面。

"啊,救命呀!"看阿拉这张乌鸦嘴,可别真把大鲨鱼招来。

"哈哈哈哈。"他露出海面,胡卢大笑。

"坏!"她赶紧搂住他的臂膀。

"没有不坏的,只有坏得不够的。不过,跟我在一起,就是上'泰坦尼克号',也永不沉没。"

"哇,侬就是电影里那个杰克哟,侠骨柔情!"一个能为女人下火海的人,才是可以依托的男子汉嘛。卢杰那小子,不就站在桥上看哈哈笑吗?

208

"正好练练跳水。"

"哈哈。那个女色狼,袁媛,侬还理不理吗?"一个阿曼达还不够,又多一情敌。

"我要再理她,叫刺魟给扎死。"

"呸呸呸,宁可刺阿拉。"

"我刺你。"查尔斯用小肚子顶一下她的软屁股。

"嗨,阿拉的爱情,何时修成正果呀?"

"过了这阵子,我开'悍马'迎娶。"

"真的吗?"

"你跳、我也跳,不是真的吗?"

"噗噗噗噗——"一阵懒洋洋的喷气声顺风传来。"看,救生艇来啦!"她的眼神越过他的肩膀,看见一个小红点踏浪而来。

"等他们救命,早就游回南中国海啦!"

"哇!"大桥上传来游客的欢呼声。

何莉莉抬头向桥上仰视,只见卢杰向她和查尔斯投下两团火球眼神。查尔斯一把抱住她,边亲她的嘴,边抬眼冲头上的卢杰挥手。

"啊!妈呀!"何莉莉突然推开查尔斯。

她看见卢杰的身子像一座爆破的大楼,蓦地从桥上倒塌下来。

何莉莉觉得好日子过得就是快。白云从蓝天晃过的工夫,她又把查尔斯送到悉尼机场。

"给。"查尔斯放下行李箱,从钱包掏出一张金卡,塞进她手里。"随时提现。"

"听着,阿拉不卖。"她一挥手,把卡片打到地上。

"你想哪儿去啦?"他低头捡起信用卡。

"钞票就是妓女,在人的手里传来传去。阿拉不是鸡!"在金钱与爱情之间,她宁选爱情。

"你是我的无价之宝,我不过也就入'香'随俗而已。"他搂住她。

"阿拉要的是长相守,不是钱!"她推开他。

"就去三个月,说话就回来。"他又扑过去。

"那侬必须保证,这是最后一次!"她一躲。

"我发毒誓。如果我说话不算数,就让我从飞机上掉下来。"他把食指伸得老高老高。

"乱讲! 想让阿拉守寡呀?"她握住他的食指,把它弯回去。

何莉莉猫在霍歌家宅的"城堡"里,像个潜逃犯一样闭门谢客。还有几个月就博士毕业啦,不能再被卢杰逼上悉尼大桥。

何莉莉原本扁平的肚子渐渐鼓起一个小山丘。她默不作声,决定生下这个孩子。她一直祈望生个中西合璧的混血儿,一半流淌中国黄土文化的血液,一半流淌西方海洋文化的血液。任何单一的血液都不完美,只有混杂文化才是最佳的嫁接良种。查尔斯跟他的糟糠之妻就嫁接不出梨苹果。

离婚是人类追求自由、社会走向开放的一大进步。旧时代人言可畏,现在有什么可犹豫的嘛。西方人不是讲个人主义吗? 不是讲自由至上吗? 没想到,他们比中国人还不开窍,还死守不幸婚姻不放。人生短得就像打个盹,好就聚,不好就散。可是查尔斯居然不跟好的聚,反倒跟那个不好的伪装成一个好家庭。他们的不幸婚姻就像毒瘤一样,越早切除越好。

不离? 何莉莉摸摸凸肚子,笑了。只要这个"梨苹果"被阿拉培育出来,还愁他不离婚? 当就当查尔斯夫人。阿拉要独占他,要给他生一个足球队的孩子,一家人周游列国。等到老了啊,还要拉他一起看大孙子和孙女们……

"嘟——"

电话铃像个不速之客,打断她的遐想。一定是查尔斯啦。这趟,他的表现还不错嘛,三天两头就问候一声。她拿起话筒,脱口就说:"嗨,亲爱的,昨天怎么没打电话嘛?"

"我不是你的'亲爱的'。"电话里传来一个迟缓的女中音声。

"哪位?"何莉莉警觉起来。"我是你那位'亲爱的'的亲爱的。"

"谁?"话筒变成一颗炸弹。

"我叫阿曼达,是查尔斯的合法配偶。"

"啊?打错了吧。"

"我找的就是你,何莉莉!我记得,我们见过面。"

"阿拉的电话号头,侬怎么搞到的?"除查尔斯的父母以外,没人晓得这个电话呀。

"还用问吗?当然是查尔斯告诉我的。"

"什么?真的啦?"怎么?他真的离不开阿曼达?

"他把一切都和盘托出。"

"不可能。"查尔斯竟然出卖自己。

"查尔斯让我转告你,永远不再见你!"

"他说的?"他跟阿曼达毕竟有太多的共同利益。

"还有谁?"

"叫他亲自跟阿拉说好啦。"这个洋女人的版本可靠吗?

"你没资格对我丈夫提这种要求。我真弄不懂,查尔斯比你大十八岁,当你爸都有富余,你图他什么呀?"

"爱。"阿曼达没爱,当然不懂什么是真正的爱情。

"你爱的是他的金钱和身份吧?"

"俗不可耐!"看来西方女人更重视物质。

"查尔斯就是玩玩你而已。你跟他没前途,趁早离开。"

"这要看他舍不舍得啦。"

"他永远不会跟我离婚。"

"是吗?侬的婚姻名存实亡,不如早日让位,皆大欢喜。"嗯,看来这个女人在瞎诈唬。

"呸,只要我还有一口气儿,休想。"

"好,看谁耗得过谁!"这更能证实,她跟查尔斯的路就要走到尽头。

"何莉莉,你别逼人太甚!你偷了别人的东西,还想一人独吞呀。小心噎死!"

"什么叫偷呀?爱情的第一条件就是两相情愿。阿拉有追求爱情的权利。"这是一场争夺战,一定要击退对方。

"你在滥用权利。我没听废话的兴致。说吧,你要多少钱?"

"本小姐不是商品,不卖。"呸,老妖婆。

"呸,你以为你是什么东西?不过是只不值钱的鸡而已。先是骗你未婚夫的澳洲身份,然后又骗我老公的感情。骗来骗去,不就是一海外留学生吗?再赖在查尔斯身边,我就去移民局告你。"

啊,她这是想堵死阿拉的路呀。必须给她点颜色看看。"阿拉已经怀上他的孩子,有权留在澳大利亚!"

"拜金女,你还觊觎别人的财产不成?我警告你,敢生杂种,我就让你们的尸首漂到南极去!"

"好呀,侬在恐吓,这本身就是一种犯罪。"何莉莉气得使劲拉紧电话线,恨不能用电流把对方电死。

"你告我好了。我倒想看看,谁更怕警察!"

"澳洲是自由国家,侬想干涉恋爱自由?门也没有!"何莉莉心想,连中国都那么开放,侬在澳大利亚敢怎么样。

"可是,澳洲还是一个法制国家呢。你破坏婚姻与家庭,罪不容诛!"

"可惜,哪条法律也没规定,结过婚的人不准再爱别人,结婚不能离婚。" 211
婚外恋不犯法。

"你绑架道德,罪该万死!"

"更可惜,道德法庭永远不会在地球上开庭。"这个老妖怪,真是一个落伍于时代的活化石。

"那就由我来替天行道!"

"啪——"挂断电话的声响震得何莉莉耳朵发麻。

"嘟、嘟、嘟、嘟……"话筒里传来的忙音像是一串省略号,发出的似乎是一声声不达目的决不罢休的警钟。何莉莉怀疑心脏是否仍在正常工作。要是阿曼达狗急跳墙,去移民局告发自己,以至于行凶杀人,当初还不如不出这个国呢。不行,阿拉需要心脏复苏器!

"拜托!这种潜伏的日子,阿拉一天也过不下去啦!"她拨通查尔斯的手机,发出最后通牒:"限三天之内赶回悉尼,否则侬就收尸吧!"没等查尔斯答话,何莉莉就气得挂断电话。任凭查尔斯打爆电话,她就是不接。

177

案子似乎走进一个死胡同。突破口在哪儿？阎超急得在警署的办公室小跑起来，额前的盖头像锅盖儿一样在头上掀来掀去。一圈，一圈，又一圈。血液加速循环，脑袋也轻了许多。他的精神从没这么专注。脚下的红地毯越来越鲜艳。

他突然停住脚步，发现一枚大头针像个潜藏的敌人一样落在地毯上。他蹲下身子，把大头针捏起来，放进手心。他的脑子霍然打出一道闪，想起勘验现场那天，他曾割下一小块儿地毯。对啦，地毯上那个斑点到底是吗玩意儿？是不是血迹？他一连推开好几个正在通道侃大山的同事，跑到化验室，揪住法医怀特博士的衣袖。

检测结果出乎他的意料。这滴血的 DNA 化验指数与卢杰和查尔斯的基因都风马牛不相及。

212

178

阎超拉上怀特博士直扑阿曼达私邸，在她的耳朵上抽上一滴血。

"她的血样，跟地毯上那滴血迹，简直就是孪生姐妹。"怀特博士向阎超举示 DNA 基因图谱。

啊，核心证据！阎超给阿曼达戴上钢制的"手镯"，捎带脚儿从电话机里抽出一芯片，握在手心。

179

查尔斯坐在波音 787 上，漫不经心地翻阅《傲慢与偏见》。

他一向把女人当成一本书，一般是扫几眼就再也不碰。有趣点儿的才多翻几页。如果引人入胜，看完就扔。

每当我从书店或图书馆弄回几本书，那些图书沾沾自喜，还误以为我爱上了它们呢。可是，它们不是被束之高阁，就是连争宠机会都没轮上就被退还。

当然，在没得到一本书之前，他总会对这些书显出爱书如命的高昂热情。他最大的乐趣就是借了还，还了再换一本新书看。一个女人就是一本书，博览群书才能在女儿国这所大学拿到博士学位。然而，何莉莉成了孤本，一本百看不厌的另类奇书。一经拿起，手不释卷。

他把《傲慢与偏见》塞进前排座椅的背兜里，呆呆凝视窗外如海的白云。

他承认自己越来越在乎何莉莉。她的美德渐渐征服自己的花心。这两年风风雨雨，何莉莉始终坚守痴情。即使自己去北京，她也忍住寂寞，苦等自己。在二十一世纪，这样的痴心女郎还剩下几个？他本想玩几个月就收手，没想到这位东方女性如此忠诚、如此执著。他玩过那么多女人，谁在乎谁呀？脱了衣服，亲如一家；穿上衣服，走个照面都视同陌路。虽然他拥有过那么多的处女地，可是他内心空虚得寸土不留。

他爱女性，但不爱某个具体女人。他知道，她们也未必就真爱他。彼此在一起，不就是为了排泄一下吗？就像上厕所。网上情人比网名忘得还快。他每送走一名网女，都有一种沉入海底的寂寥感觉。他懂，占有身体并不意味占有心田。那些女人只能给他以生理上的短快。而何莉莉不但让他燃烧欲望，而且还能把血液烧焦。莉莉，我的生活被你点起一片激情大火。只有你，使我心灵高大，精神富有。他有点儿感动，觉得有责任当好莉莉的护花使者。

空中小姐为他捧上一杯澳洲红葡萄酒。

女人就像杯中酒，酒干就散席。喝来喝去总归一场空。可是，这个何莉莉居然让他长醉不醒。莉莉渐渐在他心中酿成陈年的酒，越品越有味；喝了这杯，还想喝下一杯。他对女人本来只有三把火的热乎劲儿，可这个何莉莉却像任天堂的"超级马里奥"，不但百玩不厌，而且越玩越上瘾；以至于饭可以不吃，觉可以不睡，可是不玩这个游戏可活不下去。这不跟吸毒成瘾一样吗？这辈子，恐怕戒不了她这个"毒"了。就想吻她，就想跟她做爱。爱的激情原来也可以用性维持下去。

他喝光葡萄酒。

不，不能失去这个美的化身。她那满含秋波的清澈眼神，她那如歌一般的甜美嗓音，她那烂漫活泼的可人性格，就是让人着魔。她身上具有一股万有引力，沾上就被吸入无底"性"福洞。

不行，不能让莉莉处于如此岌岌可危的境地。阿曼达是个敢想敢干的泼辣人。我把莉莉藏在父母家的深宅大院，肯定被她猜了个八九不离十。下一步，阿曼达就该登门"拜访"啦。必须赶紧杀回悉尼，火速把何莉莉转移出去。

213

180

救星到。何莉莉在高尚区的一个宁静地段,选中维多利亚林荫道的一套别墅,笑纳查尔斯的见面礼。

白白的围墙恰似朵朵白云,把紫红色房顶托到半空,让何莉莉升起一种天上人间的快感。在天堂的后院,她刚在网球场败下阵来,就把他推进泳池,追逐鱼水之欢。

澳洲水蛇与中国海蜇在池上池下展开激烈较量。澳洲水蛇企图把中国海蜇拖进漩涡,中国海蜇却像万花筒一样,在水里舞出千奇百态的花姿。

澳洲水蛇吼道:"我就不信,毒不死你!"

中国海蜇笑道:"在阿拉的软体里,侬的毒牙只能变成强弩之末。"

澳洲水蛇急叫:"我一记猛扣,把你抽死!"

中国海蜇慢悠悠作答:"阿拉轻轻一削球,侬发的力就白费啦。小心别闪了腰!"

214

"我是变形金刚!"

"进了高炉,侬只能化成铁水。"

"我勺子吊射。"

"阿拉圆月弯刀。"

"我打出速击拳,先发制人!"他金蛇狂舞。

"阿拉用太极笑迎,以柔克刚。"她慢打太极拳。

"我占领万物的起源地!"澳洲水蛇昂首高呼。

"上帝也要从起源地跪爬出来。"中国海蜇宣布。

"你就是我的起源地。"澳洲水蛇下跪。

"侬是阿拉的顶梁柱。"中国海蜇爱抚。

"你是圣诞之夜的大餐。"

"侬是春节五更的响鞭。"

"你是我的图腾!"澳洲水蛇臣服。

"侬是阿拉的真命天子。"中国海蜇回拜。

澳洲水蛇突地吐出毒钩子。中国海蜇一把捏住蛇头,叫它动弹不得。海蜇撑开伞体,把水蛇收进一个无底黑洞。澳洲水蛇上下挣扎,中国海蜇左右怀柔。

"天子,几时扶正的啦?"她靠在他的胸肌上,扮小鸟依人状。

"下次回来,立即转正。"他把她抱上岸,卧在池畔的躺椅上。

她亲着他的脸颊说："查尔斯，阿拉伯嘛，真的好怕。别回北京啦，好吗？"

"听着，宝贝儿，这是最后一次。以后，你就是拿炮轰我，我也坐怀不动！"他搂住她的上半身。

"不行。侬从北京回来，就见不到阿拉啦。"她心中升起一种行将灭亡的恐惧感。

"我发誓！要不，就让我从飞机……"

"呸呸呸。说点吉利话嘛。"他老是用发毒誓来软化阿拉的心肠。

"好啦，我要去机场了。"他把她抱进更衣室。

"看侬急的，人没上飞机，心先飞走啦！"她打开喷头，用手来回揉搓他的胸毛。

"我心只属你，谁也偷不走！"他冲脸冲头。

"阿曼达不就挺勾魂儿吗？"她自己也冲起身子来。

"她呀，连我的皮都勾不住。"他关掉淋浴喷子，用浴巾擦身。

"那，为何不离？"她用自己的浴巾帮他擦干后背。

"我跟她离婚，就像死亡一样不可避免。"查尔斯搂住她，用大灰狼般的大嘴堵住她的绵羊小嘴。

她一推他的胸毛说："几时？今天，必须给出时间表！"

"离啊——离，我这就离！"他拔高嗓音，语速迟缓，像是诗朗诵。

"别演戏啦。侬要真能做到，阿拉把脑袋割下来！"她一屁股坐在木凳子上。

"甜心，夫妻分居一年，法院才准离婚。我现在逼她离婚，等于与虎谋皮，只能坏事儿。"他坐下来拍她的后背。

"不行，阿拉等不下去啦。再不离婚，就嫁卢杰！"她站了起来。

"敢！再走回头路，连你带他，统统干掉。"他拉她坐回木凳。

"这么说，侬心里有阿拉？"她眼圈一红，声音哽咽。

"莉莉，与你这个窈窕淑女欢度明天，是我最大的好求。"

"怕只怕，再不珍惜，明天就没阿拉的啦……"她双手捧脸，啜泣起来。

"哦哦哦，小可爱，眼泪撑船啦。当上我媳妇儿，保你不下一滴太阳雨！"他抽出纸巾为她擦泪。

"哈哈，侬这个老开，就会玩八卦。"她破涕为笑，一脸柔媚。

"再骗你，就让我再没房事！"他的手抓在她的乳房上。

"呸，阿拉还不干呢。"她的残存泪滴闪闪发光，就像晨光下的露珠。

"那我就天天跟你做爱！"他亲她的脖子。

"阿曼达呢?"她依在他的怀里。

"等我回来,分居已满一年,我用离婚证换咱俩的结婚证。"

"婚礼怎么搞嘛?"她舒眉展眼。

"在悉尼歌剧院租个大厅,把亲朋好友全都请来,向全球宣布:我爱你!我要让三十亿男人羡慕你,让三十亿女人妒忌你。"

"真的? 就盼这一天啦!"她眯上眼睛,看到自己身披洁白的婚纱,与他共进婚姻的殿堂。

"对卢杰和阿曼达,躲为贵。活着才是王道。等我回来,我要的可是原装的你。"

查尔斯的嘱咐让她睁开眼睛。"放心吧,为了侬,阿拉也要好好活下去。查尔斯,其实,阿拉来地球走一回,别无所求,只求阿拉所爱的人,就爱阿拉一天,虽死无憾!"她一头扑进他的怀抱,热泪盈眶。

"什么一天呀! 爱就爱你一辈子。婚姻就怕占着一个配偶,心里却是寂寞的。说实话,除我女儿外,我跟谁在一起,都孤独。唯独你,我特踏实。"

216

"令爱?"

"对,凯瑟琳。我一直没离婚,就是舍不得女儿呀。"

"父爱如山,父爱如路。侬真是好父亲的啦。叫凯瑟琳过来,跟阿拉一起住好啦。侬女儿,就是阿拉的女儿嘛。"

"不行呀。你是我的另一个女儿,当不了凯瑟琳的老妈。"

"那么,就在阿拉和凯瑟琳之间,选一个!"

"我已经想通了。为了你,我什么都舍得。"

"真的?"

"还有,决不做伤害你的事儿!"

"查尔斯,阿拉要在肚子上文身。"

"文什么?"

"ICE(爱死)!"她喜极而泣。

"那我在心脏上刺三个字:ILOVELILI!"他哈哈大笑。

她玉体横陈,把他的手放在她的肚子上,想让他感受一下胎儿的蠕动。他却大玩儿帽子戏法儿,如一支读秒的航天火箭,还没数到零,就拔地而起,扑进蓝天的怀抱,在太空里尽情遨游。飞船越升越快,一节节燃掉,在宇宙化成一粒粒小原子。

她眼看肚皮鼓来鼓去,小宝宝又对她拳脚相加了。她摸摸肚皮,爱抚一下藏在里面的"小查尔斯"。宝宝已在肚里"隐居"多月,肯定是不甘寂寞啦。

"哇,发福啦! 减肥吧。"查尔斯拍拍她的肚皮。

"轻点嘛。又不是西瓜，小心给拍熟啦。"她推开他的大手。好，他竟然没察觉。等他下次回来，给他一个惊喜。

哦，阿拉与查尔斯的爱情就像肚里的这个宝贝，虽然几经风雨，却在悄悄顽强生长，一天更比一天强壮。

181

阿曼达在电话里跟何莉莉发泄完，心中郁郁不平。

自己口出狂言，不就是想出口恶气嘛。别说杀人，就是杀只鸡，我也下不去手呀。违规的事儿都不干，岂能干违法的勾当？

我从小就得不到父母的爱。他们从美国移民过来，忙着干自己的事儿，忙着跳舞，忙着性解放。十岁那年，父亲跟性伴侣在船上幽会，千杯万盏喝不够，一头折进汪洋大海。生父每天贪杯，工资还不够买酒喝的呢。这回，连他下辈子的酒，大海都给他备好啦。母亲一人养活不了五个孩子，只好改嫁。继父是个性机器。从十二岁开始，自己就迫不得已跟父母同睡一床。继父在母亲身上发泄完，便接着拿我作乐。母亲生怕失去继父，倒头装睡。她在乎的只是"性"福"钱"途，怎会在乎我的感受和安危？父母从小就欠我的，整个世界都欠我的。

直到十七岁考上大学，搬到查尔斯那里，才从继父的虎口劫后余生。从此也有了疼爱自己的人。没想到，好光景就溜得那么快。结婚没几年，查尔斯就开始移情别恋。一眨眼，狂奔到中年，越老越不耐看。而查尔斯却越老越成熟，越有阅历越有魅力，越是沧桑越有魔力。

过去，丈夫不过就是偶尔跑外尝尝"鲜货"，怎么也转不出家宅大院。这回，他恐怕真的叫这个中国小妖下了迷魂药。丈夫离自己越来越远，而那个第三者却跟丈夫越走越近。那个中国骚妇，抢走我的丈夫还不算，还要夺走我的家产，让我的孩子赔了爸爸又蚀财呀。什么比这招儿更毒？这不是逼人犯法吗？不见死神，那个黄杂种怎肯自动收兵？可是，给她掘坟墓，不也给自己打下一口棺材吗？我宁愿现在就死，也不能在暗无天日的女牢苦熬下半生。

上帝呀，我怎么办？快救救我吧！这个该死的查尔斯。我对他情爱甚笃，给他生儿育女，他却以此"报答"我！我要不跟他离婚，就出不了这口闷气。可是，失去查尔斯，还有什么奔头？中年女人最怕在婚姻上翻船。失去婚姻与家庭这两个肩膀，谁扛我的头？查尔斯不在身边，连个发泄的靶子都没有。

阿曼达像往常那样,从水果篮里挑出一根又粗又长的大香蕉。她拧开水龙头,像外科医生开刀之前那样,"哗、哗"冲上一遍又一遍;再用毛巾擦干,放进微波炉;一秒不多,一秒不少,整整转上四十一秒。这根香蕉就是查尔斯。她像抱自己的宝贝儿子那样,把香蕉塞进怀里。香蕉有如一列火车,缓缓起步,越开越快,在轨道上飞奔两个多小时。

我这是干吗?正值虎狼之年,本该与丈夫尽享性爱生活!可是,却自己拿自己当玩具玩。她盯着香蕉上的弯头发愣。查尔斯就有这么一个钩子,把自己勾得神魂颠倒。她剥掉黄黄的外皮,把白白的内瓤放在案板上,像切菜那样,飞刀切成一串细片儿。她还不解气,索性挥刀大砍,跟剁肉馅似的,把整根香蕉剁成烂泥。

人活一天少一天,本来就够亏的。再赶上这么个缺德玩意儿,吃里爬外,不更亏到家了嘛。我怎么能对他有好气儿?我必须找个出气口儿,我必须发泄出来。我要找他算账。我要把吃的亏找补回来。可是他不在我身边,我拿谁出气?

218　　只有酒能帮我消气。掉进酒杯,再让血液融些白面儿,何愁之有?白兰地一杯杯进肚,"冰"一圈圈地溜啊溜。哇,暴爽,我要死啦,我更想活下去。啊?为了一个中国贱货,为了婚姻里的一个叛徒,自己糟蹋自己,不是更亏吗?

她越来越昏沉,一头扑在沙发上,连睁眼的劲儿也没了。其实,什么亏呀,赚呀,有家就一有百有。丈夫没了,擎天柱就没了。什么这呀,那呀。活着就是福气。一个人的一生不过就是一天的光景。有人一大早就辞世;有的中午离开;能看到桑榆暮景的就算命大。我呢,不但要耗到最晚的子夜时刻,而且还争取挺到次日黎明。我要成为地球上最最长寿的人。

后悔来不及了。死神向她露出迎候的粲然一笑。

迷迷怔怔中,她觉得有一张鬼脸贴近自己。

"阿曼达,醒醒!醒醒!"

这不是查尔斯的声音吗?难道,他在地狱唤我?

182

等阿曼达醒来,发现自己躺在圣约翰医院的病床上。

"查尔斯,我还以为再也见不到你了呢。"她把眼珠斜到坐在病床旁的查尔斯身上。

"上帝派我救你,谁敢收你呀?"

"你不是在北京吗?"

"回来开个研讨会。"

"唉,你要不回来,我就躺在棺材里啦。查尔斯,你是我的命运之神。只要你离开何莉莉,我对过去的事儿既往不咎。"阿曼达侧身扭起肥臀,两条长腿显得分外修长。

"我一直在北京讲学,就是躲开何莉莉的纠缠。她呀,早从我的存储器里删掉啦。"查尔斯指指自己的大脑。

"没有备份?"

"连 U 盘都扔啦。在我的内存里,只有你和凯瑟琳。"

"我就知道,你是来看凯瑟琳的。也好,只要闺女牵魂儿,就证明你心里还有这个家。在网上交友,不跟玩电子游戏似的,玩玩就行啦,哪能当真呀?"机不可失,把丈夫拉回来。

"是是是。哎,俩儿子怎样?"查尔斯一拍手掌。

"科林刚大学毕业,正在一家律师事务所实习呢。哎,以后给我老实点儿呀。要不然,小心我让科林把你告上法庭呀。"阿曼达拉拉他的手。

"查理呢? 还是优等荣誉生吧?"他亲亲她的脑门子。

"还不是你给他的高智商。他本科一毕业,直接读博士。"她松开他的手,心里感觉轻松许多。

"多亏你一直照顾孩子们。"他拧开一瓶矿泉水,举到她的嘴前。"放心,没毒!"

219

"查尔斯,那天我气疯了,对不起你。以后,再也不干蠢事啦。这些日子,我经常回忆我们初恋的好日子。那时,我们多相爱呀。一天做三次爱;早、中、晚,一餐也不落。哈哈。"起码,我跟他在一起的日子,比那个婊子长得多。

"是呀,真疯。"

"那时候,你对我'爱'不离口。有了孩子以后,我们就开始打口水战,越打越伤感情。都怪我,锱铢必较。我就是个炸药包,擦个火星儿就炸。"向他认错,也是一招。

"是啊,内战打了二十年,第五次世界大战都该打完啦。哈哈。"

"现在,彼此吝啬得连个'爱'字都说不出口啦。其实,我们同甘共苦半辈子,就是仇人,也该熬成恩人了吧。打来打去,还不是咱俩最亲?"她喝口矿泉水。

"是是。我倒觉得,婚姻中的狗咬狗一嘴毛,正好长长男人的肚量。"他接过矿泉水,对嘴就喝。

"唉,爱还爱不过来呢,我干吗找茬儿跟你打架?打又打不散,离又离不开。还不如好好过日子呢。"要一步步向他点出婚姻的好处。

"哎呀,你可真想不开。不吵吵闹闹的,夫妻生活岂不太寂寞啦?"

"哈哈。我一想那些不愉快的事儿,就想打架。"

"小两口打架不记仇,有时越打越热乎。"

"就冲给你生仨宝贝,也对得起你吧。当然,你更是我的大儿子。我对你,对这个家,付出多少爱啊。爱是化解恩恩怨怨的良药。包容才能走到底。"向他摆摆功,让他多想想老妻的好处,也许能叫他回心转意。

"对,妈妈,走到底,走到底。"

"查尔斯,我知道你厌倦我啦。爱情是流星,是礼花一放。那个莉莉,只要一揭开嫁衣面纱,肯定比我还讨人嫌。可是,你对自己的孩子,永不厌倦。是不是?"

"这倒是。"

"婚姻的真谛不仅仅是爱情,更重要的是亲情。从我做起,给你亲情,给你爱意。"向他表表决心,从强势转成弱势。

"好呀,妈妈。"

"哈哈。你明明骑着一匹跟你最亲的马,却往那些豺狼虎豹身上跳。多少成功男人被小妖驯成爬行动物啊。别看超级大花瓶现在缠你,绝对是临时的。再过两年,还不是结发妻子扶你到老?"她直起身,坐了起来。

"对,冤家对头还老来伴呢。"他摸摸她的红发。

她把头歪在他的胸脯上。"老有所伴可以延年益寿。老了没人陪,闷也闷死啦。我发誓,像以前那样,全心爱你。当然,也希望你能像我爱你一样爱我。查尔斯,你要家庭,就别有情人。要婊子,就别要家庭。"

"我要家庭,妈妈!"他一挺胸,把她的头给顶起来。

她晃晃头发。"男女混在一起,起初都有性冲动。可是激情就像浪花一样,当不了自来水喝。暴风雨过去,还不是要恢复平静?不该得到的,终究要失去。五十岁之前,男人都是小男孩儿。你都'奔五'啦,也该长成一个真男人啦。"

"人生五十刚开始。我重新做人!"

"家多好呀,你可以跟凯瑟琳享天伦之乐,可以安心做你的学问。一出家门,男人就会意乱情迷。一个人只要事业,不要家庭,就缺了一个翅膀,能飞多高?一家人能在一起,就是最大的幸福。查尔斯,答应我,不要再找那个小朋友啦,行吗?"

"她呀,我是再也见不到啦。一会儿我就上飞机。"

220

"还回北京？"

"亲爱的，我向你保证，以后再也不续合同啦。"

查尔斯提上行李箱就走，慌忙中掉出一张照片。

阿曼达撑身下地，打个趔趄，倒在地毯上。她匍匐爬过去，够到照片一看，是何莉莉的黄种脸。笑得比野花还浪！

"嗡——"一架飞机划破窗外的白云，钻进寥廓的天空。阿曼达的绿眼神从照片移往飞行物，恨不能用目光把客机击落下来。

她爬回床边儿，跪起身来，抓起床头柜的一把水果刀，照着相片上的心脏部位狠狠剟去。一刀，又一刀，一刀更比一刀狠，直到刀尖儿深深戳进桌面。

<h1 style="text-align:center">183</h1>

女法官玛格丽特手拉轻便行李箱，像个观光客，迈着鸸鹋般的长腿，一步步向悉尼 A 区法院走来。媒体早已埋伏多时，呼啦啦如伏兵一般围截过来。

她冲记者们笑笑，比电影明星还耀眼。记者们扛着"长枪短炮"四面夹击，有的专把"准星"指向小箱子。她急步快走，不让这些电子玩意儿透视到箱里的一纸一字。她心如明镜，这个小箱子比一座大山还沉重。

玛格丽特已经收集到五千多页与此案有关的文件，比她读过的任何一部长篇小说都厚。现在，警方又有新证据，对霍歌太太提出指控。也就是说，卢杰和霍歌太太都有杀人的可能。一个杀人案，涉及两个嫌疑人，这在她当法官的生涯中还是头一遭。她决定由陪审团来断这个案子。

玛格丽特端坐在法官席上，先向站在门口四周的陪审团候选人群行注目礼，然后冲法官助理露丝点点头。她监视露丝把几十张卡片塞进一个黄木滚筒里，像手摇辘轳把儿一样使劲摇动把手。黄色滚筒飞转起来。待滚筒停下来，露丝掀开顶盖，伸手抽出一张卡片，念出一个编号和姓名。候选人应声往审判台前走来。

玛格丽特的旭日大眼在候选人、起诉警官和辩护律师的脸上扫来扫去。她准许控辩双方行使各自的法律权力，把看上去对自己这方不利的候选人给择出去。阎超高喊一声"后备"，就把他看上去不顺眼或是有点儿玩世不恭的候选人给剔除出去。

玛格丽特又往霍歌太太的辩护律师弗吉尼亚·戈登那边儿看过去，只见这位律师来回扭动麻秆儿般的瘦身子，对每个走过来的候选人一脸敌视。

玛格丽特怀疑这位女士是否减肥过猛。看她那张骨感的瘦脸下，竟然平添出一个男人的喉结。只要她的甲状软骨一动，喊出一声"否决"，那些正准备宣誓就职的候选人就只好原地后转，回到原位。玛格丽特知道，辩护律师专把一脸愤世嫉俗或是怒发冲冠的人给排除在陪审团之外。

玛格丽特耐心等待，只盼控辩双方都不吭声。这时，她才能把眼神聚到中选者身上，见证他们在法警面前手握《圣经》宣誓："我发誓，我将依法行使我的陪审员权力，不向外界透露任何有关此案的信息，并根据法庭上显示的证据做出公正裁决！"

被选中的陪审员威廉、多拉、蒂娜、弗兰克、郁华和斯蒂芬妮等十二人分成两排，端坐在位于玛格丽特右侧的陪审席上。玛格丽特把希望寄托在他们身上。陪审席的高度虽说只比自己的法官席低一点儿，可是法律天平的砝码就握在这十二位公民手里。看这些陪审员，就像坐在剧院包厢里的看客，对台下的警官、律师和被告坐山观虎斗。特别是坐在前排中央的那个名叫威廉的小伙子，用灰眼珠来回挑逗坐在被告席上的阿曼达，像是期待一场好戏的上演。

222

霍歌太太被她的律师包装成一副贤妇形象，从发型到衣装都与电影《音乐之声》那个音乐教师形同姐妹。还不是希望陪审团不要把良善公民与杀人罪犯联系在一起。

待最后一名被选中的陪审员落座，玛格丽特宣布："请警方公布所有涉及此案的当事人和证人。"

阎超对着文件上的一串人名单宣读起来。每念一个名字，都报上此人的职业、家庭住址和工作单位。"安吉拉？伍德太太，退休妇女，家住悉尼A区维多利亚林荫道七四六号……"

"各位陪审员，有谁与上述人员相识，或是有亲属关系，请把手举起来。"玛格丽特俯视陪审席，见没人举手，这才宣布："陪审团中没有需要回避的人。请控方出示证据。"

阎超念出一串数据后，向玛格丽特呈上一小块带血珠的地毯及其DNA化验结果报告。"警方在杀人现场勘察的这块血迹，经圣约翰医院的科学鉴定显示，其染色体的分子排列组合与阿曼达？霍歌太太的血液遗传密码相差无几。这足以证明霍歌太太当时就在犯罪现场。两个情敌面对面遭遇在一起，发生了一场激烈搏斗。由于霍歌太太有备而来，何莉莉最终惨死刀下，香消玉殒。"

"辩护律师要说什么？"玛格丽特的紫罗兰眼睛遇到弗吉尼亚的腰子形眼睛。

"什么相差无几？大了去啦！根据这份 DNA 报告显示，这项有七组排列程序的 DNA 比对指数，只与我的当事人的血液指数有四组序列相合。也就是说，有四万五千分之一的误差。此证据并不具有唯一性。因此，警方对我的当事人的凶杀嫌疑指控，根本不能成立。"弗吉尼亚的喉结跟随她的慷慨陈词上下滚动。

阎超把卷宗放在桌台上。"这项 DNA 的检测表明，这滴血，不是霍歌太太的概率比飞机撞上小鸟的可能性还小。这个干系，霍歌太太是脱不掉的。"

弗吉尼亚的眼神射出一道宝石般的聚光。"哪怕是有亿分之一的误差，也属于证据薄弱。这种误差所要付出的惨重代价，是一个无辜公民的永世蒙冤。我们决不许这种冤案发生。前些日子，刚发生一个贻笑大方的案子。一个父亲带儿子去一家医院做 DNA 亲子鉴定，检验报告声称不是他的亲儿子。这个父亲不甘心，又跑到另一家医院复查。你猜怎么着？得出的结论正好相反！你敢说 DNA 就完全靠得住吗？"

"噢，那个案子呀，我知道。是验血标签贴错了，跟 DNA 的准确性毫无关系。"阎超闭下眼皮。

"这就更可以证明，任何意外事故都有可能发生。谁又能证明，霍歌太太的验血报告就百分之百准确呢？这四万五千分之一的误差就是最大的问题。医疗署最新统计报告显示，医院张冠李戴占医疗事故的百分之三十以上。因此，这项验血报告不足为证。"

玛格丽特看了一眼 DNA 报告。"这项血样比对，本庭可以采信。"

弗吉尼亚点点头。"好的。不过，我要请教警官先生，警方是如何采集到这滴血迹的？"

"本警官进入案发现场后，于第一时间连它带地毯一起切割下来。"

"戴手套了吗？"

"当然。"

"还收集到其他物证了吧？"

"是的。"

"换手套了吗？"

"换吗手套？"

"也就是说，在采集物证过程中，你始终戴着同一手套？"

阎超停顿一下。"想不起来了。"

"法官大人，警方在收集证据时犯下可怕的错误。办案警官不等法医小组到来就剪下地毯，极有可能破坏犯罪现场。取证不同样品，需要及时更换

223

手套。警方连这一起码的取证规定都不遵守,采集到的血迹很有可能遭受污染。不严格的证据收集方法会导致走样的 DNA 检测结果。因此,这一血证不足为信。证据不足,就是无罪!本律师请求法庭当场释放霍歌太太!"弗吉尼亚的眼球一斜,像只打进球网的台球。

224

第十章　夺命私生子

184

查尔斯回北京后,何莉莉在新居又过上独居宅女的静日子。除了吃喝和睡觉,她把时间全用在修改论文上。预产期一天天逼近,她要赶在孩子出生之前把论文画上句号。

经过一圈圈马拉松冲刺,她按时交上论文,顺利从院长弗雷泽手里过关。校学术委员会把她的论文寄给两个海内外专家审核。她和查尔斯都胸有成竹,不出意外,她的博士梦将于近期成真。查尔斯已经把她推荐到一所大学,只等她拿到博士学位,就可以走马上任。技术移民也就不在话下。那时她再也用不着对卢杰和阿曼达退避三舍。都是澳大利亚公民,看他们还敢怎么样?

她的生活突然闲暇下来。这里的人本来就老死不相往来,何莉莉更是不敢主动结交朋友。她陶醉于澳洲的清静,却又不堪澳洲的寂寞。亚当和夏娃,现在只剩下自己孤身一人。

她朝迎日出,晚送日落,盼望查尔斯早日归来,也盼望肚里的孩子如期呱呱落地。这辈子,最大的任务就是当个母亲。除孩子和爱人之外,一切都是过眼烟云。

185

何莉莉每天傍晚在小溪两畔散步。

小溪转出九道弯儿,像是曲折人生的写照。白天刚下一场大雨,雨水"哗啦啦"向远方流去,奔向大海。

一轮明月像个大足球；随着脚步的移动，一会儿横在她的头上，一会儿在她脚下滚动。澳洲的月亮就是比中国的大，好像也圆得多。是澳洲的大气污染少？还是视差错觉所致？澳洲的天看上去又低又近。晚霞似乎垂手可得，紫蓝的天空像是戴在她头顶的大帽子。她记得，中国冬天的太阳小得像个小火柴头，而这里却像个大烧饼。悉尼四季如春的宜人气候，真舒爽呀。

查尔斯此时也在赏月吗？中国的月亮此时是圆是缺？倘若明月共此时，那就真是一家人啦。怕就怕他正在跟别的女人鬼混。彩云为圆月蒙上一层帷幔。啊，月亮不见了。云彩像圆月上的表针一样徐徐移动，缓缓为月亮的脸庞揭开面纱。啊，这一秒，多么令人欣喜若狂呀。她停住脚步，仔细观察圆月里的阴影。明月再亮，也抹不去这些灰斑。这一瞬的美妙，正在一秒秒逝去，几时跟查尔斯共享？

她伸出纤细手指，揪一片树叶；蹲下身来，把它轻轻放在水面上。树叶似一片小舟，随波顺流而下，渐渐漂成一个小点儿。她又掰下另一片叶子，再一片，一片一片送入水中。她望着远去的树叶，仿佛看到青春的尾巴，正像一条小鱼一样越游越远。一切终将逝去。此刻的良辰美景转眼就成为过去时，再也变不回现在时。即使镜头能把眼前这番美景拍照下来，这一瞬还是一去不还。也许，这就是人生吧。盼吧，查尔斯早晚有回来的那一天。

小溪两旁被树林包围，静得让她惊悸起来。只有天籁之声，连声狗叫都听不到。她起身迈上小径，继续往前溜达。家家宅门紧闭，像是劫难临头。难道有外星人入侵，吓得人们都逃往北半球？

突然，前面的树林传出瓮声瓮气的英语，活像鬼话。是阿曼达？她原地向后转，三步并作两步往回溜。那两人紧随其后，吓得她浑身的皮都快脱下来了。她快，那两人也快。

"嘿，你，臭娘们儿，中国来的吧？"

"待在这儿干吗？滚回去！"

两个阴阳怪气的噪音像两颗手榴弹，砸到她的后脚跟儿上，在她的后脑勺轰然炸响。

"上帝保佑！"她一说这话，两个大汉方才放缓脚步，拉开距离。

"查尔斯，快回来，快回来吧！"她一进屋就冲查尔斯的照片大哭大叫。

186

这天晚上，何莉莉正在新宅的客厅看电视，忽觉腹下有一股清泉源源喷出。

她疼得在沙发上捂住肚子,滚来滚去,一直滚到地毯。她觉得空气越来越稀薄,呼吸越来越急促,成为一条被渔民捕获的网中鱼。啊,上帝,救救阿拉吧! 啊,主啊,给阿拉力量! 阿拉还年轻,不能这么早死掉。

地球像个大坟场。谁能掐住死神的喉咙? 就在此时此刻,一批批新生儿如一只只登陆菲利普岛的小企鹅,争先恐后挤上地球。也有一群群老死、病死、饿死或是死于非命的新鬼泥牛入海,无可奈何地从地球上坠落下去。难道,轮到阿拉啦? 人人都要掉进死亡之谷的万丈深渊,人人都要跳进死亡之海的湍急漩涡。气流把她的躯体大卸八块,急流已经一口口呛进她的嗓子眼。

她够到手机,却没有拨打急救电话的勇气。自己一人跑到医院,生下一私生子,多坍台(丢脸)的啦!? 查尔斯不在身边,怎么跟医院开这个口呀? 该死的澳洲,连个亲戚都没有。不行,一定要找个朋友送到医院。车,阿拉是开不了啦。找谁呀? 自己的大肚子都保密到今天,岂能让那些大嘴给广播出去? 要是让阿曼达察觉,非宰了阿拉不可。

火烧眉毛啦! 手机只存有一人的号码——卢杰! 不,不能求他。卢杰正在四处追捕自己,岂不自投罗网吗? 她感到自己正躺在一朵荷花上,四周全是水。啊,大陆在何方? 难道,就这样困死在澳大利亚这座孤岛?

羊水继续流淌。鱼被打捞上岸,她觉得自己挣扎不了几下了。与其这么无声无息地死去,还不如抓下卢杰这根救命稻草。曾经"夫妻"一场,他怎么也不能一点儿旧情不念吧?

也许,卢杰不像自己想象得那么可怕。是自己的畏惧心理夸大了他的威胁性? 更何况,听说卢杰已经晋升副教授。他为人师表,怎么也不至于加害孕妇吧?

187

卢杰用"捷豹"把何莉莉送到圣约翰医院,以家属的名义帮她办下入院手续。

护士找他登记新生儿的姓名。

卢杰看着双目紧闭的婴儿,脱口而出:"就叫奥利弗,意思是'安静的人'。不是吗?"他真希望这个小男婴永远缄口不语。

护士问起父姓,卢杰也自作自主张地赐这孩子一个"卢"姓。

第二天,卢杰提来一大堆营养品,放在床头柜上。"好好补补身子。"

"卢杰,谢谢侬救了阿拉。"她的脸色有点儿像清香型"舒肤佳"。

"一家人嘛。"卢杰越发觉得她是一个冷美人。

"侬,还恨阿拉吧?"

"看在爱的份上,我谁也不恨。恨人就是恨自己。"卢杰食指指天,像是在课堂上海人不倦。

"哇,侬变啦,越来越通情达理的啦。卢杰,尽管阿拉离开了侬,可是侬仍是阿拉最好的朋友。"

"查尔斯往哪儿搁呀?"他坐在病床旁的沙发椅上。

"他嘛,是爱人。"

"莉莉,查尔斯一直不娶。你干等下去,熬到哪天是一站呀?"他用双手捂住她的一只小手,像是逮到一只蛐蛐儿。

"看看,又来啦?"她的手逃出他的手掌。

"我把你接到澳洲,可不是看你往坑里掉的。"他露出一脸人道关怀般的干笑。

228

"他回来就跟阿拉结婚的啦。"

"你临盆,他都不露一面。你信他的片儿汤话?"你说这上海妞儿精吧,可她经常聪明反被聪明误。

"他脱不开身嘛。"

"人乐意把希望当成真的,以至于拿着临时当永久,这正是你的'杯具'所在。"要一点点敲开她的脑壳。

"不,卢杰,这回他动真的啦。"

"一个拈花惹草的人能对谁动真心? 他哄你开心,还不是为了身体占有。"开导学生,必须循循善诱。

"哎呀,讲话不要这么村野嘛,好不啦?"

"能让你幸福的人,不一定是可靠的人。"她的脑子还得使劲洗。

"凭女人的第六感觉,他铁定娶阿拉的啦。"

"就算他想娶你,他那个刁老婆也不干呀。你跟他,是在沙土上造房子。"那就对她使用暗示疗法。

"卢杰,咱们不讲这个啦,好吗?"

"莉莉,回来吧。我保证不嫌弃奥利弗,像亲爸爸那样善待他。"说这话时,连他自己都怀疑是否真有如此博爱心胸。"他是你儿子,也是我儿子。以后咱们再有我们自己的孩子……"

"卢杰,要想做朋友,就尊重阿拉的选择吧。"

卢杰刚要说什么,手机突然响起来。"喂,你好,阿曼达? 啊? 我在圣约翰医院呢。啊？不是不是。我现在说话不太方便,拜拜。"

"阿曼达？她正在到处追杀阿拉。侬,却通风报信!"

"没,我没有!"

"侬出卖阿拉,是想让她杀掉阿拉!"

"我从不出卖灵魂。"

"侬都把医院告诉她啦!"

"我发誓,根本没提你半个字。"

"她最恨这个孩子!"

"哎呀,我怎么就没过过脑子呀! 不怕! 有我在,看她怎样!"

"不行! 阿拉这就出院!"何莉莉"腾"地一下坐了起来。

"你干吗那么怕她?"

"她,她放过话,要是生娃,母子都杀!"何莉莉抖得跟打摆子似的。

"那不就是吓唬吓唬人嘛!"

"人命关天,阿拉宁肯信其有,也不能掉以轻心。阿拉去冲个凉。卢杰,最后再求一件事,快办出院手续。"何莉莉套上蓝白条病号服。

"好好,我帮人帮到底。"

"快去呀!"

188

正值午餐时间,卢杰来到接待台,空无一人。他坐等十来分钟,坐得屁股直发麻。不行,不能再耗下去。他像个侦察兵,在纵横交错的楼道四处寻找医护人员。

育婴室一片寂静。一个身披白大褂的女护士抱起一个婴儿,像是要给婴儿喂奶。奇怪,护士手上怎么还戴着手术手套? 卢杰踮起脚尖儿,朝门口迈前两步,视线够到护士的侧脸。啊? 护士帽下是一张杀气腾腾的脸——阿曼达!

阿曼达的绿眼珠子凸出眼眶,几乎掉在奥利弗那张天真的娃娃脸上。

嗯? 看来她真要大开杀戒?

绿眼神向婴儿劈去一道寒光,自言自语:"丑八怪! 比沙皮狗的褶子脸还老气。这种怪物,看一眼都叫人膈应,根本不配活在世上!"

她可真能胡呲。看奥利弗那双钻石亮眼,就像划破夜空的星星,多纯啊。

"呵呵!"奥利弗的眼珠突然一动,嘴角一翘,居然冲阿曼达笑了一声。

阿曼达的心再阴暗，也该被喜兴的小天使照亮吧。嗯，她还真笑了一下。怎么说她也是三个孩子的妈妈。孩子都是可爱的。她的孩子当初也这么笑过吧。那一笑是对母亲怀胎十月的最好回报。

啊？不对，她的笑也许是一种条件反射。看，她的脸又阴沉下来。

"小孬种，想加入霍歌家族的行列？呸！"阿曼达的青紫色眼睛越来越红，把攘子般的指甲伸向奥利弗的细嫩脖子。

"住手！阿曼达！"卢杰的喝声把阿曼达吓得直抖身子，险些把婴儿抛出怀外。

"啊？杰，你好。"阿曼达转过身来。

"你要干吗？"卢杰大步跨过去。

阿曼达缩回手指，在奥利弗的脸蛋上轻拍两下。"噢，我来看看新生儿。还别说，长得真够可人的。"

"好啦，你走吧，这儿没你什么事儿。"卢杰一把将婴儿夺过来。

"怎么？杰，我们的攻守同盟，忘啦？"阿曼达摘下护士帽。

230

"那也不意味着杀人不眨眼吧。"卢杰脸色铁青。

"这个祸苗子，现在不除，以后就会坑家败业！快，动手！"阿曼达又把白大褂脱下来，连同帽子一同塞进挎包。

"我可下不去这个手！"他把婴儿放回婴儿车里。

"小袋鼠，何莉莉背叛了你，你倒替她保护情敌的孽根！你忘啦，我们可是除恶知己！"

"我尊重生命。快走吧，叫大夫看到，你的罪过就大了去啦……"

"嗨，你们好！"正说着，一位护士迈着轻盈的步伐跳进来，热情打招呼。"请问，哪位是宝宝的家长？"

"他！"阿曼达瞪一眼卢杰，大步迈出房门。

卢杰赶紧接过话茬儿："啊，我是来给奥利弗办出院手续的。"

"什么？出院？这个宝宝昨天才出生，怎么也得观察三、四天才能出院。"

"啊，是吗？那我再跟孩儿他妈商量商量。"

189

卢杰大步回到何莉莉的产床。

"孩子呢？"何莉莉已经换上毛衣。

"护士不让出院。我也觉得你应该再养几天。没事儿，阿曼达已经滚啦。"

"什么？她真来啦？"她披上外套。

"刚让我给轰走。"

"来者不善。好啦，卢杰，侬忙去吧。"她站起身来。

卢杰看眼手表说："哎哟，我还真得上课去了。好，多保重呀，我下课就来。"

"好，快走吧。"她冲他的后脑勺挥挥手。

190

何莉莉直奔婴儿室。

见室内有位母亲正在哺乳，她冲澳洲人假笑一下，朝正在喝奶的婴儿说了一句："真纯！"

"谢谢。"澳洲人冲她憨然一笑，又低下头，欢喜端详怀里的婴儿。

何莉莉盯着澳洲人，挪到奥利弗的小床前，抱起来就走。

"回家啦？"那母亲抬头就问。

何莉莉吓得两腿一发软，几乎跪下。她停住脚步，小心回过头来，眼神闪出一丝慌乱。"啊，啊！"

那母亲笑笑，低声从牙缝儿挤出一句："哇，你算'出狱'啦。祝你好运。"

"侬也是。"何莉莉把中指搭在食指上，拔腿溜出妇产科。

231

191

在医院的停车场，阿曼达站在一辆本田车旁，正跟卢杰大吵大闹。她一扭头，只见何莉莉怀抱婴儿，欠身钻进一辆黄色出租车。

阿曼达一推卢杰，低头钻进本田车，掏钥匙打车。卢杰扑上汽车前盖，挡住阿曼达的去路。阿曼达加大油门，汽车如离弓的箭一样往前冲去。

卢杰死抓雨刷子不放，两条腿在车头左右打秋千。阿曼达猛一打轮，再踩一脚急刹，将卢杰甩下车头。卢杰顺势一滚，拉开副驾驶座的车门，闪进汽车。

阿曼达冲出停车场，左右扭头，捕捉黄出租车的智能顶灯。

192

本田车的超宽轮胎在坚硬的柏油公路上疾速转动,死死咬住前面的黄出租不放。

出租车像个狡兔,让猎手屡屡失手。狡兔一扭头,拐进一条小巷。本田车扭身侧滑,轮胎跟着发出"吱——"的尖叫。橡胶轮胎与路面亲吻得过分猛烈,摩擦出一股股青白浓烟。

"停车!阿曼达!你这个发疯的老鼠!"卢杰拉拉方向盘。

"卢杰,再添乱,让你变成轮下鬼!"阿曼达的头发都散开了。

"小心!上逆行啦!"

两辆汽车像无人驾驶一样闷头乱窜,在悉尼市政路上横穿竖拐,如入无人之境。路上车辆连连让路,躲开这两辆在路上打醉拳的铁老虎。出租车猛一转舵,一头钻进一条单行道。阿曼达的反应慢上一拍,想用动作找齐,急打方向盘,跟着猛拐。卢杰借机一拉车把,本田车像只瞎兔,一头撞到交通灯的圆柱上。"咚!"像是被一炮击中,一股水蒸气喷涌而出,有如炸弹爆起的烟雾。

卢杰嘶叫:"你不想活,别人还想平安回家呢。"

阿曼达狠拍方向盘。"何莉莉,你就是躲过圣诞节,也躲不过元旦!我要不把小杂种碾成肉泥,就一头撞死!"

193

阎超赶赴报警现场,只见一条大黄狗对一块草丛狂吠不已。狗主人跟大黄狗进行拔河比赛。狗脖子虽被牵狗绳紧紧勒住,狗头仍拼命往前狂努,前爪儿不停来回刨地。

阎超戴上白手套,跪在地上,像个工兵;小心揪掉乱草,把下面的土一层层扒开。红土的颜色越来越深,一股类似于臭豆腐的腐臭味儿也越来越呛鼻子。剥着剥着,他的白手套突然触到一个黑点儿。顺黑点儿周围扒拉开来,一具黑棺材般的车载冰箱露出一角。

"啊!"阎超扭开盖子一看,忍不住大吼一声。一具惊世人头扭着一脸冤屈,死不瞑目。人头像个蝌蚪,脑后的黑发像是美人鱼的长尾。惨白的卵形脸上,左眼珠圆睁,眼球凸出眼眶,像是试图逃出渔网的金鱼。一股风吹来,左眼皮忽地一动,吓得阎超坐个屁蹲儿。他一绷大腿,探回身来,冲黑眼珠眨一下眼。当初关公的首级在曹操面前显灵,也不见得如此吓人吧?

死者右眼紧闭,像是熊猫的黑眼圈。从眼眶上被打出的青紫斑痕来看,罪犯的行为特征应为男性。要是女罪犯,没练过举重或拳击的人,是打不出如此重拳的。再看右脸颊上留的一道血肉模糊的刀印子,像是被猫的利爪挠过一下。这种行为模式一般乃女性所为。死者的嘴张成一个红圆圈。是口红?还是牙床流出的血迹?两条修眉拧成一个倒八字,显然曾经生不如死。

阎超把人头带回警局一验证,这尊头颅的切口与冷冻在犯罪实验室的何莉莉无头尸完全吻合,刀口与战国匕首的刀锋也正好对茬儿。卢杰、阿曼达还有查尔斯,到底谁更恨死者?把这张脸打成这样还不解气,竟然非叫何莉莉的脑袋搬一回家不可!

他一查方位,埋藏人头的小树林与卢杰的住宅仅有半里之隔。

194

法庭上,玛格丽特对一个个你方唱罢我登场的证人连皱眉头。尽管人人知道做假证犯法,可是人的证词往往带有目的性。有人为一顿饭就上法庭为朋友两肋插刀。反正天知地知。这些证人云里雾里,让她摸不准脉。谁嫁祸于人?谁包藏祸心?谁打击报复?谁打擦边球?那个证人把霍歌太太说成是品行不端的人,他自己是否就口是心非?玛格丽特知道,证人和证词要是无法获得陪审团的信任,这个案子就很难了断。她可不希望看到一场马拉松官司。实物证据不含目的性,她把希望寄托在物证上。

"警方有何物证?"玛格丽特把眼睛转向阎超的台案。

阎超往台上摆出三双封袋的男鞋,举起其中最小的一双说:"据警方的痕印记录和现场勘验结果显示,除办案人员的鞋印以外,杀人现场还有三双男性皮鞋印痕。其中一双是七号鞋,另两双是十号鞋。请看,这双七号鞋是卢杰先生的。而那两双十号鞋,有一双的鞋底花纹与霍歌先生在警局做的鞋印记录完全相称。那么,另一双是谁的呢?这似乎显示,除卢杰先生和霍歌先生以外,还有第三名男子出现在行凶地点。"

"啊——"听众大哗。

阎超瞟一眼被告席上的阿曼达。威廉等几位陪审员随阎超的视线看过去。阿曼达像个木头人,面无表情。

"其实,这是假象。这双诡异的男鞋并非男人所穿,而正是霍歌太太的作案工具之一。她为了迷惑警方,故意穿上丈夫的大鞋。"

"哇——"台下发出一片惊呼。

"就是这双鞋,与现场的第三双鞋的纹路完全相配。"阎超把这双鞋和一沓照片呈上法官台。

"请陪审员传看。"玛格丽特把鞋递给法官助理。露丝像个二传手,交给坐在最外边的多拉。多拉看了一眼,就往身旁的人传过去。传到威廉手里,他把鼻尖儿贴到鞋口上,像是闻一瓶香水。

弗吉尼亚一甩黑发说:"请控方向陪审团解释证据来源。"

阎超迟疑片刻。"嗯,是警方在霍歌太太家取的证。"

"抗议!警方在没有法院搜查令的情况下,擅自从公民家中顺手牵羊。这种非法取到的物件,不能成为证据。"弗吉尼亚用食指敲敲桌子。

鞋又传回法官。玛格丽特把鞋放在一边。"被告还有什么新的意见没有?"

"法官大人,我请求传证人霍歌先生出庭作证。"弗吉尼亚举手。

"好吧。"玛格丽特向法警招下手。

234   查尔斯随法警宣誓入座。他先是冲玛格丽特低头致意,然后往被告席望去。玛格丽特默默观察霍歌夫妇的眼神,只见两双眼睛打起激光战来。夫妻俩先是互射恨光,继而两眼发直;最后,彼此流露出一丝同病相怜的惺惺惜惜。

"霍歌先生,这是你的鞋吗?"弗吉尼亚从法官台上提过鞋来,瘦削的身子像一把利剑,劈开夫妻俩的对视,直指举在手里的大鞋。

查尔斯把眼珠转向那双鞋。"不是。"

"你有没有穿过这种鞋?"

"我连见都没见过。"

弗吉尼亚把鞋举向玛格丽特。"法官阁下,同样的鞋,有成百上千。况且,还有那么多警察和法医到过杀人现场。此外,何莉莉出事之前,肯定也有其他人士来过她家。也许是传教士、也许是推销员、也许是水暖工,也没准儿是上门服务的医护人员、送外卖的,等等,等等。警方拿什么来证明,那串鞋印就是霍歌太太踩出来?事实上,警方无法举出任何可以证实霍歌太太到过现场的证据。"

阎超摇头一笑。"案犯只要戴上手套和脚套作案,就会雁过无痕。这是连文盲都懂的伎俩。"

"你这不是自打嘴巴吗?法官阁下,我想提醒法庭注意,警方在证明力不足的情况下起诉我的当事人,这是对公民权利的最大侵犯。"弗吉尼亚用手一指阎超。

"你搬来的兵更可笑。丈夫为妻子作证，那不等于自己为自己作证吗？你的证人根本不具有客观性和关联性。"阎超冲她弹弹食指。

弗吉尼亚像是被他弹了一个脑奔儿，用手一挡脑门。"可是，你这双鞋的取证手法更不具备合法性。本律师请求法院不予采信。"

"请求有效。警方还有其他佐证没有？"玛格丽特举起钢笔，在空中摇摇。

阎超拿起案台上的一个白色文件夹，流星赶月般扑到阿曼达面前。他把手指一捻，一张肖像宛如一朵荷花一样浮出水面。"照片上的这个人，你见过吧？"

"啊？不认识。"阿曼达的眼珠与照片人一对眼，像是触了电，立即闪开。

"这个人，你从没接触过吗？"阎超扫一眼相片，又把眼球斜到阿曼达的脸上。

"哦，记不清了。"阿曼达闭下眼。

"这个宅门，你总记得吧？"阎超又掏出另一张照片。

"这是什么地方？"阿曼达摇摇红发。

"啪！"阎超使劲一合文件夹。"法官阁下，被告一再故意回避事实。我请求法庭维护法律尊严。"

"请被告如实回答问题。如果你事实上记得，回答却是'不记得'，就等于在法庭上说假话。明白吗？"法官猜想，这个律师也许嘱咐过当事人，凡是对自己不利的问题，一律用"不"来搪塞。

阿曼达的红发上下颠动。

"现在，你该想起来了吧？我问你，你是吗时候结识何莉莉的？"阎超把双手扶在被告席的围栏上。

"我不认识她。"阿曼达的声音如此温和，很难让陪审团把她与杀人犯画上等号。

"那么，你与何莉莉第一次见面，是在吗时？吗地？"阎超的嗓门儿一声比一声高。

阿曼达把眼神扫向高高的审判台。"嗯，在我家里。"

"你去过她家？"阎超的语速越来越快。

"抗议，法官阁下。控方一直在套供。"阿曼达刚要说什么，弗吉尼亚把话接过来。"刚才，我的当事人已经明确答复，她从未去过何莉莉的住宅。"

"到底去没去？"阎超一竖扫帚眉，把三角眼瞪到阿曼达的高鼻子上。

"抗议！这位警官明知故问，大有逼供之嫌。"弗吉尼亚一摇脑袋，头发乱舞。

"闭嘴，二尾子！"阎超大步跨到弗吉尼亚的胸前。

"骂人就是骂自己，亚洲小吊眼！"弗吉尼亚把平胸挺到阎超的鼻子尖儿上。

"坐地炮，回家自慰去吧！"阎超后退一步。

"呸，回中国灭鼠去吧！"弗吉尼亚前探一步。

"嘭嘭嘭！"玛格丽特把法锤敲得山响。"你们俩，都过来。"

两个人像淘气的学生一样来到玛格丽特的鼻下。

"这不是戏院。你们也不是闹剧演员。"玛格丽特用右手捂住麦克风，把嗓音压低。

阎超使劲一抟警服袖口。"霍歌太太眼看就要招了，却被这个花花肠子律师一而再、再而三给封住嘴。辩方拿法庭打镲，分明在玩翻供游戏！"

"这小子无视公民权利，妨碍司法公正。在他眼里，谁都是凶犯。这里不是警察局，更不是无法无天的亚洲国家。这里是神圣的澳大利亚法庭！"弗吉尼亚使劲一甩短发，像个假小子。

"嘘！我们都是懂法的人。我要看到的是文明辩论。谁再带脏字，谁就出去。"玛格丽特把食指往大门方向一指。

阎超点头回到控席，语气温和下来，吐出的字却更有力量："法官阁下，霍歌太太在法庭上隐瞒真相。她明明接触过何莉莉，却两次否认。她的证词前后矛盾。"

"霍歌太太，法律不保护躺在权利上睡大觉的人。然而，如实告知，是你的法律责任。在法庭撒谎，是要受到法律惩罚的。"玛格丽特一脸善意。

阿曼达低垂眼皮，默不作声。

玛格丽特将掳头套旁的一缕棕发。"霍歌太太，你到底接近过何莉莉没有？"

阿曼达把眼光投进弗吉尼亚的怀抱。弗吉尼亚的食指像钟摆一样在胸前左右一摆，还是被玛格丽特看在眼里。

"没有。"阿曼达歪下头。

"你刚才明明说，你在家里见过何莉莉。"阎超用柴火棍儿般的食指狠点阿曼达的脸。

"啊，对不起，刚才是口误。我真的没见过何莉莉。"阿曼达的声音细微。

玛格丽特皱起眉头。"听着，霍歌太太，你能发誓，你说的话是真实的吗？"

阿曼达低头啜泣。

弗吉尼亚挡在阿曼达身前。"法官阁下，我的当事人过于紧张，神经眼看就要绷断,有些话也许并非其真实意思的表述。我请求法庭让她暂时休息一下。”

玛格丽特深表同情。“好吧,把被告带到监押室。”

195

法庭小憩之后,玛格丽特坐回高高的审判台。

阎超起立报告:“法官阁下! 警方有证据显示,霍歌太太确实找过何莉莉。”

“证据呢?”玛格丽特挺起上身。

阎超从文件夹里拿出一沓复印纸,在空中来回摇晃。“这是警方从电话局查到的电话记录。就在何莉莉遇害前的几个月,她的电话记录上出现过霍歌住宅的固话号码。那个时候,霍歌先生正在中国讲学。而霍歌先生的儿女都不认识何莉莉。这就充分证明,打来电话的只有一个人——霍歌太太! 对吧,霍歌太太?”

阿曼达转下眼珠,默不作声。

“虽然没有录音记录,但肯定是恫吓电话。”阎超猛一挥拳。

“谁能证明?”弗吉尼亚一仰头,抢过话来。“也许是问候,也许是谈判,也许是说服何莉莉离开霍歌先生。再说,何莉莉后来搬家,霍歌太太就再也不知何莉莉的去向。我的当事人从来就没威胁过何莉莉。”

“霍歌太太,请向陪审团陈述,你都跟何莉莉说了些什么?”玛格丽特知道律师的天职就是不择手段地为当事人洗清罪名。这是法律赋予他们的合法权利。她只恨自己慢了一拍,让弗吉尼亚抢先堵住阿曼达的嘴。

“嗯,我只是告诉何莉莉,查尔斯是个有妻室的人,劝她不要吃亏上当。”阿曼达扫一眼观众席,只见查尔斯的蓝眼神像两根发光的魔杖一般朝她打来。

阎超怒容满面。“法官阁下,控方请求伍德太太出庭作证,指认疑犯。”

“伍德太太,坐在被告席上这位女士,您认识吗?”玛格丽特开门见山。

安吉拉戴上老花镜。“噢,让我仔细辨认辨认。哦? 你说不认识吧,就跟在哪儿见过似的。可你说认识吧,又像是在梦里认识的。”

“哈哈。”阎超舒展开刚才的竖眉,堆起一脸悦色,像是对自己的老母亲说话:“伍德太太,您好好想想——这女的,在吗地儿见过呀?”

“是呀,哪儿来的?”安吉拉拍拍脑门儿。

“那个开本田车的,是她吧?”

"反对,控方误导证人。"弗吉尼亚在空中摇摇食指。

玛格丽特一伸长臂。"可以继续问下去。"

"上次作证,您不是说,您见过一个红发女郎吗?"阎超拉起分头的一撮毛来。

"哦,对对对,这人的头发不就是红的吗?"安吉拉摘下老花镜,在衣角上擦擦,又架在鼻梁上。她把脖子尽力伸长,想像长颈鹿那样把眼珠子贴到阿曼达的脸上去。

弗吉尼亚讪笑。"这位证人连眼镜的度数都没配对,就跑这儿来胡乱指证。这也太轻慢法庭了吧?"

玛格丽特觉得确实有点儿好笑,可她笑不出来。"请问证人,你到底见过被告没有?"

"哦,对不起,法官大人,我这二五眼呀,跟熊瞎子似的。"安吉拉一低头,老花镜滑到鼻子头上,露出一双黄得发棕的眼珠。

"扑哧——"威廉忍不住笑一声,嘴唇下的一道竖沟劈成两个下巴。

238

安吉拉推上眼镜。"问题是,那天我看见两个女的。一个穿红衣。另一个嘛,好像是黑西装。怎么多出一个人呀……"

"无稽之谈,抗议!"弗吉尼亚振臂一呼,像是喊革命口号。

"抗议有效。带证人退庭。"玛格丽特扫一眼墙上的电子表。

阎超利用最后一刻的举证机会亮出杀手铜:"霍歌太太亲口承认,何莉莉就是被她杀死的。"

"证据!"玛格丽特眼睛一亮。

阎超拿出录音芯片,插进一台复读机里。"这是警方在霍歌太太家安装的电话记录芯片。两个月前,霍歌先生从北京的东方大学给霍歌太太打过一个电话。请法庭认证。"

阎超按动"播放"钮,霍歌夫妻的对话从扬声器里清晰传出:

查尔斯:"人,是你给弄没的吧?"
阿曼达:"是她自己弄死自己的。"
查尔斯:"这么说,真是你下的手!"
阿曼达:"卢杰都进了死囚室,这不是明摆着吗?"

"你弄死莉莉也就罢了,干吗还弄死我儿子?"
"你儿子?科林和查理才是你儿子!"
"你这是叫我家破人亡、名誉扫地呀。"

"家？哪个是你的家？你毁了我们的家，到现在都毫无悔意。"

"谁跟你是一家子？我要跟你离婚！"

"你还想继续伤害我？查尔斯，我也是人，你不能这么对待我。"

"那你就杀人？"

"你从来就没体谅过我的感受，你让我心口痛。"

"你早晚要折进监牢。"

"坐牢我不怕。我怕的是没人照顾凯瑟琳。"

"你不是要害何莉莉。你要杀的是我！"

"懦夫！这场惨案是你一手酿成的，可却把自己推得干干净净。该进铁窗的是你！"

"那就更没人碰你啦。"

"我算明白啦，不把你那条惹是生非的尾巴给割掉，全世界都不得安宁。"

"嘟、嘟、嘟……"挂机声响起，阎超按动"停止"键。

"抗议！"弗吉尼亚踏步走到审判台前，把高跟儿鞋跺得"嗒嗒"作响。"未经法院许可，任何人不得窃听霍歌太太的私人电话。"

玛格丽特问阎超："有法院的许可令吗？"

"法官阁下，为了防止漏掉有力证据，警方只好先斩后奏。"

"反对！非法证据不能成立！况且，这段对话很有可能是夫妻之间的气话，证明不了什么。"弗吉尼亚挥挥小拳头。

239

"反对有效！用不合法手段采集到的证据，本庭不予采信。"玛格丽特轻轻敲下法锤。

阎超翻出最后一张牌："法官阁下，据警方审讯记录，就在发生命案的前一天晚上，卢杰先生只向一人透露过他的行踪。这人不是别人，正是霍歌太太！"

玛格丽特一怔。

第十一章 来为凶手算一卦

196

结辩时刻到。

法官玛格丽特把卢杰和阿曼达关进同一被告席里。控辩双方坐在被告身前的律师席，像是足球场上的后卫，各自保护身后的守门员。玛格丽特觉得，阎超、弗吉尼亚和菲利普更像三个即将决一雌雄的狙击手。他们的桌子上码满一沓沓文件，宛如交战各方备好的弹药，就等决战时刻的到来。

玛格丽特发话："从警方掌握的证据来看，卢杰先生和霍歌太太都有作案的可能。法庭本着'决不冤枉一个无辜者'的原则，给两位被告最后一个辩护机会。首先，请控方做最后陈述。"

阎超一挤抬头纹，把扫帚眉扭成倒八字。"尊敬的陪审团女士们、先生们，首先，请允许我代表警方表达对你们的由衷敬意。这些天你们不辞辛苦，认真聆听，为司法公正做出牺牲和奉献。谢谢你们。很显然，一连串的间接证据把霍歌太太死死绑在这起杀人案上。其一，霍歌太太与被害人有'天无二日'之仇。其二，凶宅留有其丈夫的两双鞋印。谁都知道，一个人不可能同时踏进两条河流。其三，有证人目击霍歌太太现身于案发现场。另外，据卢杰先生的口供记录，就在命案的前一天晚上，霍歌太太打电话约卢先生去喝咖啡。卢先生婉言推辞，并在无意之中泄露当晚即将前往何宅赴会的风声。说者无意，听者有心。霍歌太太一直要除掉何莉莉，可是一直苦于找不到何的藏身之处。机会终于来临。她决定在丈夫回家之前快刀斩乱麻，彻底结束这场旷日持久的较量。因此，我们不难还原犯罪真相。那天晚

240

上，霍歌太太开车来到企鹅大学的停车场蹲守。待卢杰先生下班以后，她尾随'捷豹'，认清何莉莉的家门。第二天一大早，她躲在何宅的左路，专等卢杰先生前脚开车延右路离去，后脚就把本田车开到何莉莉的家门口。"

玛格丽特像个电影导演，仔细观察阎超的每一个动作。阎超也像个卖劲儿的演员，连说带比划，看样子非要把法官带回那个杀人现场不可。

"霍歌太太按响门铃，何莉莉前去应答。霍歌太太一脸友好，声称是来求和的，骗进大门。然而，二人话不投机，没说几句就恶语相加。这就是伍德太太听到的争吵声。随后，两者发生肢体冲突。霍歌太太拔出匕首，对何莉莉的身体进行暴力攻击，一刀剁下何莉莉的头颅！"阎超一横手掌，影子正好切在阿曼达的脖子上。

"啊——"陪审席有人捧脸长啸。

玛格丽特循声扫看陪审团，认不准怪声儿出自谁口。

那个看上去二十多岁的陪审员多拉赶紧一捂嘴，感觉这一刀似乎正朝自己的脖子砍来。

"看，这就是被凶手剁下的头颅！"阎超有如举起大力神杯的足球队长，把冷冻在塑料盒的人头高高举起。何莉莉的头发晃动起来，似海军飘带在真空飘摇。

"凌迟处死！"戴着黑框眼镜的华人陪审员郁华尖厉呛声。

241

玛格丽特看郁华一眼，也没弄清"凌迟"为何意。

阿曼达面目呆滞，若有所思。

阎超把头颅盒放回案台，迈开方步，一步步跨到阿曼达面前。

"尽管霍歌太太精心策划出一场没有证人的谋杀，并且有效地销毁其他物证，但是谢天谢地，绛红色地毯帮我们把她的血滴掩藏起来。假设那块地毯是浅色的，那滴血肯定逃不过霍歌太太的眼睛。苍天有眼，不让何莉莉蒙受奇冤，让这滴血为此案一锤定音。"阎超用右拳往左手掌使劲一击，吓得被告席里的阿曼达直眨眼皮。

"好！"一个名叫蒂娜的女陪审员叫起好来，又被玛格丽特的刺眼目光给变成哑巴。

阎超走到陪审席前，拉拉警服。"陪审团的女士们和先生们，不难看出，奥利弗那么幼小，根本没有开口作证的能力，不会对凶手构成任何威胁。谁对一个新生儿如此心狠手辣呢？答案只有一个，这个婴儿的存在触犯了凶手的切身利益,尤其是经济利益。霍歌太太的杀人动机再清楚不过。她是这场游戏的最大受害者。她眼看就要人财两空,不但要阻止何莉莉与丈夫偷情,而且更要将他们的私生子扼杀在摇篮,根绝外人跟亲生儿女争夺财产的后患。何莉莉母子消失之后,谁是最大的受益者?既能保住婚姻,又能保住财产?综上所述,我相信,陪审团不难做出正确判断——还有吗人比霍歌太太更具杀人条件?"

阎超话音一落,整个法庭鸦雀无声。玛格丽特像罗丹的《思想者》那样凝神冥思。时间仿佛停滞不前。

"啪啪啪——"弗吉尼亚打破寂静,向阎超嘲弄性地鼓几下掌。"恭喜你!你没当演员,真是好莱坞的一大损失呀!只可惜,你当了名蹩脚的警察。你哗众取宠,不过就是企图用拙劣表演蒙住陪审团的眼睛。可惜,你的这些'假说'没有证据支持。尊敬的陪审团,只要您们观视这一客观事实,即,我的当事人与何莉莉母子始终保持几公里的距离,就不难看出警方的所谓图财害命之说纯系子虚乌有。"弗吉尼亚伸出骨瘦如柴的右手,朝阎超那边有力一挥。

阎超的左手猛然向上一抬,像是拦截对方的鹰爪拳。"霍歌太太掉在凶宅里的那滴血,是不会说假话的吧?只有人才会编瞎话。"

"那滴血根本不足为证。DNA 数据的误差'失之毫厘,谬以千里'。我再重复一遍:有误差的检材,比人的谎言还不可靠!"弗吉尼亚冲阎超一闭眼皮,又把睁开的眼神投向玛格丽特。"尊敬的法官阁下,我的当事人纯属无辜。"

玛格丽特低头沉思片刻,突然就问阿曼达:"何莉莉,是你杀的吗?"

"不是我!"阿曼达用丹田之气把这三个字顶到天花板,胸前抖动的半拉乳房露出乳罩,似两枚炸弹,大有炸毁法庭之势。她的眼睛像垫圈儿失灵的水龙头,泪水流个不止。

陪审员小伙子威廉伸开双臂,两眼放光,随时准备迎接"飞弹"入怀。

多拉用手指揾揾眼角的泪珠。

"肃静!"玛格丽特环视这些场面,猛敲两下法锤。眼泪,最能唤起陪审团的同情。她不能让任何表演影响审判的公正性。

弗吉尼亚不失时机地要求道:"法官阁下,我的当事人由于受到无中生有的诬陷,精神受到巨大刺激,情绪波动极大。如果再被关押下去,我的当事人很有可能精神崩溃,自寻短见。一旦发生严重后果,谁来承担责任?没有实质性的证据证明霍歌太太触犯法律。请法官阁下释放蒙冤受屈的守法公民。"

"反对!"菲利普一转他的水桶腰,一眼圆睁、一眼半眯地说:"如此重大谋杀嫌犯,一旦放虎归山,极有可能逃之夭夭。"

玛格丽特扭动细白的颈项。"霍歌太太,你有不在场的证据吗?"

弗吉尼亚的眼珠向法官席一斜。"有! 法官阁下,我请求传唤凯瑟琳•霍歌小姐出庭作证。"

"准许。"玛格丽特充满期望。死者再也无法张口作证,一切都要仰仗生者揭开谜底。她要从真真假假的证词中拨开谜团,洞察犯罪真章。

凯瑟琳在法警的指引下坐进证人席。

弗吉尼亚的脸色由阴转晴。"霍歌小姐,去年七月三十日早六时许到八时许之间,你在什么地方逗留?"

"家里。"

"家里还有谁?"

"我妈。"凯瑟琳的大眼睛眨得一亮一亮的。

"她在家里干什么?"弗吉尼亚的眼睛眯成一条缝儿。

"我妈先是煮通心粉,然后又做三明治。我饿了,就先在饭厅里吃起来。妈妈收拾干净厨房,这才坐在我对面喝起咖啡来。我们边看电视边聊天儿。"

"都聊了些什么?"弗吉尼亚扬起画成一条线的细眉。

"妈妈说,爸爸是她的'猫王',是她永远的爱……"凯瑟琳的眼圈发红。

"反对,与本案无关!"阎超一伸食指。

弗吉尼亚像是做颈椎保健操,冲凯瑟琳左右点头。"嗯,嗯。那么,你母亲一直没离开你的视线吗?"

"始终没有。直到八点半,妈妈才进车库,开出她的本田车,去学校上班。哦,我是差一刻九点出的家门,徒步上学。"

凯瑟琳用眼睛的余光扫视一眼母亲,又一眨眼把神儿收回来。

"法官阁下,我的话问完了。"弗吉尼亚向玛格丽特低头立正。

"请证人退席。"玛格丽特手掌平举。

凯瑟琳边退边朝被告席张望过去。母女俩的眼神不期而遇,像两道闪打在一起。凯瑟琳看到母亲那张憔悴的脸,眼泪跟自来水一样流出眼眶,仿佛被母亲那道闪打出一场大雨。

"呜呜呜……"阿曼达的眉头就像一座水闸,刚一紧锁,眼里就发起大水来。她双手捂脸,泣不成声。

玛格丽特想起自己的女儿,眼睛有点儿发酸。

"法官阁下,霍歌小姐的证词充分证明,我的当事人从来就没去过杀人现场。我请求法庭还霍歌太太自由。"弗吉尼亚的右手向空中一抓,活像一只波斯猫伸出的利爪。

菲利普的手掌向前一推。"慢!这母女俩就跟一个人似的,利益关系大得不能再大。这位女律师的问话分明是向着对其当事人有利的方面引导。霍歌小姐的证词不足为凭。"

阎超力挺。"女儿为母亲作证,只能作反证,可信度为零。"

"呜呜呜……"阿曼达越哭越显得委屈。

"法官大人,本律师再次强烈要求法庭主持公道,为我的当事人洗清罪嫌!"弗吉尼亚双拳上举。

玛格丽特最怕有人在法庭上情绪失控,便果断敲锤宣布:"带霍歌太太暂时退席!"

弗吉尼亚抓住这个机会,把风向转向卢杰。"何莉莉的人头出现在卢宅附近,绝非偶然。很明显,案发那天,卢杰先生用匕首扎死何莉莉以后,为了让警方无法辨认尸体,就一刀切掉何莉莉的头颅,随手把人头埋进房后的小树林里。"

菲利普站起来辩驳:"这种蠢事儿,连笨蛋都不干。肯定是霍歌太太为了嫁祸于卢先生,故意把人头埋在卢宅附近。"

弗吉尼亚一挑眉毛说:"卢先生并非职业杀手。他杀人后极其恐惧,只想尽早匿迹……"

"好啦。"玛格丽特打断两位律师的争论。"卢先生,在案发的那天夜里,是什么原因致使你出现在何莉莉的居所?"

卢杰摸摸下巴。"话要从头说起。莉莉本来跟我恩恩爱爱,生活美满。可是查尔斯一直对莉莉垂涎三尺,利用卑鄙手段致使莉莉离家出走,将别人的未婚妻占为己有。他先用美男计吸引何莉莉,继而利用莉莉崇洋的心理弱点骗取她的真情。他利用自己的身份、金钱和地位控制住莉莉,谎称要跟阿曼达离婚，却从不兑现……"

查尔斯从旁听席上立起来，打断他的话："何莉莉不堪暴打，才离你而去。法官阁下，我对这种人身攻击表示严正抗议！"

玛格丽特把查尔斯请进证人席说："你有辩护权。"然后她又皱起眉头问卢杰："卢先生，那天晚上，是何莉莉邀请你去的，还是你私自闯入？"

卢杰眨眨眼。"我当然是应邀而去。是这样，在莉莉产下婴儿以后，她一直孤立无援，患上产后抑郁症。这时，她特需要亲友的安慰。莉莉察觉查尔斯又跟袁媛打得火热。她终于觉醒，查尔斯并非只在乎她一个人，而是见谁'体贴'谁。查尔斯打着'爱情'的幌子，到处往女性身上贴。当莉莉识破查尔斯始乱终弃的嘴脸后，就打我手机，让我照顾她坐月子。我一有空就帮她看看孩子、采采购、做做饭、干干家务什么的。后来，我还陪她打打网球、游游泳，帮她恢复体力，在一起度过一段美好时光。她一再跟我说，她不想再过轰轰烈烈的情欲生活，而是要回到我身边，过平平淡淡的清静日子。我那天晚上去她的住处，就是准备接她回家。"

"扯淡！你一再对莉莉进行精神与肉体双重虐待。她好不容易从你的魔掌逃出，怎会重返龙潭虎穴？莉莉打心眼里讨厌你，她爱的是我！"查尔斯的食指先指指卢杰，又指指自己，再把脸转向玛格丽特说："法官阁下，卢杰正在法庭行骗！"

玛格丽特弄不准谁在说谎，谁在说真话。"卢先生，你必须明白，误导法庭，罪加一等。"

卢杰举起右手，做宣誓动作说："没，我没！由于查尔斯对她一骗再骗，莉莉对查尔斯的爱火熄灭成灰烬。爱情的死亡与人的死亡一样无法挽回。虽说过去我们有过误解，但我的真诚终于让铁树开花。"

"那天夜里，你都跟何莉莉说了什么？干了什么？"玛格丽特把上身探到台子上。

卢杰显得挺淡定。"出事儿那天晚上，我晚上有课，大约九点多钟才到她的住宅。她还没吃饭，我就给她包了十几个饺子。十一点多钟，我们对床夜语。她说，跟查尔斯在一起，开始还觉得挺新鲜的。后来，就越来越觉得不对路子。她与查尔斯除了在床上有共同语言以外，其他方面都大相径庭。文化修养越高的人，异族通婚所带来的文化冲突就越大。她天天要吃米饭和炒菜，而查尔斯天天要吃面包抹黄油。两人一起出去，她热衷于悉尼歌剧

245

院这种人造建筑,而查尔斯痴迷于自然景观。她是个城市女孩儿,而查尔斯老往乡下跑。她渐渐感悟到,在婚姻的殿堂里,两个人的文化越接近,生活就越和谐……"

"根本不是这么回事儿!中国几千年文化,给后人留下一大把坏榜样。澳大利亚两百多年文化,给世人树立出一大筐好榜样。莉莉醉心于澳洲文化,所以才乐不思蜀。"查尔斯站起来辩解。

玛格丽特用手势把他压回座位,继续问卢杰:"后来呢?"

"我求她跟我回家。她扑进我的怀抱,让我留宿。"

"同床共枕?"玛格丽特把双眉往上一挑。

"对。那天夜里我们非常相爱。她一直使劲抱我。达到兴奋点时,她用双手抓挠我的后背。警方在莉莉指甲里收集到的皮屑,正是我们极致相爱的产物。至于莉莉遗体里有那种东西,更是不言而喻。"

"卢先生,你最后还有什么要陈述的吗?"玛格丽特扫一眼法锤。

246

"莉莉,是查尔斯杀的!查尔斯那天早上突然返澳,亲眼目睹我与莉莉重归于好,妒火中烧。等我离开以后,查尔斯随即扑进屋去。他一看何莉莉怀里抱着混血儿,更加杀气腾腾。虽然查尔斯得意于他对一个又一个女人的征服,可是他最输不起的就是玩儿出孩子来。作为一个有头有脸的大教授,他不允许'私生子'这种丑闻张扬出去。一个所谓的慈父,也不愿在儿女面前颜面扫地。教职保不住不说,他丢不起那个人。当莉莉表示不愿继续做她的玩偶之后,他更怕莉莉揭自己的老底儿。他拔出那把战国匕首,一刀扎中莉莉的要害。莉莉挺身反抗。他把莉莉按在沙发上,连刺三十多刀。旋即,他又转到宝宝房,捂死奥利弗,亲手把他种的苦果连根拔掉。他特意把人头埋在我家附近,嫁祸于人。最后,为了逃脱法律的制裁,他恶人先告状,拿我当替罪羊。请法官阁下明察。"

比相扑还臃肥体胖的女陪审员斯蒂芬妮嘴唇上下乱碰:"杀妻戮子的恶魔!"

郁华也哼道:"装成金毛犬的澳洲野狗!"

"一派胡言!我杀谁,也不会杀我的亲生儿子。"查尔斯的双手举来举去,像是打拍子。"那天夜里,你暗中摸进莉莉的家宅。乘她熟睡之机,你肆意强暴,以解多年的心头之恨。莉莉被你弄醒,狠挠你的后背,并声言告你强奸罪。你吓得要死,跪地求饶,央求她重回你的怀抱。遭到莉莉的断然拒绝之后,你恼羞成怒,把锋利的刀刃刺进莉莉的胸口。一刀不解气,再补上三十几刀;夺其首级,不给莉莉留一点儿个人尊严。奥利弗是我俩的爱情产物,你更是恨之入骨。于是,你活活把婴儿掐没,惨绝人寰!"

威廉紧握双拳,像是要跟人打架。

多拉乱扭屁股,像是要去一号。

菲利普一挥他的发面拳头。"法官阁下,霍歌先生在杀人现场留有指纹和鞋印,特别是在凶器和死者尸体上留下的痕迹,是抹不掉的。"

"还有新的证物!"阎超亮出一个塑料袋,里面封有一根儿黑黑的长发。"经警方刑侦,霍歌先生的'悍马'车载冰箱不翼而飞。而埋藏何氏头颅的小冰箱,与'悍马'的型号完全一致。这根儿头发就隐藏在霍歌先生'悍马'车的冰箱底座,那里有个吸尘器吸不到的死角。经科学实验室鉴定,正是何莉莉的毛发。警方推断,何莉莉的头颅被砍下之后,进了霍歌先生的汽车。也就是说,这根儿头发极有可能是霍歌先生在转移何氏断头时遗留下来的。这一证据足以证明,霍歌先生属于重大杀人疑犯。我们认为,应当将他关押起来,以防逃逸。"

"这样吧,霍歌先生每周向警方报告一次行踪,不许出境,直至法庭解除禁令。"玛格丽特拿锤一敲。

"卢杰,你就等着下地狱吧!"查尔斯咒道。

卢杰回敬:"地狱是魔鬼的天堂,好人进不了地狱……"

"肃静!"玛格丽特把法锤举到空中,又慢慢垂下来。她左手捂头,脑海闪出各种可能的杀人场景。哪些真实?哪些虚构?活着的人,只有一人对真相了如指掌——这就是那个谋杀者。然而,杀人者出于自由的欲望,将把杀人秘密带进坟墓。

玛格丽特又把法锤举起来,还是迟迟砸不下去。平时那个使惯手的法锤,此时此刻变得比一座大山还沉。这个法锤像一把利斧,随着它的敲击,有人就要失去自由。这个法锤是法律的象征,是法官主持正义的缩影,是惩治罪犯的利剑,也是衡量社会公正的天平。这个法锤代表玛格丽特的智慧、良心和正义感。她的心脏在法锤上鲜活跳动。哪怕有一丝一毫的偏离,法锤也会砸疼她的心房。

"现在休庭,由陪审团合议!"她再次举起法锤,像敲定音鼓那样重重一击,把法锤打在方方正正的木台上。

247

第十一章 来为凶手算一卦

197

十二名陪审员像小学生一样，恭恭敬敬站在玛格丽特的法官办公室里。

玛格丽特坐在长长的办公桌前，摘下头套，向他们做判前动员报告："陪审员女士们、先生们，现在，法律把生杀大权赋予你们，司法公正将由你们体现。请你们独立判案，不要受控辩双方任何说词的影响。你们作出裁决的唯一依据就是证据。但我们要清醒地认识到，证据往往是杂乱无章的，假证和谎言无孔不入。第一，控方与辩方在法庭上的推理和陈述只供参考，不是证据。这就需要我们去伪存真，让有效的证据成为判案的有力依据。第二，本案没有目击者。这就需要你们用零零碎碎的间接证据进行判断。支离破碎的间接证据虽然不能复原全部杀人过程，但只要把它们放进整个案件中，找出最关键的杀人片段，形成一个事实链，你们就可以做出判决。人生的本质就是残缺。我们只能在各种不确定的变数中找出定点。第三，司法公正体现在'宁可错放一千、决不错判一个'的信念上。间接证据往往有正反两个方面，你们可以采信对被告有利的一面。对于可疑的证据，你们可以不予采信。如果无法找出足够证据，只能认定被告无罪。"

玛格丽特边说边来回扫视陪审员。"在这间密室，你们不受任何外界干扰；可以畅所欲言，言者无罪。所有讨论内容绝对保密，只有你们自己知道，法庭不做任何记录。我最后要强调的是，不可滥用权力。不论你们喜欢谁或是讨厌谁，不管你们同情谁还是憎恨谁，不能把一丝一毫的个人好恶掺进断案中。不可凭主观判断进行判罪，判决必须绝对公正！"

玛格丽特站起身来，身后书架的一排排精装法律书籍像一座大山一样压在她的后背。

198

十二名陪审员跟随两位荷枪实弹的法警步入陪审团会议室。法警站在大门两侧，如守门员一样把好大门，不让一只苍蝇飞进隔离室。

由于弗兰克是唯一喝过硕士墨水的中年人，看上去还算沉稳，被陪审团推举为首席陪审员，主持合议。他虽然失业多年，但一向热心于义工事业。当陪审员还有点儿小钱挣，他就更乐意主持一把正义了。正式讨论还没开始,屋里早已人声鼎沸。弗兰克把食指竖在嘴唇上的小胡子上,围着椭圆桌子转上一周,屋里这才安静下来。

弗兰克拉下脚后跟般的凸下巴,拿出大学讲师的劲头开讲起来:"女士们,先生们,我们将代表民众对这一耗时长久、耗资巨大的杀人案件拍板定案。我们不仅要对得起纳税人的血汗钱,而且更要对被害人有个公正的交代。当然,我们也要对嫌犯负责。他们的命运就悬在我们的嘴皮子上。谁也不愿跟铁窗过上几十年。我们肩上扛的是法制、正义、秩序和责任。我们要把神圣的法律权力化成社会的公正力量,惩恶扬善。全社会都在盯着我们,媒体也把这个案子炒成'世纪大案'。今天,一场头脑风暴即将来临……"

"嗡嗡嗡——",众人的议论声有如南非世界杯赛场的"呜呜祖拉"助威声,渐渐压过他的大嗓门。弗兰克像个闷头猛冲的前锋,眼看离球门越来越近,却被后卫一脚撂倒。这份不尽兴,他的头变得比足球还圆。

"我一看就是卢杰杀的人。未婚妻跟别人跑了,能不恨吗?"小姑娘多拉人高马大,率先打响第一炮。

二十多岁的建筑工人威廉赞同道:"对,看卢杰那副鬼头鬼脑相儿,绝对不像善主。"他的鼻孔髭出一撮鼻毛儿,让多拉误以为他没刮胡子。

华人陪审员郁华看样子四十岁上下,急脸驳斥:"哎哎哎,你怎么对华人戴有色眼镜呀?卢杰是大学老师,知书达理,尊重法律。我们华人历来就讲'和为贵',怎会拿刀子捅人?"

威廉甩甩麻袋色的头发。"哎,我听说,中国枪毙的杀人犯,居世界第一!"

家庭妇女斯蒂芬妮满口澳洲土音,说话呼哧带喘:"你们说得都不对。真正的杀人凶手是查尔斯。你看他,生活多放荡呀。玩腻了何莉莉,就想扔掉。可是他没想到,何莉莉生个孩子拴他。那他哪儿干呀!"

威廉站起对话:"这是怎么说的,大妈?男人爱美女,就像女人爱首饰一样自然。猫要是不追腥,地狱也能结冰。"

"那他娶老婆干吗使呀?"斯蒂芬妮尖叫起来。

威廉坐回原位。"媳妇就是个幌子。有个小伙子,打着找媳妇儿的旗号,到处播种。电视曝光,这小子现在都有二十八个私生子啦!男人的最大愿望就是把美女玩遍。婚外恋自古有之,也必将成为一种时代趋势。人的本性就是追求新鲜。硬把两个独立的人套在一个枷锁上,套得住吗?婚姻必将于二十一世纪消亡。"

斯蒂芬妮抖着胖嘟嘟的脸蛋喝道:"胡扯。没有婚姻,人类就会灭绝。一个丈夫,一个妻子,要是连家都管不好,怎么能把工作干好?如果对家都不负责任,怎么会对社会尽职尽责?我一看查尔斯就不是好东西。"

弗兰克发表哲言:"犯罪的人不一定是坏人,而道德败坏的人往往从不触犯法律。确实,查尔斯是个把妹达人。可你说他坏到杀人的地步,那要用证据证明。好人不意味着不犯法,坏人也不意味着不怕坐牢。"

威廉跟道:"再坏的人也有善心,再好的人也有恶毒的时候。甭管怎么说,作为一个熟男,查尔斯充其量也就有那么点儿业余'爱好'——玩妞儿。给他点儿胆儿,他也抡不起那把匕首。"多拉在座椅上移一下大树般的身体,应和道:"依我看呀,人家查尔斯是大教授,能犯诛戮生灵这种低级错误吗?"

斯蒂芬妮说出的话像歌剧演唱:"教授就不杀人啦!这是什么逻辑?每个人都是多面性的,都想杀死自己的仇敌。要不是刑法管着人们,大街早就血流成河、尸骨遍地了。每人都有犯罪的可能。查尔斯的嫌疑最大。他脚踩两只船,把两条船都给弄翻了。他倒逍遥法外。就在这会儿,他指不定又上了哪条新船啦。"

多拉强调:"我倒认为,那根儿藏在车里的头发令人质疑。何莉莉和查尔斯厮混多年,指不定啥时掉的呢。"

威廉附议:"对,值得怀疑。"

弗兰克拍板:"好,属于无效证据。"

郁华干咳一声。"我觉得,作为一个弃妇,阿曼达下毒手的可能最大。就算她能咽下抢人这口恶气,却不一定过得了金钱关。白银子让人起黑心。穷生盗,奸生杀。杀人不是为钱,就是为情,要不就是报仇。"

斯蒂芬妮插嘴:"连亲情都被利益化啦,可耻!"

郁华挠一下眉头上的痦子。"没感情,婚姻照样儿可以维持下去。可是这一涉及分割夫妻共有财产,那可就是戳心窝子的事啦。金钱是什么?是你活在当下的保障,是你过好日子的前提,是你未来的保险柜!南澳那个大亨,临死前娶了个小老婆。等他两腿儿一蹬,富可敌国的财产全都落入小妖精手里。大亨的原配夫人和四个儿女,一分遗产没拿到。如此触目惊心的教训,能不让阿曼达拼个鱼死网破吗?"

威廉不敢苟同。"打死我,也不相信阿曼达是杀人恶魔。这位姐姐一看就是善女。如此狠毒的杀人方式,只有坏男才干得出来。查尔斯夺了卢杰的女人,卢杰就不能杀掉查尔斯的儿子吗?"

蒂娜看样子三十多岁,终于找到发言机会:"要杀奥利弗的是阿曼达。如果阿曼达早点儿跟查尔斯散伙儿,什么事儿都没啦。婚姻最无聊了,两败俱伤不说,还让孩子受刺激。我就是为孩子早早离了婚。什么是夫妻——今天亲如一家,明天恨比仇人。不管你结多少次婚,换多少配偶,到头来都是打得你死我活。每人有每人的毛病。所以,还不如当个单女呢。"

多拉不解。"这么说,最好别结婚啦?"

"那怎么解决性问题呀?"威廉伸伸粗胳膊,亮出一幅美女的刺青。"婚姻通往一扇门,可进,可出;可开,可关;可虚掩,可留缝儿。"

弗兰克又发感慨:"媳妇虽好,副作用太大。"

蒂娜扬了一下细胳膊说:"男人又有几个好东西? 有个丈夫,因老婆上了别人的床,就拿孩子出气,居然把四岁的小女儿从一百多米高的悬崖扔进海里。男人都疯成什么样子啦? 现在的婚姻,大多是一对对没有爱情的死尸。"

"同居将取代婚姻!"威廉来回伸缩几下小臂。

蒂娜挺一下瘦胸。"人追求自由的本性,与婚姻对自由的束缚,是一对天敌。婚姻不就是要维护私有财产和满足占有欲吗? 结婚就是要以牺牲个人自由为代价。嫉妒心不允许你有自由。"

威廉举臂高呼:"上班,就快叫领导给逼疯了;回到家,再加一个'老板',还让不让人活啦? 为了自由,离,离,离!"

弗兰克站在前锋的位置憋了半天。谁也不把球传给他。他只得在场上当看客。这会儿,他终于等来一个空当子,赶紧插脚跟上。"说得轻巧。离婚,那得承受多大的经济损失呀。有钱人都不舍得花钱买自由。没钱人没钱买自由,就更不敢离婚啦。"

蒂娜瞪他一眼。"二十一世纪的婚姻,一切让爱做主。何莉莉和查尔斯有追求幸福的权利。阿曼达想靠杀死情敌保住婚姻,保得住吗?"

弗兰克的手掌向空中一推。"慢! 予取予求才是这场爱恨情仇的祸根子。如果有人突然闯入你家,跟你说:'嘿,你丈夫归我啦,你的财产归我一半!'你干吗?"

蒂娜用小细嗓子叫道:"杀人就真解决问题吗? 离婚倒能破财免灾。一个对婚姻、家庭和感情不负责的男人,有什么可留恋的? 何必为这种人拼个你死我活? 弄不好,阿曼达要蹲在监牢,为何莉莉的冤魂守一辈子灵。还不如当初离婚,另找一个爱人呢。"

斯蒂芬妮的大嘴张得像个海马,看样子要把蒂娜给吞下去。"《圣经》里说,离婚是一种罪恶。别动不动就讲离婚。"

威廉弯曲右胳膊肘子,紧握拳头,把小臂向上一扬。"怕离婚? 我有一个秘诀:只要把丈夫的老二伺候一溜儿够,他保准不离不弃。"

"呸!"斯蒂芬妮啐道。

"嗯,这话儿有理。兴许还能预防婚外恋呢!"弗兰克抬起上唇的小胡子。他觉得这些陪友太肤浅,得给他们上上课。"对于男人来说,离婚意味着一得一失:得到自由,却失去孩子。而对于女人来说,离婚换到财产,却失去一个完整的家。所以呀,还是不离婚的好。"

多拉提问:"婚姻与利益的天平,到底怎么摆平?"

弗兰克答:"婚姻关系归根结底是利益关系。只有利益才能把俩人拴在一起。有人披上'亲情'外衣装假,有的穿着'爱情'时装表演,有的套上'知己'斗篷作秀。没触及个人利益,这人还能干点儿好事儿。只要一谈钱,只要一谈性,这正常人一转脸就能变成疯子。就像必须拉屎一样,人类永远摆脱不了坏的一面! 人就是什么坏事都干得出来的高级动物。"

郁华意见相左:"大多数人还是正义与善良的。否则人类早就灭亡了。"

弗兰克继续分析:"我们可不可以这么说,人作为集体的一部分,作为工作单位的一部分,作为公共场合的一部分,要受到各种规章制度和法律制裁的约束,属于好人的范畴。而作为一个个体,作为家庭一分子,无法无天,其人性的弱点很容易凸显出来。因为,大家在单位、在公众面前玩的是潜伏游戏,回家以后才露出本来面目。"

斯蒂芬妮挤挤脸上的皱纹。"人嘛,既不像我们想象得那么好,也不像我们想象得那么坏,就像人既呼吸也放屁一样。"

弗兰克冲她一笑。"哈! 这要看你惹没惹这个人啦。人最具杀伤力。自从猴子变成人以后,所有天灾加起来,也没两次世界大战死的人多。善与恶只有一念之遥。在利益驱动下,这世界天天有人杀人,也天天有人被杀。即使阿曼达杀掉何莉莉,也合情合理。"

郁华喝口白水说:"照你这么说,杀人还有理啦?人只能活一次。父母生了孩子,不是让别人给杀掉的!你看这暴力电影,这网络游戏,都视杀人如麻者为英雄好汉,好像杀人是件很酷的事儿。"

蒂娜连连点头说:"我那十二岁的儿子,天天泡在网上玩杀人游戏,满脑子想的全是杀杀杀!他觉得自己特强大,甚至误以为自己有杀死别人的权力!我天天揪心,他在虚拟世界杀顺了手,在真实世界有什么不敢干的?"

斯蒂芬妮瞪着金鱼般的眼睛说:"上网本是个乐子。可是在网上搞对象,那不是找骗吗?"

郁华往鼻梁上推推瓶底厚的近视眼镜。"当初,何莉莉要不上这个倒霉的网,现在肯定在中国老家安居乐业呢!"

多拉看上去很不满。"她要不来,澳洲还少一起谋杀案呢。"

"对!这个案子一审再审,浪费我们纳税人多少钱呀!"威廉用灰眼珠冲多拉挤眉弄眼。

郁华一挤额头纹说:"何莉莉含冤九泉。就是花再多的钱,也值得。"

斯蒂芬妮不同意。"你去偷东西,主人能不打你吗?打死白打。作为'自我一代'的欲女,何莉莉充分利用性资本,大捞情人,大捞金钱,大捞身份。她把自己的幸福建立在别人的痛苦上,自作自受,死不足惜。"

郁华的嘴张得比眼镜还大。"你有没有搞错?何莉莉是一个被侮辱的受害人,多悲催啊。她顶多就是犯点儿错,也没到死的过儿吧?连电脑都出错,何况人脑?而杀人者,再怎么受害,也是犯罪,必须严惩。犯错与犯罪岂能等量齐观?是阿曼达剥夺了何莉莉的生存权,死有余辜的应该是她!"

威廉盯着郁华的眼镜说:"死人不会复活,我们应该在乎活着的人。阿曼达的丈夫被别人偷走,她才是真正的受害者。作为公民的代表,我坚顶阿曼达。"

蒂娜冲他一翻白眼。"查尔斯才是这场凶杀案的罪魁祸首。要不是他出门找艳遇,一切都不会发生。"

多拉摆摆胖胖的白手说:"查尔斯肯定是骑虎难下。赶上那么个刁老婆,他有啥法子?卢杰才是始作俑者。他要不往澳洲订购亚洲新娘,我们也用不着耽误工夫啦。"

弗兰克挥手制止:"哎哎哎,跑题啦,跑题啦。这样吧,大家喝喝下午茶,歇歇脑子。"

199

弗兰克带头站起来。众人像放风的犯人一样,涌进休息室,在咖啡机前排成一队。弗兰克从洗手间回来,最后一个捧上咖啡杯,捏起一块巧克力饼干。

威廉泡一杯英国茶,倒上牛奶,嚼一块椰丝蛋糕,凑过来问道:"你真认为阿曼达杀了人?"

"我不就那么一假设嘛。"弗兰克咬牙儿饼干。

"嘿,阿曼达的屁股可真肥啊。有机会,我要会会这个大美人。"威廉咧咧嘴角儿。

"小心惹一身臊!"弗兰克闻闻香喷喷的咖啡。

"要是连她女儿一起拿下,惹身性病都值。嘿,这么火辣辣的辣妹,要是被关在冰凉的水泥墙里闷上几十年,那可就太浪费人力资源啦。"

"谁杀了人,我们就判谁有罪。"

"谁杀了何莉莉,只有上帝知道!不公平是万物的本质,谁能摆平一切?"威廉笑眯眯往多拉那边凑过去。

200

弗兰克率先回到会议室的主持座上,其他人跟着围坐下来。

斯蒂芬妮的弹簧屁股还没在座位上颠荡完,就抢先发言:"感情出轨对一个家庭的破坏是致命的。查尔斯想从情人那里找激情,从配偶那里求稳定。贪多嚼不烂。"

郁华抢过接力棒。"查尔斯专学中国的封建糟粕。他也不想想,老英国的皇帝看上别的女生,还得先离婚才行。他还想后宫佳丽三千人呀?我们澳洲人可没养小老婆的传统。一个有尊严的男子汉,是不干偷鸡摸狗这种下三烂勾当的。何莉莉傍美男教授,她玩得起,可是查尔斯不该陪她玩。他有家有业,这一玩不要紧,把两条命都给玩进去了。不对查尔斯绳之以法,不足以平民愤!"

弗兰克想起玛格丽特的忠告。"别忘了,查尔斯作案的证据最少。"

蒂娜转动一下瘦小的身子。"那也不证明,人就不是他杀的。婚姻不只是两人的事情，还牵扯到孩子。看在孩子的份儿上，不好就离。"

弗兰克扫一眼蒂娜的细腰，怀疑自己的脑袋都比她的腰宽。"救孩子的最好办法是别离婚。孩子是婚姻得以存续的最充分理由。你们看看，带孩子再婚的人，有几个过得更好的？"

蒂娜扭腰道："与其跟别人挤在一起同床异梦，还不如一人睡得更踏实。起码，夜里没人暗算你。"

威廉用食指的背面蹭蹭鼻毛。"哎，独守空床，还不天天梦遗呀。婚姻就是互相利用。男人爱女人的脸蛋加大腿，女人爱男人的钱包加虚情假意。爱情，只要一掉进婚姻的苦海，就会逐渐演变成'恨情'。爱情再伟大，也没小我大。不论男女，最终都从对方那里得到自己想要的东西。要么驱赶孤独，要么得到性满足，要么圈钱。人的自重情结和自恋本性注定让婚姻王国没好果子吃。在你大享女人的'性'福泉水时，也要尽尝女人的无尽胆汁。真正的爱情是那种得不到的单相思，只能止于情人这一步。不信你试试。你爱得死去活来的一个影星，等你真跟这人睡在一起，你就知道啦，时装里裹的不过是一身臭皮囊。你梦中的天仙，原来也天天排泄、放炮。也许比你还口臭。"

"哈哈哈哈！"众人发出一阵大笑。

弗兰克不想让威廉在女士面前出尽风头，抢过话来说："再美的爱情也要经受现实的考验。婚前全是伪浪漫，婚后才是真冲突。人只要共事，就会为利益打得头破血流。谁做饭？谁出钱多？谁的父母更优先？人们为了维护个人财产和个人利益而结婚，想用家庭筑起一道栅栏。可是，我敢保证，在何莉莉没冲进来之前，查尔斯和阿曼达早已闹槽多年。这就是婚姻。"

威廉不甘下风。"婚姻不就是性的进出口'产品'吗？开始还有点儿新鲜劲儿。玩腻以后，连那点儿甜头也尝不到啦，剩下的只是打架骂人。家暴成家饭，不打出人命就算好夫妻。婚姻早该变成恐龙化石啦。"

斯蒂芬妮又唱歌剧："一夫一妻可以远离艾滋病和性病！"

威廉又唱反调："健康而又安全的性服务将取代婚姻。娇妻就是别人的好，查尔斯无罪！"

斯蒂芬妮放下手中的水杯。"我倒觉得，阿曼达为家庭除害，誓死捍卫神圣婚姻，坐牢也值。"

威廉耸耸肩。"婚姻有什么可神圣的？不过是一张薄纸而已。结婚就是哄自己假装跟别人好。对女人来说，真正神圣的是婚姻背后的房产和存款。当然，男女有别。查尔斯嘛，要的是美女。杀掉何莉莉，还怎么享用呀？卢杰输个精光，他当然要报复。"

郁华指着威廉的大鼻子说："我们女人只需要一个爱自己的男人。可查尔斯一人独霸两个女人，凭什么？阿曼达肯定出不了这口恶气，才杀掉那个老三。"

威廉指指郁华的眼镜回应："别往女人脸上贴金啦。女人在本质上都有妓女情结，都想靠身体卖出一个好价儿。"

蒂娜站起来挡住威廉的视线。"呸，还不是查尔斯想买？查尔斯见女人就下跪，应该让他在班房里跪着！"

威廉舔舔舌头。"要是把男人都关进大牢，女人找谁去？正是男人的贪色成全了女人的物质欲望。男人要不性冲动呀，这地球上的妓院早就倒闭光啦。就因为我们不能整天放空炮，给性工作者创造多少就业机会呀。"

郁华嗤之以鼻。"我看呀，要不是法律管着，你们还不把女人给强奸光！男人天生就有强奸情结。男人对女人的性需求，远远大于爱的需求。"

威廉用手比划出一把手枪来。"男人就是手枪，女人就是靶子。射击游戏是人活在这世上最大的乐子。你没看新闻？有个公务员，老婆孩子一大堆，可是天天躲在僻静小道儿，强奸一百多过路艳女！要不是让便衣警察抓住，不定还打有多少靶呢。我还告诉你，人最难控制的就是性欲，连你们女的也算上。多少人为下半身家破人亡、银铛入狱，乃至搭上性命。"

"下流胚！"郁华给他抛出一个鄙夷眼神。

"你父母要是不下流，怎会把你生出来？"威廉发出一丝淫笑。

"你！你是无赖！"郁华跺脚。

"你个亚洲小吊眼儿，敢骂我？"威廉的左手压在右臂的肘关节上，像老吊车那样猛抬右前臂。

"我告你种族歧视罪！"郁华甩头。

威廉从门牙缝儿吐出长长的舌头，又像眼镜蛇一样缩进嘴里。"在这屋里，我想说什么就说什么。男人拼命挣钱，就是为得到女人的一个排泄器官。不是吗？"

"我们女人付出一切，不全为呵护好我们的家吗？一个'爱'字，可以让我们赴汤蹈火，在所不惜。"郁华的移民腔英语说得掷地有声。

"有人连自己都不爱,更何况去爱别人呢?"弗兰克看了一眼手表说:"好啦,好啦,不要老扯这些跟本案无关的话题。家人还等我们回家吃晚饭呢。我可不想去旅馆睡凉被窝。天黑以前,说什么也要给出定论。"

多拉的上身往椅子背靠去。"那也不能草菅人命吧。"

弗兰克伸出双手,往桌子上一压说:"事实胜于雄辩。我们关键要凭借证据给嫌疑人定罪。我看呀,卢杰的罪证很难抹掉。警方在死者身上收集到他的皮屑和精液,还有什么比这一证据更有说服力的呢?"

郁华持不同意见:"阿曼达那滴血呢?还有,她都在电话里默认,就是她杀的人!"

斯蒂芬妮争鸣:"查尔斯声称他一进门就看见两具尸体,可是居然耗着不去报案!这也太能证明什么了吧!"

弗兰克眼看大家车轱辘话来回说,谁也说不服谁,索性趴在桌上打起瞌睡来。

窗外天色大黑,法警的敲门声把他从梦中惊醒。

201

法警把弗兰克他们请上一辆小巴士,悄然下榻一家背阴的小宾馆。

深更半夜,威廉从自己的房间探出头来,往多拉的房门张望过去,露出一脸猎人的机警。

他刚要举枪摸近狐狸,却见楼道投出两道狗熊般的黑影儿。威廉赶紧把粗脖缩回房门。

两个法警像两名特工,在楼道忽隐忽现。

202

弗兰克舍命陪君子,在封闭会议室任陪审同僚一连激战六天,才得出一个初步意见:四人定夺卢杰是杀人犯,二人死咬阿曼达,二人怀疑查尔斯,另四人犹豫观望。

辩论到第七天,弗兰克敲起桌子:"肃静!停止辩论。一星期不能回家,连正常的性生活都给搅啦!今天,我们必须达成一致意见,早日恢复自由。辩论不是我们的任务。我们要干的只有一件事:找出一个有罪的人。"

"不辩论,怎能弄清真相?"多拉这几天吃得饱、睡得香,精神饱满。

蒂娜一直看手表。"我儿子独自在家这么多天,再不回家,他也成杀人犯啦。快快快,耗什么耗!"

威廉举起双臂,用大嗓门压住众声音:"卢杰的 DNA 就是铁证,还有什么可争的?"

郁华擦擦眼镜,又戴上,摇着头说:"你这么年轻,有什么判断力? 当初法庭就不该挑你当陪审员。"

威廉瞪眼说:"我年轻,并不意味着我没社会经验。你老,并不意味比我更有慧根。"

郁华给他甩个脸子。"阿曼达也有 DNA 证据,你怎么不管? 我看你被阿曼达的妖艳外表迷住了,对她表示出过多的同情心。你还有没有正义感?"

威廉把右手当成戒尺,往左手背上打手板。"很明显,卢杰是你的同胞,你就玩命儿为他鸣冤叫屈。你的公德心,让老鼠给吃了吧。"

郁华推手。"卢杰的辩词有理有据,而阿曼达一再在法庭上打太极。"

"你看到的不过是表面现象。人人都戴着假面具。我们要看的不是这人说什么,而是做什么。"威廉做个鬼脸儿。

"你怎么知道阿曼达做了什么呢? 卢杰无罪,宁可错放一千,决不冤判一人!"郁华显得意志弥坚。

威廉还想说什么,弗兰克冲他一摆手说:"女士们,先生们,既然卢杰得票最多,就让我们用赌局来决定他的命运吧。"

"好,抛硬币!"威廉跳起来。

"还是摸牌公平。"多拉从兜里掏出一副扑克牌。

"抽签吧?"郁华扫视大家。

玩来玩去,弗兰克终于率众人玩出一个游戏结果。

第十二章　谁解其中谜？

203

女法官玛格丽特在法院外的一排铁栅栏前疾走，白脖子在黑黑的栏尖儿上游动。她抬头扫一眼蓝得透明的天空，这才意识到春天即将来临。

法院门前挤满新闻记者和示威人群。横幅在头上晃动，口号在耳畔萦绕。"护家无罪！""换偶万岁！""谁是元凶？"她冲人群抿嘴一笑，拉着一箱卷宗大步踏进法庭。

204

玛格丽特在法官席上坐定，朝陪审席望去。只见十二名陪审员像一支在奥运会上夺冠的球队，面对国旗升起、国歌响起的场面，个个表情庄严，神情凝重。"陪审团发言人，议出结果了吗？"

"喀喀！"弗兰克笔直站立，使劲捏一下喉结，止住咳嗽。"是的，法官阁下。"他从衣兜掏出一张纸，双手捧起；手指打在纸面上，活像个打手鼓的。他使劲一拉白纸，大声宣读："卢杰有罪！"

"哇——"阿曼达和查尔斯在被告席上大喊一声。他们的支持者也欢呼起来，像是争得奥运会主办权。

"肃静！"玛格丽特的目光在人头上游移，最后定格在卢杰的头上。

卢杰的脸色白得比白人还白，咖啡色眼珠露出比咖啡还暗的眼神。

玛格丽特又把视线移到霍歌夫妻的脸上。"由于举证不能或证物不足，也由于法庭对某些证据不予采信，因此，有关对霍歌夫妇杀人嫌疑的指控不

259

能成立，当庭无罪释放！"

"啪啪啪啪！"伴随稀稀拉拉的掌声，法警把霍歌夫妻从被告席请到观众席。

玛格丽特神情笃定。"卢杰先生，本庭给你最后一次陈词权利，你还有话要说吗？"

卢杰直呆呆盯着墙上的女王画像，缓缓站起身来，像是自己跟自己说话："莉莉，我对不住你！我把你邀到澳洲，未尽地主之谊，致使你走上一条不归路！我对你的真爱，被一个个世俗的现实所粉碎。那种桎梏般的爱，使你魂丧他乡，也让我身陷囹圄。我们的婚约掺杂太多的功利目的。虽然我知道是谁杀的你，可是责任在我。作为一个未婚夫，我连未婚妻都保不住。我有罪！我愿走进牢狱，向你早逝的灵魂赎罪。啊啊啊啊……"卢杰的眼睛越来越红，哭声越来越大，泪珠跟黄豆子似的稀里哗啦地往地上掉去。

玛格丽特的眼神闪出一丝怜悯的亮点。她眨眨眼，把脸一拉，朗声宣布："有关对卢杰的指控，相关证据相互印证，具有因果关系，法律事实清楚。因此，卢杰涉嫌谋杀何莉莉和奥利弗？卢的故意杀人罪名成立。根据新州《刑法》，本庭判处卢杰四十二年有期徒刑，其间不得假释。"

话音刚落，两个虎彪法警就把卢杰的双手铐在肚前，按回座位。旁听席上传来"嗡嗡"的窃窃私语声。

玛格丽特用眼神使法庭安静下来，这才继续说下去："经过长达一年之久的审理，这一震惊于世的母子双尸惨案今天终于落下帷幕。何莉莉母子的宝贵生命被毁灭了。人类进化到今天，最长寿的可以活到一百三十岁。也就是说，我们可以假设，何莉莉被杀人犯剥夺掉一百多年的寿命。至于奥利弗，一个刚刚诞生的孩子，生命之河更是不可斗量。死者已逝，永不复活。生者依存，虽然罪大恶极，但仍有活下去的人权。这也是澳大利亚法律不设死刑的根本原因。卢杰先生现年四十二岁。在未来的四十二年里，他的自由将被限制在一堵狭小的厚墙里。这四十二年，本是他人生中最成熟、最精彩、最出成果的年华，他却要在别人的管教下度日如年。这种惩罚，对一个鲜活的生命来说，是极其严厉的。如果他长寿的话，可以于八十四岁那年出狱。可想而知，一位八十多岁的老人，对社会治安基本不再构成有效的威胁。这也是本法官关他四十二年的主要原因。卢杰先生，希望你在漫漫刑期洗心革面，一如你在犯罪之前那样，对社会做出应有的贡献。你可以在狱中编写教科书，继续用你的专长造福于人类。"

卢杰眨下眼。

玛格丽特扬起长睫毛说："这一案件为民众提供一个自我反省的机会。当一个人向着犯罪之路迈开第一步时,他的双脚同时也往监狱的门槛跨进一步。在人的一生中,很容易闪现杀死仇人的念头。从理论上讲,这时你已经犯下故意杀人罪,只不过尚属'未遂'。倘若及时'终止'这种杀人恶念,你仍属于一个守法公民。然而,如果你胆敢'实施',那么,你最终要为此付出惨重的代价。要么忍受良心的折磨,要么受到法律的严惩。人在愤怒的时候,极有可能把手指扣在扳机上。全社会,就是要千方百计防止犯罪的子弹射出枪膛。在我判决过的人命案中,百分之七十是由家庭问题和婚恋问题引发的。也就是说,七成的受害人是被熟人和亲人所干掉的。这个案子是一场破坏婚姻与保卫婚姻的大战。有时,无论是法律武器,还是道德力量,都无法遏制婚外情的发生。这时,杀人的理由显得特别正义。然而,生命的价值高于一切,任何人都没有剥夺他人性命的权力。法律不允许任何人越界。人啊,珍惜自由吧。在你享受自由的同时,也承担自由所带来的结果。宽容是快乐之本。如果你不能正视别人的弱点,把别人想得太好,你就很容易恨这个人。人性的弱点注定了人类的不完美。人不但要容许别人有缺点,而且还要学会宽恕仇敌。与人为善,方能平平安安。宽容,宽容,再宽容!谁能宽容别人,谁就能拯救自己。"

"坏的欲望人人皆有。如果身体力行,你就变成一个坏人;如果冷静克制,就是一个好人。公民们,远离犯罪,珍重生命。法律就是要限制人性弱点的恶性膨胀。人类只有正视人性中恶的一面,才能减少犯罪。纵观此案,都是情欲作的祟。偷欢的激情只能持续瞬间,而为此付出的代价往往要穷尽一生。一夫一妻可以维持社会和家庭的稳定与和谐。外遇就是背叛,是对家庭另一半的极大伤害。夫妻需要忠诚,朋友需要忠诚,企业需要忠诚,团队需要忠诚,社会需要忠诚。婚姻就像一道多项选择题。不管是对还是错,你只能有一个选择。选中这个,就必须放弃别的。"

玛格丽特朝陪审席望去,只见十二人表情各异。

"家庭问题错综复杂。婚姻不是黑与白。婚姻就是一把双刃剑,既可以击中丘比特的爱心,也能一刀刺穿凡人的心脏。夫妻之战已经成为地球上的'第三次世界大战'。人类发展到今天,还不能有效地控制家庭内战。连警察、法官和刑法都控制不了一意孤行的人,一个普通人如何控制?然而,婚姻不意味着独霸和专横。人人都有支配自己的权利。一方面,对一切不

261

利于家庭和睦的行为,你有权说'不';对出格的配偶,你有权说'不';对第三者,你更有权说'不'! 不不不不! 另一方面,人最应该学会控制自己。如果不及时勒住'愤怒'这匹野马,那么,你离犯罪的道路就会越走越近。一个最守法的人也可能在一瞬的暴怒之间杀人越货。制怒可以预防犯罪。控制自己的行之有效方法只能在理智中产生。如果配偶回心转意,那么浪子回头金不换。如果破镜不能重圆,最明智的办法就是友好分手,以免走上极端之路。"

玛格丽特扫一眼霍歌夫妇,只见两人面面相觑。

"欺骗是对配偶心灵的强暴。与其欺骗别人,或是被人欺骗,还不如离婚,找一个真心爱的人。不道德的关系,不健康的关系,充满仇恨的婚姻,结束得越早越好。否则,对社会,对他人,对自己,都没好处。谎言再华丽也掩盖不了生命的本质。说谎者到头来总是自欺欺人,成为谎话的最大受害者。"

"请那些家庭还未出现危机的夫妻注意,一定要有强烈的防范意识。爱情是美好的,也是易变的。你的枕边人,随时会把一道晴天霹雳打在你头上。正当你全心全意爱恋对方时,对方也许正在跟别人暗渡陈仓。你们要全身心看护好家庭,不给任何第三者以可乘之机。"

"当然,夫妻双方也不要像踢球那样搞人盯人防守。一个人有什么行为,就会有什么结果。如果你尊重别人的选择,别人也会尊重你的选择。如果你宽恕别人,别人也会宽恕你。如果你仇视别人,别人也会仇视你。在二十一世纪,解决婚姻问题的有效策略是通过相互谅解达到双赢。夫妻双方轮流当天使,我退一步,你也退一步。如果有一方非要死抱过去那种你输我赢的陈腐观念,其结果往往是两败俱伤。给对方一些空间,总比设法控制对方要明智得多。公平是澳大利亚的传统文化。婚姻的倾倒往往是由不公平造成。一方比另一方霸道,另一方就要反抗。一方不在乎另一方,另一方往往就会移情别恋。当夫妻打得不可开交时,第三者就会乘虚而入。平衡乃婚姻之真谛。强势一方做减法,弱势一方做加法。婚姻就是一条长河,幸福的婚姻流甘泉,不幸的婚姻载泪水。相濡以沫才是婚姻的真谛。夫妻双方要把利己转化成利他,乃至达到一种舍己为人的境界。"

玛格丽特见查尔斯一副满不在乎的样子,冲他那个方向说下去:"这宗案子告诉我们,婚外情是婚姻的最大杀手。就在何莉莉一脚迈向一个有妇之夫时,她的另一只脚同时踏上一条死亡之路。当一个不正当的关系破坏了一个正当关系时，杀机往往就埋伏在不正当关系的正前方。男男女女相聚，尤其是男性，最容易患上'风流病'。很多聪明绝顶的人，只要情欲烧身，其智商很快就降为零。就像一个酒后开车的人，平时技术再好，其判断力和反应力也大打折扣。多少人在欲海翻船。作为有七情六欲的人，我们要时刻检点自己。虽然人类有一些动物的本能，但我们终究还是受过十几年教育的文明人。人类的性行为涉及到法律、道德、价值观、社会环境和文化修养等方方面面。虽然禁欲时代已经一去不返，但我们越自由，就越要压缩欲望，保持一种内在的支配力。一个丈夫或妻子偷偷爬上别人的床，是对其配偶的最大羞辱。夫妻出了问题，孩子是最大的受害者。孩子所遭受的家庭破裂之苦，要比那些风流大人所享受的'乐'，大一万倍都不止。这种痛所带来的负面影响也许会持续下去，进而给其今后的生活态度和行为模式留下阴影。澳洲的离婚率越来越高，紧跟在中国和美国这两个离婚大国之后，每年有几十万个家庭解体。破裂的婚姻给社会造成极大的危害。家庭暴力，继父继母虐待儿童，少年离家出走，以至于情杀和凶杀等等，层见叠出。"

"人自出生起就要面对孤独，而家庭却能帮你摆脱孤独。闭眼想想吧，有什么比自己的家庭更重要？有谁比你的孩子更值得珍惜？为偷一时之欢，被配偶和孩子判一个无期徒刑，值得吗？只有把孩子的利益放在第一位，家庭幸福才有最大保障。快乐的夫妻养出快乐的孩子。"

玛格丽特再看查尔斯，只见他红着脸低下头去。

263

"判刑不是我们的目的。减少犯罪有赖于全体公民素质的提高和社会文明的进步。对那些走投无路的人，应及时救助。谁也不是天生的杀人犯。求助最符合澳洲的伙伴精神。平民创造奇迹，情景改变行为。公民们，多一些关怀，多一些温馨，多一些人情味，恢复上世纪路不拾遗、夜不闭户的民风吧。"

"何莉莉这一血案为每个公民发出振聋发聩的警钟：公民与罪犯，爱人与仇人，好人与坏人，只有一步之遥！世风日下，我们生活在一个极其险恶的世界，失去理智的人无处不在。人们为了一己之私，一己之利，轻则六亲不认，重则以身试法。法律只能作用于行为，不能作用于感情。感情，这一世上最为珍贵的人类资源，越来越不被我们在意。没有感情，就像没有阳光一样，世界只剩下一片黑暗。我们不能任纯美的爱情像塔斯马尼亚虎那样从地球上灭绝。人类最伟大的感情——爱情已被人类摧残得遍体鳞伤。爱能让夫妻延续情感，让家庭团结一致。爱是人生最大的动力，爱能化干戈为玉帛。爱就意味着责任和义务。爱就意味着善待和尊重家中每一成员。爱就是让自己有尊严，让家人有尊严。人味儿是人类的无价之宝。我个人非常赞赏'家庭第一党'的宗旨和主张。家庭是社会安定的细胞。社会需要公序良俗，夫妻需要两情相悦。有家才有爱。只有拯救婚姻，才能拯救人类。"

"现行法律过于注重保护婚姻的经济利益，这正是症结所在。二十一世纪，我们必须改革婚姻。婚姻只有以感情为基础，才能牢不可破。只有用'以感情为基础的婚姻'取代'以财产为基础的婚姻'，婚姻才有出路。以物质泡沫支撑起的婚姻殿堂，往往不推自倒。用金砖搭房子的人，也许会搬起砖头砸自己的脚。公民们，试想，一个没有爱的世界将是一个多么冷酷的世界，多么乏味的世界，多么令人绝望的世界。公民们，敬畏婚姻，敬畏异性，不让婚外性关系发生在自己身上。珍惜感情，珍惜爱情，珍惜亲情，珍惜真情吧！爱是人类最伟大的力量！"

"哗哗——"玛格丽特以为外面下起瓢泼大雨，却发现是观众席发出的廉价掌声。

"安静！"玛格丽特张了一下嘴，轻声说道："卢杰先生，你有上诉的权利。"

"不！为莉莉守魂，我认了。"卢杰把脸上的眼泪胡噜进手心。

"现在，我宣布，刑期即刻生效。"玛格丽特手里的法锤像一把铡刀一样砸落下来。

两个法警把卢杰架起来。

"放开我，我自己会走！"卢杰挣搏一下，迈出被告席的小木门。他的眼珠从左到右扫视旁听席，一眼瞥见向他发出嘲讽微笑的查尔斯。卢杰的寸头竖立起来，方脸憋成一个红气球，用中国话冲查尔斯咆哮："查尔斯，你这个杀人真凶！我就是把牢底坐穿，也要把你送上断头台！"

"带犯人入狱！退庭！"女法官端起双肩，甩起长袍，如一阵风般飘出法庭门外。

205

查尔斯和阿曼达刚一出法院，就被记者团团围住。

"我是《袋鼠日报》的，出一百万，买你们的独家采访！"

"我出两百万，一号广播电台的！"

"三百万，环球网络电视台的！"

夫妻俩装成聋子和哑巴,只管肩并肩向前挺进。各种镜头像一杆杆长枪一样,对准他们的身体肆意扫射。

"请问,卢杰为未婚妻而战,你们觉得他冤不冤?"

"请问,是你们下的杀人圈套吗?"

阿曼达恍若奔赴刑场。她伸手挽住查尔斯的左臂。一副贤妻良母的形象被记者及时摄入镜头。查尔斯伸出大手,推开一个又一个贴过来的镜头,拉起阿曼达的手,向停车场逃遁而去。

刚被车海淹没,阿曼达就甩开查尔斯的手,径自离去。

206

威廉在停车场的汽车里看得一清二楚,开车跟上阿曼达的步伐。

"你好,霍歌太太。我是陪审员威廉,很想跟你认识一下。"威廉探出粗脖子,向阿曼达露出橄榄球大头。

"有什么好认识的?"阿曼达耸耸肩,继续走自己的路。

"霍歌太太,你知道吗? 是我,救你一命!"威廉的车身紧贴她的裙摆。

"救我?"阿曼达的高跟儿鞋停止运动。

"想听听吗? 走,我请你喝杯咖啡。"威廉探过身去,用长臂推开客座那边的车门。

阿曼达站在原地不动。

威廉跳下汽车,绕过去把车门开大,一低头,一挥手,恭恭敬敬邀道:"请吧,姐姐。"

阿曼达不再犹豫,迈开象牙般的光滑白腿,一屁股坐在威廉放在车座的墨镜上。

207

查尔斯刚被企鹅大学解聘,又被前来安葬女儿的马英缠住不放。

马英在女儿的故居守灵,悲愤得都快把脑袋变成一颗地雷。她一见查尔斯就要拉弦,炸他个碎尸万段。"阿拉含辛茹苦把女儿拉扯大,等于给侬当了义工。侬从卢杰手里抢过莉莉,不好生待她,反而把她引上刀光之灾。侬还阿拉一个活人!"

查尔斯交不出人,只好向马英交出房产和存折。"御姐,我知道生命无

第十二章 谁解其中谜?

网上新娘

价。可是我能做的，就是帮您投资移民，替莉莉安度她没享完的清静日子。"

208

安顿好马英，查尔斯决定躲开悉尼这个是非之地，去北京的东方大学享受他的外国专家待遇。

他好久没进家门了。临走前，怎么也得跟宝贝闺女道声"再见"。

还没进门，他就听见屋里隐约传来一阵疯癫的男女尖叫声。怎么？家里有男人！肯定是刁老婆招来的野汉子。他深吸一口气，在心中默默数起来："1，2，3，4……"自己是来看凯瑟琳的，不是跟老婆打架的。打不还手，骂不还口。

"哇，活儿好，比你妈还好！"

他快步穿过长廊，跨进客厅门一看，立即血冲大脑。一条大汉像一条鳄鱼，光着大板脊梁，横在沙发前，趴在凯瑟琳的裙子上大跳摇滚舞。女儿躺在沙发上，像个杂技演员，四肢乱颤，两眼发直，生怕滚转的瓷碟掉下来把戏演砸了。

"谁呀你？给我下来！"查尔斯冲过去一把将大汉拉下马来。

"啊？"大汉愣一下，很快就反应过来。"滚，没你说话的份儿！"他提上牛仔裤，一个转身把查尔斯扑倒在地，如拳击手一般，把查尔斯的头当成梨形速度球，连连速击，一拳狠似一拳。

"浑球儿！"查尔斯的鼻孔血流如注。他一捂鼻子，又有一记重拳打来。查尔斯的左眼像一只断丝的灯泡，眼前的一切缩小成一个小黑点儿。他觉得自己失明了。

"住手！"查尔斯听到门口响起一声怒吼。那不是刁妻阿曼达的圆号嗓子吗？"威廉，好呀你！趁我买东西这点儿空当，你就糟蹋起我女儿来。你还是不是人？"

"怎么？阿曼达，不爱我啦？"威廉？不是那个陪审员吗？

"爱你？我恨不能一刀扎死你！"又是阿曼达的叫喊。

"哎哎哎，阿曼达，把刀放下！我这不是爱屋及乌嘛。何必动这么大的气？"

"爱你个头！看刀！"阿曼达急了就是这声儿。

"啊！够狠呀你！要不是我躲得快，头发就让你给削下来啦。嘻嘻！"就是威廉那条癞皮狗的叫声。

查尔斯眼里的黑点儿越来越大。眼前有亮儿了。他模模糊糊感到，凯瑟琳像只被俘的考拉树熊，躺在沙发上楚楚可怜。

"削秃了你，正好去当犯人！"查尔斯依稀看到，阿曼达掏出手机，用刀尖儿点击键盘。

威廉"嗖"地从查尔斯身上跃起，扑到凯瑟琳身上，把老虎钳子般的粗手指头掐在她的喉咙上。"你要告我，你女儿就死定了！"

"别别！威廉，放开我女儿！"阿曼达"嘣儿"的一声挂断手机。

"快，把手机扔过来！"威廉的眼球都要炸了。

阿曼达一扬手，像是踢出一记落叶球。手机在空中翻出几个滚儿，又在地毯上跳上一下，准确定位在威廉的脚下。

威廉弯腰去够，还差一个巴掌的距离。

"啊？"他的手指尖儿刚一碰手机，就被两只大手死死拉住胳膊。

查尔斯使劲睁眼，就像近视眼戴上眼镜，模糊变清晰。他像个抢到位置的守门员，一把将手机扑出去。

阿曼达抓到手机，按下通话键大喊大叫。

威廉从凯瑟琳身上一跃而起，转身一脚铲射，把查尔斯踢倒，拔脚就往客厅门口跑去。

阿曼达手持尖刀挡住他的去路。威廉正要夺刀，大腿却被查尔斯抱住不放。威廉扭过腰来，像拉手风琴一样拉开双掌，把查尔斯的一对耳朵当成风箱，猛然一合，双风灌耳。

"啊！"查尔斯松开手。伴随"嗡"的一声鸣响，世界遽然万籁无声。他一举手，身体轰然坍塌下去。

查尔斯眼看阿曼达持刀刺杀过去。威廉侧身一躲，飞起一脚，尖刀像橄榄球一样在空中画出一个弧线，戳进凯瑟琳身旁的沙发靠垫里。

耳鸣把查尔斯带回音响世界。他撑起身子，从背后猛推威廉一把。威廉向前冲出一个三级跳远的长步。阿曼达一伸脚，把威廉绊个嘴啃泥。

霍歌夫妇一齐扑向威廉，把他按倒在客厅门前。

威廉双手抓住门框，奋力挣脱。"啊——"他突然发出一声嚎叫，像是困兽被门夹扁了尾巴。

"好！"查尔斯一看，一把尖刀扎进威廉的厚手掌，把他的右手牢牢戳在门框上。好样的！持刀人是凯瑟琳！

警笛四起，查尔斯扭住威廉的左手，塞进警察伸来的手铐里。

209

查尔斯把何莉莉和奥利弗娘儿俩的骨灰运回北京,在华侨陵园选中一块风水宝地。

墓碑坐北朝南,背靠层叠青山,坐抱一池潭水,遥望南半球的澳大利亚。前有围屏遮风,后有厚壁挡雨。一年四季的阳光,无论是朝阳、正阳,还是夕阳、斜阳,都能光照墓碑。一大一小两具棺材躺在墓穴里,有如刚出锅的栗子一样油光发亮。

他活了四十八年,内心从没这么空虚过。那些跟他燃烧过欲火的女人,就像冷冻进冰库的一排排猪肉,早已拉到肉铺甩卖出去。肌肤无论怎么摩擦也要冷却下来,唯有莉莉的真爱暖他心窝,给他留下永恒的情感遗产。他跪在石碑前,凝视碑上的遗像。那是他在布里斯班植物园为她拍下的一张绝照:何莉莉把身体弯成一条蛇,双手搂抱一棵比她硕大好几圈的参天大树。

他从西服上兜掏出一只粉色 U 盘,攥在手心来回抚摸。幸亏我在莉莉的住宅布设监控录像。该死的阿曼达,你再能狡辩,只要我把录像片一交,进监狱的就不是卢杰了。他从鳄鱼皮电脑包掏出笔记本电脑,把 U 盘插进去,一部小电影在激光液晶屏上演起来。

画面上一片空白,背景传来清脆的电子门铃声。屏上一亮,就像舞台上给出灯光一样。何莉莉身穿绿花连衣粉裙,坐在客厅的黄皮沙发上,正用奶瓶喂婴儿。

"丁零——"门铃继续作响,她把怀里的奥利弗放在沙发上,胡噜一下长发。

何莉莉跨步移出客厅。画面剩下叼着奶瓶的奥利弗。还有一把挂刀,就悬在沙发背后的那堵墙上。

隐藏在正门内外的高分辨率电子眼忠于职守,把一个高大的红衣女郎摄入监控录像的视野之内。

"嗨,莉莉!"防盗门的窗口露出笑容可掬的阿曼达。看我这个刁老婆笑得多憨呀。

"谁嘛?"哎呀,莉莉,你露这个头干吗?

"阿曼达!忘了吗?在我家里,我们见过面。"阿曼达还是笑呵呵的。

"侬?阿曼达?"莉莉,你这么嫩,怎么斗得过那个悍妇。

"你好,何小姐。我想像姐妹那样,平心静气跟你谈谈,消除彼此的误解和嫌怨。"鳄鱼的眼泪!阿曼达的嗓音听上去多友好啊。

"侬是来打架的吧?"莉莉,你既然知道来者不善,还跟她费这个唾沫干吗?

"打架只会误事。不如采取积极态度,商讨如何和平共处,亲如一家。"老婆显得多有涵养呀。

"真的?"莉莉,别信阿曼达的鬼话。千万别给她开门。

"你知道我是谁,也认得我家大门,有什么不放心的?"阿曼达在麻痹你呢,莉莉。

"中国有句老话——跑得了和尚跑不了庙。"

"千真万确!中国人就是有智慧。你们华人讲究礼尚往来。我都到了家门口,怎么也该让我进去坐坐吧?"

"侬怎么找到这里的?"莉莉还蒙在鼓里。

"噢,还不是查尔斯的点拨。他让我给你捎个信儿。"真是弥天大谎。

"什么吗?"

"进门慢慢说吧。"

"不闹事?"

"我要是老站在门口,街坊四邻还真以为我是寻衅的呢。对吧,莉莉?"

电脑里的何莉莉犹豫几秒,还是扭开防盗门。哎哟,这不是引狼入室嘛。莉莉显然不愿让周围人看到一场私生活打斗闹剧。

阿曼达跨进步来,伸出胳膊,假惺惺做握手状。可是看她手上戴的——一双薄薄的白手套!显然有备而来。莉莉只当阿曼达的手并不存在,"砰"的一声,随手撞上钢木门。阿曼达还用红头巾裹头,还不是怕在现场留下一丝毛发?

"说吧,什么信?"

"他要正式跟你分手。"

"这话,连侬都不信吧?说!侬想怎样?"莉莉用身体挡住去路,阿曼达只好站在门厅。

沉默片刻,阿曼达开了口:"你只要跟查尔斯断绝关系,你提什么条件,我都答应。"

"有了孩子,怎么断的啦?"何莉莉往客厅那边张望一眼。

"啊、啊、啊——"喇叭里传来婴儿的啼哭声。何莉莉一脸焦急,转身跑出微型摄像头的"射程"之外。

"啊，不哭，不哭，妈咪来啦，妈咪来啦。"背景传来莉莉的吴侬软语。

阿曼达在屏幕上东张西望。何莉莉很快又回到画面，怀里多个婴儿。

"这就是那个野种吧？"阿曼达的凶光像两把利刃，直往奥利弗身上刺去。

"侬要是这样讲话，就没什么好谈的啦。"何莉莉晃动上身，摇摇怀里的婴儿。

"我给你亮过黄牌，可是你还是生出这个杂种！"阿曼达的绿眼珠瞳孔放大。

何莉莉扭身一笑。"这是爱情硕果，不是什么杂种的啦。既然侬亲眼看到这孩子啦，也该死心了吧。查尔斯的心早不在侬那里啦。侬死保一纸婚书，有什么意思的啦？"

"呸，我的财产，你休想夺走一分钱！"

何莉莉拍拍奥利弗。"这事，孩子说了算。"

"我早就料到，你是为钱生孩子！你怎么一点儿人格也没有？"

"少训人。别忘啦，侬是在哪里。"

"哪儿呀？是我先生的房子吧？"

"侬去问他好啦。"

"这样吧，我给你一笔钱，你离开吧。"

"应该离开的是侬！"

"我跟他维系了二十多年婚姻，你让我离开，可能吗？"

"世上没有不可能的事啦。"

"这么说，你想赖账？物归原主是你唯一的出路。"

"他一回来就娶阿拉的啦，谁是主呀？"

"不等他回来，你早下地狱了！"看，老婆脸上的肉一颤一颤的。

"一咒旺十年。出去，别吵了宝宝的好觉。要不然，阿拉就叫人啦！"

"这个杂种的好梦，就快做完了！"阿曼达直愣愣地盯住婴儿。

"去去去，出去！"何莉莉抱着孩子往外推阿曼达。

阿曼达一步步退到门口。莉莉，你倒防着点儿那个母夜叉呀，这个坏娘们儿早就把今天当成诺曼底登陆日啦。

"砰！"阿曼达猛然出手，把心爱的莉莉给封成一个乌眼青。只有阿曼达才能打出比男人还狠的拳头。她一直练健身，每天挺举几百下杠铃，原来就为这一下。

何莉莉抽出一只手来捂右眼。

阿曼达连推带揉,莉莉抱着婴儿连连倒退。隐蔽镜头转换进客厅。停,莉莉,别再退了,身后有沙发。

莉莉的脚后跟儿碰到沙发帮,身子歪扭过去。得,这回给了阿曼达机会。阿曼达顺势一推,把莉莉和婴儿推倒在沙发上。哇,这坏女人真要杀人呀!看,她跳上沙发,够到墙上的刀把儿。

莉莉一手抱婴儿,一手去拉阿曼达的大腿。

阿曼达拔出那把战国匕首,用膝盖顶住莉莉的胸部。"说,离不离开他?"看,她按住莉莉的细嫩脖子,把刀尖儿顶在莉莉的脑门上。

"该离的是侬。"莉莉躺在沙发上不动。

啊,老天,阿曼达举刀朝莉莉的面门刺过去啦。

莉莉一歪头,粉嫩的脸蛋子还是被划出一道血印子。哎呀,这要是扎在阿曼达那张老皮老脸上,倒没什么可惜的。可是,偏偏扎在一张天仙脸上。

"离不离?"阿曼达在空中晃动尖刀。

"就不离!"莉莉伸出右手夺刀。

"嚓!"啊,天哪,莉莉的食指被一刀削去一半儿。阿曼达,你以为削铅笔头呢。

"啊,擦那!阿拉跟侬拼啦!"傻瓜,阿曼达手里有刀,你拼得过她吗?

莉莉又去夺刀,中指又被砍掉一半儿。

"啊,阿拉不活啦!"莉莉的左手死死抱住左胳膊上的婴儿。

"你这种娼妇,多活一天,就多当一天祸水。"阿曼达斜身压在莉莉身上,就像骑马一样骑在莉莉的肚子上。莉莉像个不甘驯服的野马,屁股努来拱去。阿曼达叼住匕首,用四肢压住莉莉。

"求求侬,留阿拉一命!"莉莉被压得满脸通红。

"你欠的账,只能拿命偿还。"阿曼达两眼喷出地狱炼出来的火焰。她的邪火一旦燃烧起来,就是一万吨水也别想扑灭。我太了解老婆大人啦。

"呸!"哎呀,莉莉,你往杀身附体的疯子脸上啐唾沫,不是找死吗?

"你不想死,也得死!"阿曼达猛然抽出右手,高举匕首,一刀刺进何莉莉的左胸。"连耶稣都被钉死在十字架上,你还想逃过死亡一劫?"

"啊——"末日的哀容写在莉莉的脸上。这一刀多狠呀。多像冲进纽约世贸中心北楼的那架人肉飞机。莉莉,你要撑住啊!

阿曼达拔出匕首，面目狰狞得就像飞机撞楼后的一股灰烟。匕首升空，第二架劫机又飞奔过来。

"不，不要！"瞳仁里的敌机朝她俯冲下来。

"嗖！"比飞机还快，如闪电一般，阿曼达手里的匕首又向"南楼"袭来。

"以肉事人的婊子，查尔斯就这么捅你，是吧？今天，我替他帮你，让你痛快个够！啊，痛快，痛快！"阿曼达，这个杀人恶魔，肯定把这只刀当成一根通条，一刀接一刀戳进莉莉的肉体。看她多带劲呀，比二十年来跟我做爱所加起来的劲儿还大。她以为她是谁，可以像我那样在莉莉的身上随心所欲？

看啊，利刃一次次扎入莉莉的胸膛，肯定把她扎麻木了。肉痛敌不过心痛。这一刀刀刺下来，比扎在我心上还疼。快住手吧，都多少刀啦！

阿曼达瞥一眼仰在莉莉左臂上喝奶的婴儿，停下手来。"其实，今天的下场，你早该料到！"

莉莉眯开一条眼缝儿，把眼珠斜在奥利弗身上。婴儿紧闭双眼，肯定做着童话世界的天真美梦吧。奶瓶耷拉下来，像个吊在悬崖边的顽童。莉莉用右手的残指一扶奶瓶，奥利弗的嘴就像回到水里的小鱼，贪婪地吸食起来。白白的奶粉在瓶里泛起一层泡沫。莉莉的嘴角翘了一下。她该有多高兴呀。这么可人疼的宝宝，只有从莉莉这种美人模子里才能刻出来。

"侬要还有一丝人味，就不要伤害宝宝。"莉莉回光返照。可是，"姐妹楼"即将崩塌，她想拦也拦不住啦。

"死到临头，你居然毫无忏悔之心！"阿曼达，你都把人家毁成这副惨样儿，还不依不饶，也太不厚道了吧。我真替你感到可耻。

"为爱而生，为爱而死，没什么可后悔的。阿拉宁愿真情活上一天，也决不在虚伪的婚姻里长命百岁。起码，阿拉真活过一回。不像侬，死抱一把钝刀，让没有爱情的婚姻慢慢割侬的肉。"莉莉语音轻清柔美。

"你的肉，那就割得麻利点儿吧！"阿曼达声如狮吼。

阿曼达的尖刀又升空中。啊，莉莉命悬一线，只差一步就踩到人生的终点线上。

"死亡面前人人平等！侬，迟早也有一死。"莉莉的右手猛地拔出奥利弗嘴里的玻璃奶瓶，朝阿曼达的面门击打上去。

好！好样的，莉莉，宁死不服！

阿曼达一扭头。"啪！"奶瓶击中阿曼达的大鼻子，弹飞到地毯上。一滴鲜血从阿曼达的鼻尖儿滴落下来，做自由落体运动，悄然无声地坠入紫红色地毯里。啊哈，就是这滴血，让警方抓个正着。

阿曼达用手套堵住鼻孔。看，她要疯啦。

"那你也死在我前边儿！"啊，不！阿曼达双手握住刀柄，"噗——"朝莉莉的左胸刺陷进去。

啊！这一刀仿佛扎进查尔斯的胸口，他的脑海映出的全是血腥的红色。莉莉跟他在一起的一幕幕恩爱场面就在这血色中闪来闪去。莉莉，你别走！

"哇、哇——"奥利弗的嘴里没了奶瓶，啼哭个不停。

一切都太晚了。即使太阳从西边出来，黑暗也必将来临。莉莉已被阿曼达推到地球的边缘。下面就是无底的宇宙，等待莉莉的只能是蹦极一跳。不幸的是，这个游戏不带绳子，跳下去就再也弹不回来啦。告别地球虽说是每人的归宿，但对莉莉来说，跳得也太早了吧？都赖我！我要是早回去一会儿，也许就能终止阿曼达的杀人狂欢。

"骚货，看你还怎么抖骚？"每扎一刀，阿曼达的脸上都露出极乐的快意，这不是她达到性高潮时常有的表情吗？看，她把吃奶的劲儿都使出来啦。

"妈咪，阿拉看到荷花啦。观世音菩萨来接阿拉啦。妈咪，女儿先走一步啦……"莉莉的目光越来越混沌。

"走，走，快走！下地狱吧，魔鬼等你多时！"

阿曼达刀起刀落，刀刀见血，把莉莉的睡衣扎得血肉模糊。

别扎啦！莉莉的酥胸，人体最绝美的器官，都快被你戳成蜂窝煤啦。阿曼达气喘吁吁。她还有累的时候？她刚一住手，莉莉就双脚一蹬，一头歪去。嘿，阿曼达还不解气呢。看，她又举起快刀，连连挥舞，活像一套连环组合拳，一直把莉莉扎得没有丝毫神经反射。

执行枪决的大兵就这么补枪吧？这个阿曼达真的连一点儿人味儿都没有！该下地狱的是她。看看莉莉，多么伟大的母亲，左胳膊至死也没松开我们的宝贝儿子。

坏啦，阿曼达又把凶恶的眼神投向哭累了的宝宝。嘿，干吗？她又把匕首高举起来！她最恨奥利弗。

匕首并没落到婴儿身上，却"咔嚓"一下，像切西瓜那样，一刀把何莉莉的脑袋瓜割下来。他妈的，阿曼达，你也太杀人不眨眼啦！刽子手行刑时还知道蒙上脸呢。我要不把这个 U 盘交给阎超，我就不姓霍歌！

阿曼达把匕首狠狠插在何莉莉的左胸上，像一面攻下山头的胜利旗帜。她脱掉血红的风衣，把人头包严，塞进一黑塑料袋里。看她，摘掉血手套，用手绢擦净脸上的血迹，连同红头巾一并扔进黑袋。她比警探还细心，又换上一副洁白的新手套。一身黑色的女西装让她摇身变成端庄的职业女性。吊孝呢？

"哇、哇——"宝宝好半天喝不到奶，又发出强烈抗议。

啊，不！阿曼达不至于连这么年幼的孩子都不放过吧。看啊，她扒开莉莉的左胳膊，就跟抓起一只小兔子似的，一把将婴儿提溜起来。

镜头切换进宝宝房。

阿曼达两眼冒火，把奥利弗扔进婴儿床的围栏。

奥利弗的哭声像一首嘹亮的儿歌，一声高过一声。

"住口，孽种！都是你惹的祸！"阿曼达扯下婴儿胸前的围嘴儿，一把堵住奥利弗的嘴，往奥利弗的喉咙狠塞进去。

奥利弗的小脚一阵乱踹。看阿曼达那副德行，咬牙跺脚地抓起毛毯和枕头，压住婴儿的小脸，越压越低。

274

"1，2，3，4……"啊，都数过一百下啦，阿曼达仍不松手。那孩子就这么眼睁睁让你给闷成烧茄子！

看，阿曼达瘫坐在地，双手抱头。她也良心发现了吧？

可是，她很快就站立起来，跑出婴儿房。

她转回客厅，弯身抄起黑袋，顺手拉下莉莉的内裤。嘿，她还挺有反侦查意识。

"砰——"伴着一声撞门，阿曼达像鬼影儿一样在画面上消失。液晶屏上闪出一片雪花，继而是死一般的寂静。

伴随小鸟在青山绿树间的飞掠啼鸣，查尔斯跪在电脑前忏悔："花痴女孩儿，莉莉，是我把你送进死神的怀抱！良心的折磨比法律的制裁还要难熬。你在时，给我那么多承受不起的爱。可是，我并没珍惜。你一睡不醒，我才恍然憬悟——世上只有莉莉好！我亵渎了你的神圣爱情，我有罪。法庭虽然没给我判罪，你却有权判我死刑。你走了，我身体的一部分也随你而去。我的爱，入土为安吧。莉莉，我的心永远跟你的心一起跳动，直到盖上棺材为止。我先跟你定个约会，我死以后，也来这里与你长眠……"

"大鹏鸟，够一往情深的呀！"

查尔斯猛然听见身后传来一声花腔女高音。是何莉莉显灵啦？

"大鹏鸟，斯人已逝，还有咱呢！"

查尔斯回首一看，一面红旗般的风衣在他的头顶迎风飘扬。"啊？"这是哪个学生来的？丁字步上是一双芭蕾舞演员般的大长腿，高耸的乳峰上是一张极具亲和力的猫头鹰脸。一副宽边墨镜藏好勾魂眼神，显出来的是一派女大学生的文质彬彬。

"嗯呐，大妹子来埋您儿子。"红衣靓女的肚子上挺着一具褐色骨灰盒。

啊？又一个？他赶紧合上电脑。"袁媛！Hello，stranger！"

"回澳前，您天天跟咱发疯，在咱肚里留下一颗胜利果实。"

"你的情哥哥老鼻子啦，怎么就是我的子儿呢？"他捏住 U 盘，手抖了两下，才拔出来。

"早成您专车啦，怎会叫别人上车？为您给咱造出的'小鹏鸟'，咱流了多少夜的泪呀！从肚子里刮出一小肉馒头来，那是哈（啥）滋味呀？本来咱想给您传宗接代，可您甩个大浪不回头，拍烂了咱的心。"

"别再添堵啦。为莉莉的'亲骨肉'，我差点儿没下大狱。"他把 U 盘塞进兜里。

"咋整的？杀人场面这么刺激！"

"这是物联网的产物。"

"您是这出戏的幕后推手吧？"

"在这场惨案中，每一方都是害人者，同时也是受害者。杀人游戏中没有对与错，只有人性的毁灭。"

"放心，这个 U 盘，你知我知，还有墓里的死鬼知道。"

"叛徒没有好下场。来，开个价儿吧。"死人的事若是被活人利用，某些活人就要提前进殡仪馆。

"只要您把咱带到悉尼，咱永远是您的骨灰级 fan。"

"成交！既然你这么爱澳洲，我就帮我国多收一个'爱国者'。来，把胞弟跟奥利弗葬在一起，让他们在天堂永结兄弟。"查尔斯掀开棺材盖，接过袁媛手里的骨灰盒，埋进鲜花丛中。

"啊，查尔斯，你如此厚葬他们，可见是个有情有义的真爷们儿哟！"

"唉，除了你，真可谓是众叛亲离呀。"查尔斯扣上棺盖，放眼俯视。啊，山下的主殿堂多像故宫的太和殿。

"甭发愁，有大妹子相伴，保您一生不寂寞！"她的脸上露出自信而持久的微笑。

"你能守住寂寞？"他扫一眼盘山路下的小桥流水，湖畔的垂柳随风飘曳。

"自从认识您，咱总算有了点子悟性。咱要活得光彩，决不再搞哈（啥）'色情回报'啦。"袁媛不错眼珠地盯着他的高鼻子。

"从良好。我也要收心啦，都快五十的人啦。"查尔斯两鬓飞霜，半拉脸布满白胡子茬儿，像是飘落在松树上的雪花。

"哎，宝宝，只要您的大脑管住'小脑'，人生五十正辉煌！老公，'嫁'给咱吧！"她双手一叉腰，摆出一个婀娜的天鹅舞姿。

"你我之间，并不真正了解。"散布在丛林中的亭台楼阁进入他的视线。

"除了亲爹亲娘，谁了解谁呀？不都是一回生、二回熟嘛。贝贝，您在那日子口上，还能给咱这嘎哒发来伊妹儿，这不就是缘吗？"

"来人，封棺！"查尔斯一招手，候在远处的工作人员小跑过来，填土压石，扛锹散去。

查尔斯跪在墓碑前，跟莉莉依依道别。

"放心，鹏鸟哥，您就是真杀了人，大妹子也在大狱陪您睡小炕！"袁媛跨前两步，把双腿移到他的脸前。

276

"真的？"查尔斯抬起头来，只见袁媛的圆嘴现出笑靥，使她的脸显得更圆。他似乎看到新的人生出口，只需头一动，就会破门而入。

"逝者死不复生，就让生者再接再厉吧。"袁媛双手抱住他的大头，就像接住一只劲射而来的"普天同庆"，牢牢捧在自己的肚子上。

"再'结'再'离'？"查尔斯像一匹腾空的骏马，站起身来，把马尾巴支棱得老高老高。

"老公，两根铁轨才能跑出一列火车嘛。"

袁媛牵住他的尾巴，迎着即将隐去的落日，消失在蜿蜒起伏的北京西山。

210

卢杰的自由被限制在悉尼 A 区第一监狱的钢筋水泥墙里。灰灰的墙上没有死不了花，只有电网。墙让人与世隔绝，似乎能把人关进自由的小天地。实际上，墙多可怕呀。墙把人的自由压缩成饼干。谁能逃出墙的罗网？即使是墙外自由的人，不也被限制在四堵墙里吗？

医院的厚墙把病人隔离起来。汽车的铁皮把人圈在一个伸不开腿的空当里。居民楼的一堵堵麻将牌状墙块把人浓缩进一个个小火柴盒儿里。上班的人也被套在一间间办公室的隔断里，或是车间的笼子里。幸运一点儿的澳洲人,顶多在一个有花园的院墙里转悠转悠。脚下稍一用劲,足球就会高高飞入他人领地。

没人拥有真正的自由。国家用边境限制住公民的出入自由。公司用各种规章制度给员工戴上紧箍咒。群众之上有领导。小头目上面有大头头。大经理上面还有资本家。就是一个国家的首脑,还有议会管着,也要看选民的眼色。卢杰想,人类生性热爱自由,可是,又有几个自由的宠儿? 人一从娘胎爬出来,就开始受家庭、幼儿园和学校的管束。成人以后,又开始受单位约束。结婚以后,配偶更让你没自由。有多少时候,人真能给自己做主?自己当初削尖脑袋出国,还以为得到穿墙术的真传了呢。没想到,却被押入一座更加坚硬的狱墙。人活着,就要忍受你忍受不了的苦难,面壁体罚也许是命中一劫。

一墙之隔,隔出公民与罪犯的天界;一墙之隔,隔出天堂与地狱的天界;一墙之隔,隔出生与死的天界;一墙之隔,隔出爱与恨的天界;一墙之隔,隔出自由与监禁的天界。从此。我再也呼吸不到墙外的自由空气,只能在大狱缺氧而死。

不过,有些人必须关起来。像查尔斯这样的人,就该限制在我所待的这堵大墙里,剥夺他干坏事的自由。

高墙,你关住我的躯体,却关不住我的思想。无论如何,我要冲出思想的牢笼,将自由追求到底。

正当卢杰胡思乱想之时,狱警给他带来一个好消息:"有人探监!"

谁? 我在澳大利亚无亲无故。前妻? 不不不! 她是不会带孩子来这个鬼地方的。有限的那几个朋友在我出事之后,都视本教授为艾滋病毒携带者,一个比一个躲得远。除小鸟在铁窗外瞟我一眼,谁会睬我?

一双高跟儿鞋的"嘎嘎"响声直往他的心脏敲来。多像何莉莉的脚步声。他从探监室的防弹玻璃睨视过去,只见交替移动的大象腿上撑起的竟是阿曼达的小瘦脸。他眼前模糊起来,似真似梦。

他拿起话筒,只听阿曼达隔窗许愿:"杰,我要帮你走出这座本不属于你的地狱!"

"哇,南极洲的冰川要融化了吧?"地球确实在一天天变暖。

"让查尔斯坐在你的位置上。"她从上到下打量他的蓝色囚衣。

"什么? 你跟查尔斯?"怎么? 又要发生海啸?

"离啦。"她眼皮一低,把落叶般的绿眼睛落在囚衣的编号上——

"5888"。

"好呀,他也有今天!"卢杰大有逃往火星的喜态。

"他害死了我女儿。"绿湖般的大眼睛都快溢出浪花啦。

"怎么?"即使他的敌人全都葬身于地球的火海,他对同类多少还是有点儿怜悯之心。

"凯瑟琳被人强奸以后,不堪污辱,跳海自杀了!"绿眼珠子这回真的掀起浪涛来。

"啊?"卢杰刚才还在幸灾乐祸。一听这话,怎么也乐不起来了。

"我的女儿,她才十七呀!"阿曼达掏出手绢,抹平湖面的皱波。

"唉,花样年华。"卢杰把心收回地球。

"都是查尔斯一手造成的。我要报仇!"阿曼达把手绢塞回兜里。

"真没想到。"卢杰闭目冥想。

阿曼达从蓝色坤包亮出一副大白手套。"只有想不到的,没有发生不了的。看,这是从我家酒窖里翻出来的。我想,它能证明一切!杰,我要聘最好的律师,还你一个自由身!"

卢杰隔窗一看,上面血痕斑斑。他微微一笑,说上一句:"Anythingcan-happen!"

附录一

澳洲新移民文化身份的
探寻与建构(节选)

（摘自《移民镜报》2009 年 5 月 29 日至 9 月 4 日）

卫东丽

刘熙让是澳洲华文文坛重要的作家之一,研究他的作品和写作行为对于认识澳洲新移民文学的特征以及澳洲的多元文化风貌颇有意义。本文选取刘熙让创作的三部长篇小说《云断澳洲路》、《蹦极澳洲》和《澳洲黄金梦》,结合澳洲移民史和不同时期的社会环境,以文化身份问题为切入点,剖析作者在多元文化背景下的写作意义。全文以作者对文化身份的探寻与建构为主要线索,划分为身份焦虑、身份探寻、身份建构三个部分,重点阐释作者想象中的澳洲新移民文化身份建构方式。

对文化身份的不懈追求是澳洲华文文学重要的表现主题。历经身份焦虑、身份探寻后,刘熙让在身份的认定上已不再将中西文化视为对立的两极。他倡导多元开放的新的文化身份观,这是一种符合时代潮流、有利于社会发展的文化身份观。

刘熙让是澳洲新移民作家中的一员,是澳大利亚作家协会(Australian Society of Authors)会员,常用笔名刘澳或刘奥。他原为《北京晚报》的新闻记者和专栏主编。1989 年赴澳留学后,他开始致力于用长篇小说的方式去反映新移民的生活。他出版的前三部中文小说已经被翻译成英语。在英文版《云断澳洲路》(Oz Tale Sweet and Sour)的封底就有外国人对其作品的肯定评价。他的长篇小说创作在一定程度上已获肯定,具有独特的研究价值。

由于文化身份研究的重要性以及对单个作家作品文化身份研究的缺失,本文选取刘熙让及他的长篇小说为研究对象,试图通过这扇小窗去透视整个澳洲新移民文学的文化身份特点。因此,本文着重的不仅是刘熙让使

279

读者体会到澳洲华人在异乡的成长历程,更看重的是他的创作趋向与澳洲新移民族群的文化身份的探求历程的相似。其作品完整展示了澳洲新移民对文化身份的探求与建构过程。

一、初到异域的身份焦虑

《云断澳洲路》是一个关于居留的故事。居民身份焦虑是文化身份焦虑的先导,它诱发并加深文化身份的焦虑。

1.居民身份焦虑出现的背景

二十世纪八十年代末九十年代初,中国大陆移民开始蜂拥而入澳大利亚,构成中国人移居澳洲的第二次浪潮。而这批移民就是本文提到的澳洲新移民。

新移民为了争取从留学生的临时状态转变为合法的澳洲居民,经历了一个充满曲折和艰苦的过程。这种残酷的环境不仅构成澳洲新移民身份认知的基础,也是澳洲新移民居民身份焦虑出现的最主要原因。

2.居民身份焦虑的表现

当新移民踏入这种金钱至上、高生活消费水平的社会后,他们的当务之急也是赚钱。当然,由于他们大多背负大陆亲友的"留学债务",他们也不得不去拼命赚钱。为了赚钱,新移民付出了沉重代价,他们的通常做法是——打工。可以说,残酷的打工生涯是他们早期主要的生存方式,也是澳洲新移民居民身份焦虑的表现之一。

在《云断澳洲路》中,孟龙为了逃避被移民局拘捕和遣送回国的厄运,不得不与福特公司和报社的工作绝缘,找了一份不违背其学生身份的夜间工作。仅仅是两个月的夜间班,孟龙的脸就失去了光泽,"他的脸又黑又黄,没什么血色,就像刚从死人堆里爬出来的鬼一样"。(《云断澳洲路》:第60页)。打工竟使一个好端端的人变的像个鬼,可见打工对新移民肉体的摧残是何等可怕。对于新移民来说,正常的生活已离他们远去,"夜里睡觉本是天经地义的事,现在对孟龙来说,却成了不可企及的奢求"。(《云》:第60页)为了找到一份能使自己过正常生活的工作,孟龙只得说起了谎。他谎称自己是澳洲的永久居民,而这个谎言终于使他找到一份白班工作。在这里,睡觉居然成了一个人最大的奢求,而说谎才能使一个人得以正常工作。这不可不谓绝妙,新移民打工族所有的疲惫、辛酸、痛苦和无奈都不着痕迹的包孕其中。

《云断澳洲路》专门辟了一个章节来写找工的艰难。从木材厂到海鲜加工厂,每一个打工机会孟龙都不愿放弃,哪怕工作再脏再累。"工作就意味着金钱,工作就意味着生存。"(《云》:第19页)为了生存,孟龙不惜旷课打工。在八、九十年代之交,也就是这些新移民刚刚抵达的时期,澳大利亚正在世界工业国家的产业转型中面临最严重的经济衰退。那些曾经吸纳大量移民的劳动密集型低技术职位开始急剧减少,这就意味着大陆中国人必须在一个日益缩小的就业空间内投入残酷的生存竞争。无论是罗伯特·牛还是孟龙,他们的遭遇正是当时生存境况的写照。

这些打工故事提供了当时中国大陆新移民在异国环境下与其他华人群体互有异同的身份认知方式。他们的打工生涯,不仅使他们不得不面对传统华工的生存场景,而且也使他们的身份定位陷于困境。残酷的就业经历让他们处于更为边缘的地位,他们身份焦虑的表达也因而趋于尖锐化。可以说,打工故事不仅仅是居民身份焦虑的表现,也是澳洲新移民文学的一个重要特点。《云断澳洲路》就是一部打工故事,它在彰显澳洲新移民文学特点之时又以个性化的事例丰富了澳洲新移民文学。澳洲新移民不惜高昂代价来到了心中的梦想地,但无望的打工生涯打破了他们的美梦。梦醒后新移民该何去何从?

为了获得居留权,进而获得居民身份,传统的爱情观在新移民身上已发生巨大改变。爱情不再是情感的吸引与相投,而成为获得身份的一种手段和策略,也成为居民身份焦虑的第二个重要表现。《云断澳洲路》中,孟龙和林春红在同样严峻的异域环境下心灵产生共振并坠入了爱河,但他俩的琴瑟和鸣却逃不过为了身份抛弃爱情的结局。林春红为了拿到身份,毅然与自己不爱的杰克举行了婚礼。在喜庆的婚礼上,新娘一脸冷漠,像是在参加谁的葬礼。老迈的新郎也满脸倦意,止不住地打着呵欠。而林春红与戴安娜的一段对话更是把这场婚姻的交易性质赤裸裸的呈现了出来:

戴安娜边大口吃着,边跟坐在旁边的春红聊着:"哎,今天是13号,又是星期五,黑色星期五,你们怎么选今天结婚?"

春红说:"我选的就是这个不吉利。"

戴安娜不解地问:"干吗?"

春红说:"这意思是,从今天结婚的第一天起,我就开始盼着离婚这一天的到来。"

戴安娜夹起一块菜说:"过几天你一拿到 PR……"

……

春红说:"不行了!现在又有新政策了。先给两年临时签证,考验两年,两年以后才给绿卡。就是为了防止假结婚的。"

戴安娜喝了口啤酒说:"真够损的,移民局什么招儿都能想得出来。那你还得蹲两年移民监。"

春红叹了口气说:"唉,有什么办法。慢慢熬吧。"

(《云》:第 141,142 页)

当婚姻被作为达到某种目的的手段后,婚姻真的变成了一个坟墓。比起毕熙燕长篇小说《绿卡梦》中的女主人公周易来说,林春红显得更为真实,而周易更像一个虚幻的被赋予太多期望的角色。《绿卡梦》中周易是个作者偏爱的女主角,她从来没有做过"绿卡梦",而且很痛恨别人说她是图别人的身份和地位,但居留身份对她却得来全不费工夫。作者似乎力图告诉读者,这个女主人公是个难得的例外。她不是通过利害的计算,她是通过爱情,真正的爱情,完成跨种族婚恋的。此处并非是想讨论在异族婚恋中是否存在真正的爱情,而是为了认识到,这个理想的幸福的女主人公是多么的虚幻。书中其他的女性人物全都落了个悲惨结局。大量人物的悲剧背景和一个人的喜剧际遇并非是随意并置在一起。作者把万般宠爱集于周易一身,可以猜想周易一定是个寄托她梦想的人。林春红为了居留,抛弃了爱情,抛弃了自尊。而爱情和居留能否在不失人格尊严的前提下获得,也许正是《绿卡梦》给予的启发。

通过异族婚恋来获得居留权、获得身份,是大多数女性采取的策略。新移民的男性比起女性来,显然较难在这种"交易"中"获利"。因为通常来说,男性需要提供主要生活基础和前景保证,是强力的表征。在中外社会,这都是被默认的现实。但《云断澳洲路》中孟龙在学生签证快要到期的情况下,却选择主动接触詹妮弗。詹妮弗是地地道道的澳大利亚人。如果能和她在一起,孟龙就不用再为身份问题担忧。这一切实的利益使孟龙在接触詹妮弗时用尽全身法术讨她欢心。虽然孟龙在这场恋爱中当尽孙子,但随着詹妮弗的离去,他的"绿卡梦"还是成了泡影。中国有句古话:不为五斗米折腰。孟龙为了生存,早已抛弃自尊。而五尺男儿走到这步,也可看出其生存的艰辛。

282

《云断澳洲路》这部作品中男性人物和女性人物做出了同样的选择。他们埋葬了彼此的情感。为了身份，他们都在畸形的恋爱中遭遇了惨痛的恶果。林春红甚至付出了生命的代价。由爱情促成的婚姻本来应该是心灵宁静的港湾，它会带给人幸福、安详和满足。但这样的婚姻对新移民却是奢求。婚恋只是他们谋取身份的手段。当他们走入自己布下的"坟墓"后，精神的折磨便开始了。没有居留权，没有身份。那么，就选择婚姻。但选择后才知道，身份焦虑对他们刚刚开始。无论是新移民中的男性，还是女性，当他们处在西方的环境下，都是一样的弱者，都是弱势群体的组成者。爱情对他们来说，不再可能平等。林春红不得不忍受杰克的怪癖。孟龙在詹妮弗面前忍气吞声。杰克和詹妮弗都是拥有澳洲身份的人，是强势的化身。西方的强势要求弱者必须服从，弱者在服从时却强烈感到自身的不自由。畸形婚恋的表层下，西方文化对中国大陆新移民身上的传统文化造成威胁，新移民的文化身份焦虑也因之而起。

3.居民身份焦虑与文化身份焦虑

无论是拼命打工抑或是走入异国婚恋，他们都用自己的方式去努力，为此他们付出了沉重的代价。当种种努力未达到结果时，新移民的文化身份定位陷入了困境。旧有的文化身份无法得到传统文化语境的支持，而新环境下的文化身份却无从建立。他们在异域他乡不得不痛苦的挣扎前行。由于文化身份的无从确定，新移民陷入了比居民身份焦虑更深层次的文化身份焦虑。这种文化身份焦虑是指在一个深刻变化的环境中无法为身份找到意义上的确切定位。

传统移民大多是因为在原居住地由于某种原因无法再呆下去才被迫出走，他们到异域后往往会更加思念故乡亲人。而新移民则是一群自愿的出走者。他们在国内大多是知识分子：教师、画家、作家、记者、编辑、工程师、医师等，是当时社会的精英。他们不是因为在国内生活不下去才选择出走，其实他们对西方社会制度和意识形态早已有了某种理想化的"认同"。就像《云断澳洲路》中的孟龙，当他抵达澳洲时，内心充溢着喜悦，好像来到了梦想之都。但新移民的这种主动姿态却未能带给他们好运。他们是一批被澳洲主流社会拒之门外的人。本来就是边缘族群的新移民，由于没有身份、地位低下，逐渐就走到了更加边缘的境地。新移民身体的横向移位并不能与纵向的文化传承一刀两断。虽然新移民对异国抱着主动介入的姿态，但传统文化仍盘踞在他们的心中。在《云断澳洲路》中，孟龙和林春红都喜欢吟诵诗词。对汉语诗词的喜爱,说明在他们心中传统文化并没有褪去色彩。对于生活在以欧美文化为主导的澳大利亚社会的中国新移民来说,作为少数族裔,自身文化势必会处于劣势地位。虽然澳大利亚奉行多元文化政策,但强势的本地文化必然会胁迫来自东方的异质文化。在残酷的打工故事和悲惨的爱情故事中都可以看到这种威胁的存在。盘踞在心中的传统文化遭遇到西方文化的围袭,新移民身上早已建构好的人生观、伦理观、价值观都面临一场分崩离析的危机。面对强大的西方文化冲撞,新移民的原有身份消弭了。他们无法取得一种确定的身份,他们感受到了西方文化的胁迫。在故土疏离和他乡挣扎中,他们原有的文化架构已遭受支解。

就像《云断澳洲路》一样,澳华文学中许多作品都表现了新移民在降临澳国国土的那份喜悦。澳洲是他们心中的乐土,而中国却作为一个异己对象被加以他者化。可以说从那一时刻起,中国已变成了远方的他者。因为没有身份保证,异域的生存显得苦不堪言。新移民这才认识到,自己并没有来到天堂。他们只是从一层压抑中逃离出来,却又陷入另一层压抑。在异域,他们震惊,新奇,畏惧,不解,迷惑。他们负债未还,壮志未酬。他们前途无望,却欲走还留。在他们心中,中国——这个被异化的他者成为挥之不去的温馨念想,成为在异域艰苦奋斗的精神支柱,成为无路可走时的唯一寄托。当孟龙在澳洲无法再立足时,他就想到中国,想到了故乡北京,想到了要回去。

残酷的打工生涯和迷途的情爱成了居民身份焦虑的两个重要表现。在打工生涯和爱情经历中,澳洲新移民都感受到了异国以本地强势文化给他们带去的胁迫压力。盘踞在新移民心中的传统文化虽然仍是他们在异域的精神支柱,但面对强势文化的冲击,这种传统文化架构已经变得很松散。澳洲新移民的文化身份定位陷入了危机,在西方强势文化下弱势群体只有屈服。而故国却在遥远的远方,原有的文化身份已没有支撑的土壤。他们成了一群精神难民。由于没有自己的文化身份,他们面临严重的文化身份焦虑。"故土情结"已成为一种集体无意识埋藏在游子心灵深处。在相隔遥远的异域眺望记忆中的祖国,祖国也变得亲切而又美丽。就像《云断澳洲路》中的孟龙,当澳洲不接纳他时,他就强烈地怀念祖国母亲,觉得祖国才是能让自己有安全感的地方。对于孟龙来说,融入澳洲几乎遥不可及。在这里,自己没有身份、没有地位、没有事业、没有爱情,还要忍受澳洲主流社会对他所属于的弱势边缘群体的压迫。而记忆中的故国依然亲切,为了得到安全感,孟龙需要在精神上靠近它。大多数澳洲新移民都做出了这样的选择,得到了想要的安全感。但在这种选择中他们却回避了自己的文化身份问题,回避了仍然存在的文化身份焦虑。对于他们来说,新移民这一群体的文化身份还是无法确定的。故国可以暂时寄托,但在异域被肢解的传统文化架构已不允许再进行文化坚守。他们要想真正获得心灵的安全感,还需要去寻找自我的文化身份。

二、蹦极澳洲的身份探寻

经过初涉澳洲大陆痛苦的成长岁月后,澳洲新移民大都获得了居住国的公民身份。他们也从流浪者变为了观光者,开始了文化身份自觉或不自觉地探寻。

《蹦极澳洲》这部小说不再像《云断澳洲路》那样充满了打工的痛苦、爱情的失意。小说的主人公就是一位观光者。他在澳洲和中国间穿梭往来,在文化的漫游状态下进行不断的思考。

在流浪者到观光者转变过程中,新移民的文化身份开始探寻之路。当新移民成为观光者后,他们的心态发生了改变,精神家园在他们心中逐渐幻灭。精神家园的幻灭,一方面说明完全固守自己的传统文化的不可行,一方面暗示了新移民对西方文化已经有了一定程度的认可。而在这种认可下,新移民开始主动地寻求融入西方文化社会的途径。但由于三个方面因素的阻碍,新移民的努力遭遇了失败。在精神家园幻灭后,新移民对西方文化有了新认识,并开始尝试去融入。然而,传统文化的濡染不可能轻易磨灭,新移民骨子里依然有传统文化的影子。他们在对西方文化进行重新认识后,也对传统文化进行了再认识。传统优秀文化沦丧后的现实,使新移民认识到坚守传统优秀文化的重要性。

1. 流浪者和观光者

从流浪者到观光者,在两种不同状态的切换中,澳洲新移民开始了文化身份的初步探寻。《蹦极澳洲》仅仅从名字上就可看出它描写的是观光者的故事。在这部小说中,主人公吴明就不断地在中国大陆和澳洲间穿梭,是个实实在在的观光者。"蹦极澳洲"也象征了新移民在文化上的一种漫游状态。

2. 精神家园的幻灭

《蹦极澳洲》主要讲述了主人公吴明回国寻找伴侣的故事。当吴明满怀热情回到作为精神家园的故国时,这个观光者大失所望。吴明抱着一颗真诚的心,想在家乡找到一位善良、漂亮、能和他一起去澳洲打拼的好姑娘。他先后和白燕、乔娜、刘彬这几位优秀女士相处过。每一次吴明都真心付出,但没想到的是这些姑娘全是奔他的澳洲身份来的。吴明在国内寻找伴侣是失败的。虽然最后他和刘彬结为了夫妻,但他心里清楚,这个女孩也是希望靠他的澳洲身份出去的。

大陆是吴明的精神家园。尽管带着虚幻,在异域的生活没能销蚀掉他对故乡的追思。他回大陆,希望在精神家园里找到精神伴侣。他在寻找一种心目中的东方理想主义。

理想中的女孩不曾出现。他仍然选择和刘彬结婚,有一种不服输的坚持。但他的东方理想确实是终结了。刘彬就和预料中的一样,最终离他而去。"随着飞机向北方的推进,灯光似乎越来越暗。……飞机向着北京的大地吻去,大地却并没有报以灿烂的回报。吴明似乎一下子坠入了没有光、没有亮的黑洞。"(《蹦极澳洲》:第4页。)当吴明刚飞回故国时,他的感觉似乎就预示了他的失败。光明是一种希望的象征,而黑暗往往预示着绝望。他的东方主义理想的终结再次验证了新移民精神家园的虚幻性。新移民如果要寻找真正的精神家园,不能再依赖对故国的思念、追忆。可以说,在东西方文化碰撞下,东方传统文化的光芒在一些新移民心中已经暗淡。

随着时间的推移,新移民在异域渐渐安顿下来后,他们的心态悄然发生了改变。新移民东方理想主义的终结可以说与他们自己的改变有很大关系。当吴明再次回到故国的那一刻起,无论是对交通、住房还是人们的生活方式,他都感到了种种的不适应。他不自觉地总是把故国与澳洲相比。而在这种比较中,澳洲显得更为舒服,更胜于祖国。"中国要是跟澳大利亚相比,简直就像一张褪了色的黑白照片。澳洲绝对是个好地方。"(《蹦》:第9页)由于新移民心态的改变,他们对故国的观看其实也成了一种猎奇。在《蹦极澳洲》中,彭刚、苏卫革、韩哥、耿厂长等等,都是一群目无纲纪、道德沦丧、吃喝玩乐、不学无术的社会败类。而吴明所到之处所看到的几乎全是这种人。在这一切的叙述背后都隐含着一个澳洲他者,或者说,隐含着一个异质性的西方他者。新移民已在无形中开始用西方人的视角来看中国,他们看到了种种的缺憾与不满。

新移民的这种猎奇心理也源于充当观光者的现实处境,观光者这一概念本身就表明了它与对象之间存在距离。

3.融入西方文化的努力

经历了东西方文化的碰撞交流,澳洲新移民在逐渐认可西方社会和文化后,也希望融入其中。虽然新移民希望融入西方文化并作了努力,但一些因素却严重阻碍甚至阻止了这种融入。

拿到身份的新移民还是没有途径找到对口工作。即使吴明拿到了澳洲金融管理专业的研究生文凭,也是无计可施。"那些刚从大学毕业的澳洲学生,同样没有工作经历,可是人们宁可挑那些文化背景相同、能讲一口澳洲土音的年轻人"(《蹦》:第290页)。由于没有找到一份与自己专业相关的正规工作,新移民失去了进入澳洲主流社会的途径。

在澳洲当地人的眼中,"亚洲人固守自己的文化和宗教不放,离群索居,形成了一个个贫民区,根本不能融于澳洲社会"。(《蹦》:第351页)相对于老移民,新移民已经开始按照自己的专长和兴趣去寻找工作。他们希望投身于医疗卫生、科技工程和文化教育界。即使做小生意的也不再满足于小打小闹,而是希望在以往的白种人独霸的进出口行业和各种类型的加工厂、连锁店、超级市场占有一席之地。当然,澳洲本地人眼中那种离群索居的人在新移民中也大量存在着。孙远东就是个很好的例子。孙远东到澳洲后,就在自己买来的大宅子里避风躲雨,过着与世隔绝的日子。他不想出去工作,更不想学习英语。他的未婚妻都不敢相信,一个来澳洲这么多年的人竟然说不了多少英语,而且一说英语就结结巴巴,有如弱智人。而在孙远东的眼里,"在澳洲呆了一辈子也不会说英语的人大有人在,这些人在华人的圈子里倒也活得如鱼得水"(《蹦》:第26页)

新移民不能很好地融入西方社会,与西方社会内部的种族主义者也有很大关系。1997年波琳?汉森成立了一个种族党,鼓吹澳大利亚政府应停止接纳亚裔移民和取消多元文化政策,否则亚裔将淹没澳大利亚。由这些真实事件不难看出,当时新移民所面临的严峻形势。《蹦极澳洲》中澳洲本地人约翰是"白澳党"的重要领导人,"白澳党"也宣称:"保持纯洁的白色澳大利亚。亚洲人要淹没白色的澳大利亚,必须阻止住他们对澳洲的侵略……"。(《蹦》:第350页)种族主义言论刺激了澳洲本地人,澳洲当时出现了很多反亚裔种族的过激行为。中医是博大精深的科学,在中国已经有几千年的历史。它是中国人民几千年的智慧结晶,但它从一开始就遭到了种族主义者的抵制。赵茜虽然持有上海中医学院的学士学位证书,并且在中国当了多年中医大夫,却仍然被有种族主义倾向的澳洲医学会称为"假冒医生"、"江湖骗子"。种族主义掀起的反亚裔及反移民的浪潮严重违背了当时澳洲政府大力提倡的多元文化政策。

新移民难以融入西方文化和社会也是因为其自身原因造成的,而这也是难以融入的最根本原因。由于新移民心态的转变,塑造的西方人物形象也发生了变化。比起白燕、乔娜、刘彬的势力眼来说,作品中的西方女性形象显得更可爱、更善良。苏珊是从澳洲来中国学习的一名西方女性,她对女性权利的维护以及对自身尊严的维护使其比周围的一群中国女性更有魅力。这种类型西方人物形象的塑造折射出新移民作家对西方社会的认可。但传统精神家园消失后,新移民对西方社会的认可是否会为他们找到出路?吴明在国内寻找伴侣失败后,把自己的希望寄托到西方女性身上。他开始去追求西方女性海伦,但却以不了了之而告终。从这场恋爱中,可以看出东西方文化差异下,新移民要想融入西方文化是非常困难的。

288 由于远离故土、生活在异域和心态的转变,故国对新移民来说已经是一个带着陌生感的他者。新移民已经在一定程度上适应西方的生活,但当他们想进一步融入西方社会时却陷入困境。其主要原因就是传统文化心理积淀的影响。新移民骨子里的传统文化心理积淀使他们很难深入到异质西方文化的核心。"食色,性也",这是中国传统文化所推崇的,但又有"发乎于情,而止乎于礼义"之说。许多澳华新移民小说在表现"性"方面,就体现了自己的民族文化特色。由于澳洲是一个性开放的国度,澳华新移民小说不可避免要表现出对性题材的兴趣,但却没有太露骨的描写。在《蹦极澳洲》中,吴明虽然决定去和西方女性谈恋爱,希望和西方女性组成家庭,但他却是以自己心目中的东方女性标准去寻找的。西方女性可以和东方女性一样善良、漂亮,但她们所属文化的不同,决定了她们本质上的不同。最后吴明选择放弃西方女性,也是因为他骨子里的中国传统文化的影响。吴明倾慕苏珊,是因为"苏珊现在可是越来越像中国女孩子了"。(《蹦》:第282页)明确地说,苏珊更像是传统女孩子。她认为"爱情是一种力量,这种力量来自于内心,而不是徒有其表。……爱情需要深入了解,感情要慢慢培养。吴明,对这几个只认金钱和身份的女人,没什么可留恋的。"(《蹦》:第282页)而这种传统精神上的恋爱观引发了吴明的同感。可以说,新移民骨子里的传统文化心理是他们努力融入西方文化的最大障碍。

4. 对中国传统文化的再认识

在全球化背景下,在市场经济环境中,传统文化的重要性终于显现出来。而这也正是新移民对传统文化再认识的主要原由。吴明回到北京时，老同学彭刚去接他。老同学手持"大哥大"，身穿品牌西装，手指上还戴着澳大利亚的宝石戒指，而他却老气横秋、土得掉渣儿。在逐步与老同学的接触中，吴明渐渐认识到是市场经济改变了当时的北京。彭刚在市场经济中抓住机会，靠倒卖钢材发了财。彭刚的战友苏卫革靠承包饭店和贿赂领导致了富。而吴明的其他同学们也是当官的用当官的权利赚钱，漂亮的女同学用身体赚钱，没权没资质的也想法开出租赚钱。他们教导吴明说："趁现在国家政策松，得捞就捞"，"你想发家致富，就看你怎么耍了。现在最捷径的致富之路，是找批件或者是批文"。（《蹦》：第 44 页）吴明在这些昔日老同学面前完全成了傻瓜。在作者不动声色的叙述中，吴明所看到的更像是个魔鬼世界。他的同学们为了赚钱不择手段，赚了钱后更是吃喝嫖赌，丧失了最起码的道德尊严。这些人已完全没有了价值观，他们的生活里只有金钱。文化的核心是价值。在全球化进程中，价值领域的冲突异常激烈。东方主义与亚洲价值观的式微使传统价值观前景堪忧。在吴明所看到的魔鬼世界里，传统价值观已受到毁灭性打击。而传统价值观是传统文化的核心，传统文化的前景也让人担忧。在小说中，市场确实成了人文精神、传统价值和传统文化的敌人。市场的强大造成人文精神的失落，传统价值的沦丧，以及传统文化的危机。在市场环境下，一些漂亮的女性变成了金钱的奴隶，她们不再去追求爱情。吴明的寻找爱情之旅只能以失败告终。新移民们在西方市场经济环境下饱受生存之苦，他们把故乡当成精神家园。而今，这片精神家园已经被市场经济摧毁，新移民们面临精神上无所归依的危机。没有可贵的精神守望，就会失去支撑生命活动的价值坐标和意义归属。如果新移民们失去传统精神文化家园，他们最终会迷失自我。他们会像在异域生活那样，成为市场经济下内心虚无的精神流浪者。

在文化间的不断漫游中，新移民一方面表现出融入西方文化的主动性，一方面又表现出对传统文化的坚守。这里的传统文化又不同于以往的传统文化。传统文化里有精华也有糟粕，新移民在这里所坚守的是传统文化的精华部分。吴明寻找的就是具有传统精神美德的女性。新移民已经开始思索，"在反对种族主义者的同时，华人也应该认真反思一下我们民族固有的那些劣根性"。（《蹦》：第 355 页）在认识到要坚守传统文化的同时，新移民已经不再盲目地一味追从传统文化。

在日益加剧的现代化进程中，他们自身已经发生了改变。视野的拓展使他们开始用辩证的眼光看问题。新移民融入西方的努力,也说明他们开始认识到西方文化的可取之处,西方文化对他们有一定的吸引力。虽然完全融入西方文化是不可能的,但在不断努力接触西方文化的过程中势必会在自身基础上增加一些新的文化特质。可以说,在文化间的漫游中,新移民已经认识到,坚持优良传统文化的刻不容缓,以及增添西方文化优良特质的势在必行。新移民的身份探寻虽然还没有得到明确的结果,但他们对西方文化和中国传统文化的进一步认识已经启迪了新文化身份的建构方式。他们的身份探寻之路亦因此而颇有收获。

三、文学想象中的身份建构

文学的一个本质特征就是虚构和想象,它是艺术加工与艺术想象的结晶。刘熙让是一位有着丰富想象力的新移民作家。乘着想象力的翅膀,他用自己的创造虚构、参与和塑造了真正的澳洲新移民的文化身份建构。同样,其他的新移民作家们也用各自的方式进行不同的文学想象。有的通过种种奇异人事的构想寻找精神升华的契机,进行无尽的文化幻想。有的则进入文化沉思的幽深隧道,将理性的目光投向历史与现实,对自己的民族文化乃至整个人类命运进行关照。刘熙让选择的也是沉入历史。在《澳洲黄金梦》的创作中,作者明显有一种史诗的冲动。《澳洲黄金梦》跨越时空,人物众多,内容庞杂,千头万绪。作者意图绘出一幅百余年华人移民在澳洲的受难、奋斗、交流和融入史卷。全书从一百多年前的晚清第一代赴澳淘金华人写起,以王、刘、吴、雷四大家族的四代人的生活为主要描写对象,从古到今,从老到幼,从澳洲到中国,全方位地展现了华人移民的生活形态。可以说,《澳洲黄金梦》几乎就是一部澳洲华人移民史。在描述澳洲华人移民历史的同时,作者没有忽视中国历史以及世界历史,举凡晚清掀起的中国劳工移民史,八国联军侵华,义和团运动,日本侵华,二战,国共多次内战,中澳关系演变,文革,大陆改革开放等诸多史实皆有涉及,作者的叙述视野相当宽广。对澳洲华人移民历史的关照,是为了更好地审视澳洲新移民的文化身份。它是澳洲新移民建构文化身份所需要的背景支撑。

1.对澳洲华人移民历史的书写

澳洲新移民作家通过对历史的书写,不仅更好地认识了自我,而且用历史之"根"承托起新移民群体的文化身份,并向澳洲社会展示自己在澳洲所处的地位。通过对祖先移民史及澳洲新移民生活经历的回顾,作者试图在证明澳洲华人完全有资格声称自己是和其他族裔人平等的群体。

从《澳洲黄金梦》中可以看出，澳大利亚的历史是由欧洲人和华人共同创造的。澳洲华人对这个国家做出了杰出贡献。没有历代澳洲华人对澳洲所做出的贡献，就没有澳洲今天的繁荣。澳洲华人参与了澳洲社会的建设，理应得到在澳洲历史中的地位。至此，澳洲华人的传统形象得到了颠覆。通过对澳洲华人历史的书写，也沟通了今天的华人后代们同祖辈的联系，有利于他们确立自我意识。当王杰克了解到祖辈王振彪的高大光辉事迹后，他感到了作为澳洲华人的光荣，他拥有了从来没有过的自信。华人的历史需要后代来听。在倾听中，在传述中，历史才有了生命，华人族群才能更好地建立自己的文化身份。可以说，对澳洲华人移民历史的书写不仅是澳洲新移民建构文化身份的背景支撑，而且是建构文化身份的第一步。

2. 新文化身份观的建构

对澳洲华人移民历史的书写确立了澳洲新移民的自我意识。澳洲新移民认识到了历史的重要性以及自我的重要性，新文化身份的建构也是从这里开始的。回顾历史，中华传统文化包括的内容很广，其中有需要批判的东西，也有值得传扬的部分。这里，中华传统文化主要是指其中的优良的精华部分。中华传统优秀文化的核心价值是儒家，主要体现在孔子的五大原则上：仁、智、礼、信、义。王振彪是《澳洲黄金梦》中最重要的一位人物，全书几乎是围绕他的故事而展开的。他有五个儿子，而这五个儿子名字的最后一个字连起来正好是"仁义礼智信"，由此可见他对五大原则的重视程度。

小说的开篇氛围也是用五大原则中的"信"来营造的："一定要回中国找到吴德明的后代，用这箱金砖抵债"（《澳洲黄金梦》：第3页），"我们王家把信看得比生命还重要。杰克啊，我把这个重任托付给你。"（《澳》：第3页）高祖王振彪把重任交给孙子王文翰，王文翰又把重任交给孙子王杰克。在一代对又一代的托付中，可以看出王振彪家族对"信"是认同的，而且这种认同已深入骨髓。"高祖王振彪在唐人街留下了那么多的产业，靠的是什么？就是一个'信'字。"（《澳》：第5页）

如果说"信"是得以安家立业的重要因素，那么"智"则是得以生存下来的关键。正是由于王振彪的智慧，在面对华人和欧洲淘金者的矛盾时，王振彪用"以退为进，以屈为伸"的策略，使当时势单力薄的华人逃脱了再次被"火烧中国村"的厄运。

同样，"仁"、"义"、"礼"也在小说文本中得到了很好的阐述。由上可知，作家建构在历史和时空意识中的小说文本,力图展现的是中华民族传统文化的优秀。在小说中,王振彪的形象是高大而理想的,他所体现的文化也是美好高尚而又健康的。"是什么样的道德力量,使得我的祖先富贵不淫呢?我要借着寻找黄金主人的契机,去中国寻根,追溯历史,缅怀先人。"(《澳》:第5页)可以说,正是通过对传统优秀文化的歌颂和传统文化代表者的赞扬,新移民文化身份的认同有了依据。他们在历史中发现了中华传统文化的优秀和重要,他们也要做有着深厚而优秀民族传统文化的华人。在文化身份的探寻历程中,通过对传统文化的再认识,新移民已经看到坚守传统优秀文化的重要性。而在这里,在具体的历史事例中,新移民再一次肯定了中华传统文化。中华传统文化是中华民族历经几千年的历史发展所积淀的文化内涵,是标示中华民族存在的上层精神建筑,赋予了中华民族独特的文化特性,对整个民族乃至澳洲华人族群的存在都有着本质性的建构力量。因此,从历史层面肯定中华传统文化是新文化身份观建构的内涵之一。

在新移民所进行的文化身份探寻中,他们已经认识到中国传统文化和西方文化都不容忽视。这与传统移民群体观念有很大的不同。在老一辈澳洲移民的意识里,中国文化和澳洲主流文化处于截然不同、不可调和的两极,澳洲华人作为中国人、东方人完全不可能进入澳洲主流文化、西方文化。他们固守对中国的文化乡愁而徘徊在澳洲主流文化之外。雷秉贵的女儿因与澳洲人相爱,雷秉贵就对其破口大骂:"我堂堂孔子的后代,怎么能跟还没完全进化成人的家伙为伍?还是那句话:你必须嫁给中国人!"(《澳》:第199页)正是在这种势不两立的观念中,可以看到一种静止的、本质主义、二元对立的文化身份观。由于新移民与老移民观念立场的不同,他们已经不再执着于对文化身份的单一、恒定认识。中西文化二元对立的模式在他们那里已经完全消解,代之以多元开放平等的新的文化态度。新移民不再像老移民那样排斥西方文化,他们对异己文化不仅给以宽容态度,而且在一定程度上已接受了西方文化。因此,在多元文化的开放政策下,主动地接受和认可西方文化也是新文化身份观建构的内涵。

新的文化身份观的建构对当今社会发展具有重要意义。在人类文化漫长的发展过程中,不同地域文化之间由隔绝走向交往。无论是老华人还是新移民,他们都经历了文化的冲突。人类文化的冲突有三个发展阶段:"武力为主"的阶段、"经济为主"的阶段和"文化为主"的阶段。"武力为主"阶段的主要表现是不同地域文化之间,通过武力和军事的手段,相互竞争、相互对抗,在军事斗争中实现本土文化的发展,并试图以强制的方式实现本土文化对异质文化的控制和统治。王振彪到澳洲后所居住的中国村是中华传统文化的代表,而罗杰斯带领的欧洲淘金者是西方文化的象征。罗杰斯率领的欧洲矿工和中国华工发生了激烈的武装冲突。在这场冲突中,西方文化试图征服中华传统文化。老华人初到澳洲后经历的就是武力为主的文化冲突阶段。

当华人在澳洲逐渐安定下来后,他们就步入了以经济交往为主要手段和媒介的"经济为主"的文化冲突阶段。为了能在澳洲更好地做生意,获取更多的经济利益,更好地生存,以王振彪为代表的华人必然会与澳洲本土资产阶级发生冲突。

人类文化冲突的第三个阶段,是以文化交流为主要方式的冲突阶段。这一阶段的主要特征,就是以不同文化形式之间在交流互动中的冲突与差异性,来体现不同地域文化之间的冲突。这一阶段的文化冲突就是大多数新移民所经历的。而随着社会生产力的提高和科学技术的不断发展,以"文化的"方式发生的文化冲突将成为人类文化发展进程的主流。文化冲突是文化发展的必然方式,从社会发展的进程来说,文化冲突是不可避免的。《澳洲黄金梦》生动地展示了文化冲突的不同发展阶段,而在不同发展阶段对中华传统优秀文化的认同却是一样的。除了对中华传统文化的认同外,无论是老移民还是新移民,他们都与西方文化进行沟通和交流,虽然老移民会比新移民被动些。王振彪就教育儿子要好好学习西方文化,认为这样可以"知己知彼",可以在澳洲社会立足。像王振彪这样的老移民虽然在商业上获得了成功,但由于他们没有寻求到一种进入澳洲主流社会的方式,他们仍是被排斥的一代。而到了新移民这一代,他们开始主动地涉足政界。王杰克就发表了这样的看法:"下一步,我也准备出来竞选州长,竞选澳大利亚总理,让澳洲对人类做出更大的贡献。"(《澳》:第 695 页)新移民在面临文化冲突时,不仅继承了老一辈珍视的传统优秀文化,而且开始敞开胸怀,主动与西方主流社会接近。他们明确地表明:"我们应该将中西两种文化的精华融为一体,扬长避短,学贯中西。我们生活在澳洲这片美丽的大地上,就应该爱这澳洲,决不可以视澳洲为异国他乡。"(《澳》:第 605 页)正是由于澳洲新移民心态的转变,他们的身份建构观与老一辈移民存在很大的差异。他们选择坚守传统文化、主动融入西方社会,也是必须的和重要的。在当今,文化冲突愈演愈烈的形势下,这种新的多元开放的文化身份观在一定程度

293

上缓解了东西方文化冲突,为新移民创造更好的生存环境,有利于当今社会的稳定和发展。

澳洲华人移民以及海外华人移民,为了建构起自我身份认同,有必要回溯过去,重读历史。刘熙让的《澳洲黄金梦》就是一部书写历史的小说。它从沉潜于岁月河流的往事里形塑澳洲华族的历史巨像,而这种历史的显形则成为建构自我身份属性的基础。澳洲新移民文化身份建构的起点就是在文学想象中的历史书写中体现出来的。

书写历史是建构的第一步。在具体的文化身份建构中,刘熙让传达了一种自己的建构理念。在书写历史、追溯始源的过程中,作者赞扬了中华优秀的传统文化,对其倾注了极深的文化情感。塑造王振彪这个正面高大的英雄形象就是作者立场的体现。但在当今经济全球化的形势下,如果仅仅固守自己的文化传统,势必会影响自己的发展。对于海外移民来说,如果不去敞开胸襟容纳西方文化,也势必会在西方社会无法立足。面对经济文化等现实环境的制约,新移民心态的转变是必然的。正是基于两个向度的建构理念,作者向我们呈现了一种新的文化身份观:以中华传统优秀文化为主导,同时又吸纳其它优秀文化,以其它优秀文化为辅补。

四、独具特色的展示策略

刘熙让是一位在写作上刻苦用功的澳洲新移民作家。他曾进入迪肯大学的"职业写作"研究生班学习并顺利毕业。他是一位注重创作技巧的作家。为了更好地展示新的文化身份观,他采用了多样的策略。首先是对小说叙述方法的巧妙处理,使小说文本能更好地为作品传达的主题服务;其次是借助对异族爱恋的肯定,传达对中西文化和平相处的渴望;最后,对人性进行的探索和思考,说明异质文化沟通的可能性。在《蹦极澳洲》中,观光者不断在大陆和澳洲间穿梭。他们不仅深受中华传统文化濡染,而且在一定程度上肯定了西方文化。"共生"和"多元决定"的表现方法很好地展示了新移民在寻找文化身份认同过程中的探索。

同样,在《澳洲黄金梦》中,作者多层次的立体空间结构就是中国传统的文本结构方式。擅长并致力于全景式的宏大场景的描绘,可以让读者最大限度地在阅读中了解到主人公完整而曲折的人生故事及其社会背景。

由于在新移民的文化身份认同中,中华传统优秀文化占了重要位置,运用中国传统的文本结构方式,不仅可以再现中国传统文学的全能视角,而且也隐隐传达出作者所持有的一种中国文化"大写人"的人文理想。尤其在《澳洲黄金梦》中，从小说的构思到结构，都渗透了深刻的传统优秀文化的印痕。正是由于对小说结构的巧妙处理，多元文化身份观中的中华传统优秀文化的重要性被诠释了出来。

对异族爱恋的书写是华文文学经常要表现的主题。在刘熙让的前两部小说中，也都可以看到这方面的内容。《云断澳洲路》中林春红与老外的婚姻以及孟龙与詹妮弗的拍拖，都不是出于真正的爱情。他们是为了身份，为了绿卡。《蹦极澳洲》中吴明在国内寻找伴侣失败的打击下，把目光投向了异族女性。但由于吴明骨子里的传统文化观念是与西方文化冲突的，他最终还是结束了异族爱恋的尝试。

随着新移民在异域逐渐安家立业，他们对文化身份认同的深入探寻，他们的观念发生了改变。在《澳洲黄金梦》中，无论是王振彪与莉萨还是王凯文与朱莉娅，他们都是因爱走到一起并拥有了幸福的婚姻。作者通过这些完满的异域婚姻，传达了这样一种认识：在爱情中，不同文化背景的人是可以共处的。可以说，异域婚恋在这里有重要的作用。通过对它的肯定与颂扬，表达了作者对文化间的多元共生、互动交流的渴望。

当然，作者的这种渴望并不是无中生有，异域间的成功婚恋也并不只是空想。异域婚恋的成功有其内在的成因，也有其一定的合理性。当王振彪与莉萨结婚时，他的拜把兄弟们对莉萨进行了中国传统妇德的灌输，而王振彪却宽厚地说："行了，几位贤弟，你等就别难为莉萨了。我们华人也要尊重西方文化。"（《澳》：第147页）面对有巨大差异的中西文化，王振彪没有绝对地否定西方文化。他选择了宽容与尊重，而这正是他能与莉萨和谐相处的最重要原因。莉萨的父亲罗杰斯完全否定中国文化。而莉萨对中国文化却怀着真诚的尊重与热爱，这也是她违抗父命嫁给华人的内在动力。

对彼此文化的宽容与尊重，是王振彪与莉萨成功婚姻的关键；同样，也是移民在异域得以成功立足的关键，是中西文化能够和谐相处的重要因素。王振彪不仅能宽容尊重西方文化，他还主动让后代学习西方文化。当他的儿子本信念完私塾后，王振彪就立即把他的辫子剪掉，送到当地的澳洲英语学校求学。在中西文化的双重熏陶下，王本信的洋姥姥见到他时很惊奇："她现在才看出来，外孙既有撒克逊民族的阳刚之气，又有东方人的温文尔雅；柔中有刚，刚中有柔；东西方的优点兼收并蓄，集于一身，恰到好处。外孙的脸像个万花筒，正着看像中国人，侧着看又像英格兰人；眉清目秀而又高鼻陷眼。她想不到中西合璧竟然能嫁接出如此神奇的硕果。"(《澳》:第257页)由此可知,异质文化是可以和谐相处的,只要相互尊重,相互学习,相互接受。

这部小说也讲述了异域爱恋的悲剧故事。罗伯特和雷秀荣真心相爱。但由于雷秀荣的父母只允许她嫁给中国人,她不得不放弃心爱的异族白马王子,最终在同族间的婚姻中痛苦生活。通过这场爱恋悲剧,可以看出阻止中西文化相处的一个重要因素是人们骨子里的民族偏见与自身民族文化优越感,可以看出作者对文化沙文主义的批判和对文化间和平共处的渴望。在这里,刘熙让借助对异国爱恋故事的表现诠释了其多元开放的文化身份观。他一方面相信文化间是可以和平共处、交流互动的,一方面也借悲剧故事阐明了文化间平等相处的重要性及对此的深切期盼。

此外,对人性的探索与思考也是重要的展示策略。不同种族、民族和文化的人尽管有着种种的差异和隔阂,但基于人性的相通,他们之间也是可以和平共处、平等交流的。"这也不奇怪。人与人之间互相瞧不起,这是人类的共性。他们之间还互相看不起呢,更别说对外来移民了。"(《澳》:第594页)王文乾就对人性看得很透。他认为正是由于人性的互通,澳洲移民不应该总沉浸在被歧视的阴影中,而应该认识到人与人的相轻是常情。澳洲移民可以转换态度,保住"和为贵"的中华民族传家宝;主动学习澳洲人的长处,彼此不断增进理解和消除误解。王文乾率先以身作则,他主动与公司里的澳洲同事打交道。虽然澳洲同事们对他爱搭不理的,但由于他的以诚待人,慢慢地有什么业务疑难问题也乐于找他请教。

王文乾从人性相通的角度思考问题并付诸行动,已经取得了初步成功。而真正促使他成功的还有一个很重要的原因,那就是人性的真、善、美。作为一个会计师,王文乾恪守职业原则。他没有像上司莎蓉那样违背良心去获取私利。他勤劳、公正,最终赢得了公司经理的肯定。而他举报莎蓉的正义之举更折射出他身上的真、善、美。正是由于人们对真、善、美的一致认可,他赢得了西方上司的尊重与赞赏。

同样,王凯文选择为澳洲国家的安全而奔赴战场,也是由于他知道尽管种族不同、文化不同,但人们内心对和平的渴望却是相同的。他在绝笔信中这样写道:"要是没有战争存在,这世界该有多么美好!可是,法西斯一天不打垮,渴望和平的人们就一天不得安宁。我之所以选择了弃笔从戎这条路,就是想让更多的善良人们过上安宁的日子。"(《澳》:第467—468页)为了共同的渴望,种族间的隔阂也可以得到消弭:"我与战友们在火与血的战斗洗礼中建立了生死不渝的友爱。在我参军之前,种族歧视无所不在。可是在军队里,战友们生死与共,亲如手足,互相信赖,四海一家,尽显真情"。(《澳》:第468页)人性是复杂的,人性都有弱点,但都有对真善美的肯定和对和平的渴望。可以说,这些都存在于东方人、西方人的心里。人性是可以沟通的,而作为"人学"的文学也同样可以沟通。通过对相异文化间人性沟通的证明,作者表现了他对异质文化沟通可能性的肯定以及对不同文化多元共生、平等共处的美好期许。

作为澳洲华文文坛较具实力的作家之一,刘熙让在创作中展示了他对文化身份建构的独特思考。由于对文化身份的重新认识与建构是海外华文文学永恒的表现主题,刘熙让长篇小说展示的文化身份建构就不仅仅具有个性,而且还具有共性。其中的个性主要是它所体现的独特的澳洲特色,而共性主要着眼于经济全球化的大背景下身份建构的一些共同点。

刘熙让对文化身份的独特思考折射出澳洲新移民群体建构身份的一些共同点。作者的想象式文化身份建构符合时代发展形势。澳洲华文文学是年轻而有活力的。它扩充了华文文学的队伍,带来了全新的学术资源,因而值得我们去关注。

297

附录二
刘熙让(刘澳,刘奥)小说部分书评

1 书被哭成泪未干

(原载于《北京晚报》1996 年 12 月 29 日)
解玺璋

　　最近读了刘奥所著《云断澳洲路》一书。在我所读过的所谓留学生文学中,这本小说确有它的特点。

　　小说当然是离不开虚构的。故事中的孟龙以及围绕着他陆续出场的那些人物,不仅是作者对生活的提炼,而且显示了他对人生经验的重构和解释。这就是说,孟龙的故事不是或者不完全是作者对自己亲身经历的生活经验的抄袭和复述,更多的倒是作者在思考和揭示人生意义和价值实现时所运用的一种叙述策略。因此,我们不必将孟龙这个倒霉蛋看作是作者的影子。孟龙的一再倒霉,只是服从了叙事的内在逻辑。

　　与许多纠缠于天堂还是地狱的作品不同,《云断澳洲路》更注重表现主人公走出国门,来到一个自己完全陌生的异国环境中寻求生存与发展的不幸遭遇和内心冲突。值得注意的是,作者在叙事中将这些复杂的心理活动戏剧化了。我们看到,主人公孟龙被作者置于一个去与留、进路与归路都被堵死的封闭的环境中。在这里,孟龙只能忍受极为残酷的无所适从的折磨与煎熬。甚至在他最后选择踏上归途后,仍因醉酒而被抬下即将启程的飞机。这难道是一种宿命吗?而更大的可能是,通过孟龙的经历,作者多少使我们看到了一种具有悲剧意味的生命状态。

　　然而,孟龙的故事毕竟是令人感动的。而所以令人感动,是因为我们从中读出了作者的真情。我猜想,作者一定是含泪写下这部作品的。或许在这个意义上,我们可以将《云断澳洲路》看作是作者的自供状。也就是说,孟龙可以被读者视为作者心灵世界的一种外化。而孟龙的生命状态,很难说就不是作者的生命状态。这样说来,《云断澳洲路》的真实,就不是那种描摹实录的真实,而是一种情感的真实,心理的真实。

不过,这部小说给我留下深刻印象的,除了精神与情感方面,还有社会认知方面。书中详细描写了孟龙在工厂打工时的遭遇,写了资本主义社会经济萧条中工人的生活状况,使我们有机会了解到当代资本主义社会劳资关系的新特点。这是我们在"留学生文学"的其他作品中很少看到的。作者在书中不仅写到了资本家对工人的残酷剥削,也写了工人在工会领导下利用合法方式同资本家所作的斗争,甚至进一步揭示了这种斗争的局限性。它只能部分地、暂时地迫使资本家做出一些有限的让步,而不可能从根本上解决问题。所以,老冯被繁重的劳动压弯了腰的结局就显示出某种必然性。而作者的这种眼光,恐怕来自他在国内曾有过的当记者的经历吧?至少这种经历给了他观察生活时对于社会政治层面的敏感。

2《云断澳洲路》英文版封底书评翻译

(英文版书名:Oz Tale Sweet and Sour,
澳大利亚纸草出版社,2002 年)

《云断澳洲路》历经磨难,于文化差异中处处爆发出幽默的火花。它将爱情的崇高美、语言文化的隔阂以及政治层面的认知等方方面面的文化撞击,有机地融为一体。

——安德瑞·高登史密斯
(Andrea Goldsmith,墨尔本著名英语女作家)

《云断澳洲路》是一部艺术极其高超的小说,令人手不释卷。它以幽默和犀利的笔触,逼真地描摹出中国留学生在澳洲追寻淘金梦想的真实历程。

——郑通涛教授

在作家笔下,爱情中的悲剧色彩有崇高的审美,凡人小事的故事有哲学思考,就是简单的澳洲风土人情中也展现出浓厚的历史文化的风貌。读来感同身受。难怪中国的新移民们都带着这样一本书来澳洲。

——宇雷(墨尔本华文作家)

我被这部新奇的小说所深深吸引。它以非凡的洞察力再现了澳洲的风土人情，也让我对近来移民澳洲的华人有了深刻的认知。

——罗伯特·阿波戴尔（Robert Apedaile，翻译家）

作者以一个新闻记者的敏锐目光将细节描摹得淋漓尽致，以幽默而又犀利的笔触引人入胜。作者为我们所表述的哲学意味和文化困惑，及时为我们展现出澳洲华人移民的生活面貌。

——编辑评语

3 诗人之死（节选）

［摘自《诗人之死》（2000 年）和《海外华文文学教程》（2009 年）］

钱超英教授

当一本出自墨尔本作者刘奥手笔的长篇小说《云断澳洲路》写到，一对相爱的"留学生"情侣为了定居下来，不惜劳燕分飞，女方和一个丑陋的"鬼佬"过上受尽凌辱的同居生活只为一搏的时候，它的笔触无疑带着难以掩饰的沉痛意味："这真是我们这些人的悲哀所在。什么是移民？美国人的字典里解释得好：移民就是把外乡看成比家乡还好的傻瓜！"

以"死亡"实现"居留"的叙述模式在澳大利亚新华人文学想象中是具有典型性的。例如，刘奥的长篇小说《云断澳洲路》，在故事中，那个和洋人结婚以博取居留的女主角，就是在眼看就要获得"绿卡"的时候死于非命。这种处理无疑构成了一种严重的探询：新华人在澳国居留运动所付出的巨大代价，在什么意义上才能获得补偿？如果这些代价在现实的意义上是无法补偿的话，它们有没有合理的解释——在什么意义上可以"得救"？（《诗人之死》）

刘奥尝试用不同的笔调，去书写中国新移民的澳大利亚体验。开始阶段，他和不少作者一样，把留学——移民澳大利亚看作一种充满荒诞、混乱和苦痛的历程。逐渐地，他开始超越于一个特殊时代以特殊方式艰难的去留选择，而更多地在中国移民的经历中发现幽默和激情。其后，刘奥的长篇写作倾向于挖掘早期（淘金时代）华人移民的生活探险和文化斗争，如《澳洲黄金梦》就塑造了一批勇于开拓、敢于反抗的英雄式移民先驱的形象，力图

在澳华写作中打开新生面。(《海外华文文学教程》)

4 海外游子眼中的北京世像
——读刘奥著《蹦极澳洲》有感

（原载于《北京晚报》1999 年 10 月 28 日）

解玺璋

　　留学澳洲的吴明，这一天忽然心血来潮，要回北京寻觅他的梦中佳人。故事便由此展开，作者利用了吴明这个海外游子的特殊身份，向读者描述了九十年代北京色彩斑斓的民间世像。这是一个类似《儒林外史》的叙事结构，吴明在小说中的地位就像马二先生在《儒林外史》中一样，通过他的眼睛，我们看到的是当代中国社会的浮世画廊。

　　近些年来，我们收获了一大批生活在海外的同胞所写的中国人在当地谋生以及谋求发展的作品。他们把那些幸福的和不幸的故事讲给我们听，使我们获得了许多关于海外的五颜六色的印象，或深或浅的认识。但是，这些与北京阔别多年的游子一旦回到这个与他们有着血缘关系的城市，这座城市以及生活在这座城市里的人这些年来所发生的巨大变化，会给他们带来哪些感受和认识呢？他们究竟是认同这样的变化、还是拒绝这样的变化呢？目前我们知道的可能还不是很多。恰恰是在这个意义上，我觉得《蹦极澳洲》是一部非常难得的作品。它的价值甚至不在于作者所描述的形形色色的人物，给读者提供了什么样的认识当代社会的角度；而在于这种描述揭示了"游子归乡"的文化母题在二十世纪末所具有的新的深度和含义。

　　透过吴明的故事，我们可以真切地感受到作者内心深处涌动着的情感冲突和心理矛盾。在游子的心目中，故乡总是越来越美好、越来越圣洁的。远在天涯的人往往乐于沉醉在对故乡的回忆中，品味那永远消失了的岁月；而周围环境的污浊，也容易使人无意中虚构一个作为精神寄托的故乡。然而，一旦万里归来，故乡已不再是游子日夜思念的故乡，套用闻一多的诗句："我来了，我喊一声，迸着血泪，'这不是我的故乡，不对不对！'"对吴明来说，这种想象中的故乡和现实中的故乡几乎是不能重合的。它们之间的矛盾，不仅表现为一个人徘徊于两种文化之间的无根的尴尬，而且还表现为人在远离一种真实的生存环境后可能产生的那种隔膜。

301

　　吴明最终也没能找到他想象中的"佳人",他是带着失望和遗憾的心情离开北京的。问题到底出在哪儿呢? 到底是"佳人"堕落了呢,还是吴明的"眼睛"出了问题? 也许这正是一种富于象征性的启示:我们应该学会接受混杂着血与泪的现实,接受这种真实的人的生活,在血与泪的浸泡中,人将变得更加强壮。

5 第三届 (2004 年度)"华语文学传媒大奖" 提名片谈(节选)

庄伟杰教授

　　《澳洲黄金梦》洋洋大观,近 50 万字的篇幅已足见作家驾驭文字的表现力。作为一位被人誉为"蹦极澳洲的中国骑士",刘奥依恃着本土作家所难以具备的跨国经验、人生历练和生命体验,用立体交叉式的现代小说结构方式,打破地理时空的局限,构筑一道别样的中西文化碰撞和交融的文学图景;纵横交错地把五代澳洲华人在域外的心路历程、生存境遇和历史画面史诗般地加以再现,具有强烈的视觉冲击力和心灵震撼力。

6 澳大利亚中国大陆移民作家群(节选)

(摘自上海《文学报》2004 年 8 月 26 日)
张奥列

　　刘奥的长篇小说《云断澳洲路》《蹦极澳洲》《澳洲黄金梦》均获得台湾侨联主办的华文著述奖小说首奖和佳作奖。以讽刺和幽默见长的作者,力图把后现代主义的某些概念与中国传统小说的表现手法融合一起,去表现中国新移民的文化困惑和双重人格;以及透过四代华人异乡飘零奋斗发展的心路历程,以跨文化的角度去解读澳洲历史。

7 华裔澳洲人的认同：
生命的、民族的、世界的(节选)
——评《澳洲黄金梦》的主题及艺术特色

（摘自《华夏周报》2005 年 9 月 9 日至 9 月 23 日）

苏海平

　　旅澳华裔中英文双语作家刘熙让继《云断澳洲路》和《蹦极澳洲》之后在人物采访和实地考察的基础上，于 2004 年创作出版了第三部以展示中澳民间互动为主题的 56 万字的长篇巨作《澳洲黄金梦》，填补了华人创作澳洲华人淘金故事的文学历史空白，鲜活展现了澳洲华人鲜为人知的一百五十多年的民族奋斗史；荣获 2004 年度台湾"华文著述奖"小说类头奖以及"澳大利亚艺术理事会"联邦作家文学创作基金奖。

　　在《北京晚报》群众工作部的四年中，他本着新闻记者的良知，凭借自己的勤奋和新闻敏感写出大量的好新闻，连获北京好新闻奖。新闻记者的经历也使作者比一般的以澳洲华人为主题创作的作者具有更务实的理性和更为冷峻的思考。这为他在创作《澳洲黄金梦》过程中能够有意地拉开距离、进行文化边际人的客观与理性的观照、对于该作品的主题发掘有着不言而喻的影响。期间，他还主编《古城纵横》专栏，针砭社会弊端。该专栏采用幽默的文风来讽刺现实。这也为刘熙让在《澳洲黄金梦》中的幽默笔法打下基础，也为该作品增加了可读性和趣味性，突破了传统历史小说难以避免的枯燥乏味的禁锢。深味"读万卷书，行万里路，尝万般苦"的刘熙让放弃国内前途一片光明的事业，前往澳大利亚留学。留学生涯的艰辛以及日积月累的几十万字的日记和生活素材，还有东西方社会的跨国经历给了他独特和睿智的理解和判断。

　　《澳洲黄金梦》演绎了中欧淘金家族的发展，表现出华人在淘金时代的生活风貌和拓荒精神；透视出他们在种族主义的排斥中，如何以自己的聪明才智及其独特的斗争方式，一代一代在澳洲顽强地生存繁衍，并为中、澳两国乃至于全世界的文明与进步做出的不可磨灭的历史贡献。

　　这部作品不仅仅是填补空白，而且在表现主题以及艺术技巧上也有着鲜明的个性。这表现在作者能够通过自身隐性角色北京名记者吴东桥寻找吴家祖先埋在墨尔本大金山草丛里的一箱黄金的过程，以及对留学生活的艰辛进行亲历性的感性诉说;同时以文化边际人的超越性观照眼光在对故事进行大背景建构和叙述过程中就移民本身特点反映华裔澳洲人的身份和文化认同,表现出生命、民族和世界认同的跨越和融合的殊途同归的深刻主题。

六个家族、两个国家、一百多年的历史变迁,形形色色的人物、大大小小的历史事件像散落在中澳两国广袤土地上的一个个点。要把这些点连成可以让读者有章可循又兴趣盎然的文学作品,无论从结构或者语言上都在检验着作者的功力。如果以传统的单线平面的结构来构建,则有可能陷入一种流水帐白开水式的罗列。作者在这方面是独具匠心的,他在作品序言中说:"我试图用多层次的立体空间结构来打破时间的限制,让这五代人物如天马行空,在时空上独往独来,以更好地表达作品的主题思想。这一百五十多年的历史长河,被一个个难忘的人物形象和曲折的故事情节荡起一圈圈令人回味无穷的涟漪。"

诚如其言,整部作品是一条高速公路。北京名记者吴东桥是游历在这条高速路上的摄录机,记录了澳洲华人血泪奋斗史中一座座难忘的路标。吴东桥寻祖的"公路"有"得来全不费工夫"的平坦,也有"踏破铁鞋无觅处"的曲折和艰辛;而澳洲华人们的幕幕历史"站牌"也有大有小,详略得当,交叉延伸。在这立体空间的结构上,我们既能够沿着历史进程寻出中澳发展史的点点滴滴,又能把握到其中的重大历史事件。作者表示:"这部小说像一辆勇往直前的大卡车,载您奔向一条长达一百五十年历史进程的高速公路。卡车掠过一道道变幻无穷的风景线,穿行于一座座上天入地的立体交叉桥,从广东农村的低谷蹒跚而来,直奔澳洲大都市高楼大厦的顶峰。我试图用立体交叉桥式的现代小说结构,多层次、多方位、多视角地构筑出一座纵横一百五十年中西文化大碰撞的艺术时空。"

立体交叉桥式的结构使作品布局缜密,脉线的交合跳跃明快而又合理顺畅。在作者的笔下同样用了一种"立体交叉式"的语言,从广东方言到澳洲俚语,从村妇到知识分子,各有各的特色,各有各的个性。既有语言交流不畅所产生的幽默诙谐,也有中西思维下的犀利流畅的语言交锋,给读者树立起了一个个有声的人物形象。而这种人物形象的树立不仅仅局限于几大主人公。孙老汉等一掠而过的人物也在简短的对话和简单的描写中深深印刻在读者的脑海中。

这种结构和语言中又蕴涵着浓厚的中国传统文化气息。很显然,作者受到他小时候对中国文学精华营养吸取的影响。在作品中既有对中华传统的佳句描述,又有信手拈来的唐诗宋词,还有各式的对联。甚至他的章节名称以及构思上都是以中国传统的整齐划一为标准,例如"罗伯特彩云追月"、"黄沙吹起埋白骨"、"双兰不嫁二夫郎"等等。

通过研读刘澳的《澳洲黄金梦》,我进一步了解到澳洲华人的不朽历史和功绩。我被作品中的人和事所感动,而这种感动是难以承受的。种族主义的毒瘤依然存在,但从作品中我们看到了生命、民族和世界认同的跨越和融合的殊途同归的深刻主题。

8 点评刘澳《澳洲黄金梦》中的"房东斯蒂芬"

(原载于《澳洲新报》2007 年 9 月 22 日)
凌鼎年

这是一篇典型的新移民题材的作品。像这样的题材,国内的作家不大可能有这样的感受。题材的特殊性,加之其现实性,可以使国内的读者借此了解一点海外的情况,以及新移民的生存状态。

作品中写了两个人:新移民吴东桥与澳大利亚房东斯蒂芬。作者运用的是对比法来塑造人物的,用吴东桥的言行与斯蒂芬的言行一对比,人物的道德品质、法制意识、人格力量等等就小葱拌豆腐———一清二白了。

作为新移民中的一员,刘澳勇敢地揭露了新移民中负面的习性,这种批判正是我国文学创作中缺少的。在吴东桥看来,把废油倒入下水道,似乎并无不妥,或并无大错。但在斯蒂芬眼里,却是绝对不能容忍的,属犯法行为。他甚至不顾房东的身份,不顾与吴东桥相邻的友情,当场制止;且铁青着脸,严肃到不近情理。即便吴东桥向他解释了,请求他原谅,但斯蒂芬依然我行我素,执意向市政部门告发了此事,导致吴东桥挨了罚。

读到这里,读者或许会怪这斯蒂芬怎么没点人情味,一点不通融。常言道,邻里邻居的,抬头不见低头见,何苦如此呢。

其实,故事到此,对法律的尊重,不讲情面的斯蒂芬形象已很清晰了。刘澳如神来之笔又加了一个小细节,房东免了吴东桥下个月的房租。这样,斯蒂芬的形象完整了,变得可敬可亲可爱了。

刘澳写人物有一手。

305

附录 二

9 刘澳与他的《澳洲黄金梦》(节选)

(摘自悉尼《新天地》杂志 2004 年第 6 期)

曾妮

1989 年 6 月 10 日,刘澳来到澳洲。一个北京城里无数人都要巴结的"无冕之王"突然变成了一名异乡的穷学生。

为了生计,他在一家货盘厂干了五年。离开时自己都吓一跳:五年来所抬过的木头货盘铺开来,可以覆盖整个墨尔本! 拿刘澳自己的话说,这是"苦熬身份"的几年。

也许,作家、哲人和智者与芸芸大众的区别就在这里。对他们来说,生活的艰难固然一样苦涩,但却可以通过自己的思考、创作,将个人的磨难转变为对人生及人类的"感同身受"的关怀。刘澳以理性的观照和敏感、悲悯的心,将个人的苦涩和对他人的关怀结合在一起,并通过上天赋予人类的语言文字将其上升为不朽的艺术或哲学,在忘却自我、超越小我的过程中探寻和实现生命的价值。

显然,刘澳来澳后的第一部 21 万字的长篇小说、被称为"澳洲留学生伤痕文学代表作"的《云断澳洲路》就是这样产生的。这部深刻反映澳洲留学生及新移民面对生存和去留问题时所经历的最初和最不可能绕过的种种难题的小说,不仅获得了 1996 年"华文著述奖"小说类第一名,而且成了一段时间内一些来澳移民或准移民行囊中的必备书,而在大陆的各新华书店断货。

1990 年圣诞节,也就是刘澳来澳的第二年,他跟几个朋友去距墨尔本一百多公里的著名的 Ballarat 金矿场游览。那里的几个清朝蜡人一下子吸引了他。一个华工蜡人呆坐在地,一顶斗笠帽扣在脑袋上,一条又黑又亮的长辫子露在外头。蜡人的肩微微端起,似乎正担负着整个民族的重担。

刘澳感到非常吃惊,因为那时他还不知道,早在十九世纪中叶,就有大批华人踏上澳洲这片土地。他马上想:在如此文明的当代,我们这些背井离乡的中国人都承受了难以想象的物质和精神双重折磨,那些一百四十年前来澳洲淘金的清朝祖先是怎么来的? 怎么生存下来的? 他们淘到金子没有? 他们怎么排解思乡之情? ⋯⋯

但是,那时的他却没有时间顾及这些问题,因为他连自己的生存和身份问题都还未解决呢！

1994 年 7 月，刘澳终于与其他几万名在澳中国留学生一样获得了永久居留权。获得身份后，他最先关注的当然还是当代留学生的故事，所以第二部 33 万字的小说《蹦极澳洲》以在澳洲刚刚取得身份，就迫不及待回国寻亲的留澳学生吴明为主角，用他的生活圈，贯穿起由众多顽主组成的国内外众生相。吴明以自己的"澳洲华侨"身份为钓饵，意图觅取美貌妻子，却在早已开放发展起来的中国社会屡屡碰壁……

在这部小说中，刘澳试图通过主人公在中国和澳洲间飞来飞去的故事，反映出中国人走向世界、外国人走向中国的时代特征。全书揭示了徘徊于中西两种文化之间的吴明们的尴尬处境。理想与现实的矛盾，理智与情感的冲突，自尊心与自卑感的落差，使他们那敏感而脆弱的心一次次失去平衡。有如"蹦极"游戏一般，在人生的高处栓着绳子从山崖或海角跳将下去，再从命运的低谷随惯性反弹回来。

这本以诙谐幽默的笔触反映华人新移民在两种文化的夹缝中求生存的"失重状态"的小说面市后，与《云断澳洲路》一样，在读者中引起热烈反响。

然而，创作一部关于华人在澳洲淘金小说的愿望，却始终深藏于刘澳心中。刘澳表示，他希望填补历史和文学空白，"把充斥在淘金时代英文作品里的华人'异类'形象还以拓荒者的英雄本来面目。""从中国的文化、历史、哲学、宗教和民俗等方方面面的深度和广度把握住华人的神韵，把华人在澳洲奋斗的心路历程和历史画卷，展现给今天的读者，展现给全世界，展现给我们的子子孙孙。"

这样宏大的构想没有时间和经济基础是无法完成的。要想写好一百五十年前的历史故事，不进行深入研究和采访，恐怕连基本的创作素材都不具备。而搜集素材和采访都需要时间和资金。那时刘澳已在联邦政府部门全职工作，既无精力，也无资金去完成这个构想。

幸好，这一前无古人的创作计划被澳大利亚艺术理事会看好，刘澳申请到了创作基金。长达十多年的梦想，终于即将实现。

从此后，刘澳停薪留职，全力投入到采风和创作之中。他沿着当年淘金者的足迹，遍访他们的后代，追溯他们的文化、历史和地理背景，踏着他们在原居住地的生活轨迹以及来澳淘金和生存发展的曲折道路……

长达 717 页、共计 56 万字的长篇历史小说《澳洲黄金梦》终于诞生了！在这部跨越了自澳洲淘金时代以来五代华人一百多年间的历史变迁及奋斗历程的著作中,那些早已随风而逝的淘金时代的华人英雄的生命史诗,在历史的尘埃中沉默了一个半世纪之后,终于以"大江东去"般的滚滚洪势,轰响在新的世纪。

正如他在这部小说的"序"中所写的那样:"我试图通过澳洲与中国这一百五十多年的历史变迁,揭示出澳洲华人在与澳洲的西方文化碰撞时所迸发出的火花,及其对澳洲这个多元文化社会所产生的深远影响;揭示出中西文化从相互排斥到相互渗透、以至于相互影响乃至互相取长补短的磨合过程,以及最终表现出来的一种跨世纪时代所呈现出的殊途同归历史的大趋势。我试图从历史的框架中超越出来,把人物的个人经验升华为整个人类的经验,把个人的遭遇与整个民族与文化的特征连结起来,将思想建构于一个博大精深的艺术构思之中,在文化的层次上提炼出小说的美学意境,在忧患的情思中创作出震撼人心的伟大作品来。"

难怪,这部小说会在 2004 年的"华文著述奖"评比中一举夺魁。

他认为:"全球化的移民方兴未艾,人类正朝着'地球村'的世界大同方向阔步前进。"因此,作为既了解中国文化、又有在西方世界浸泡过的生活经验,具有中澳本土作家所不具备的跨国经验和感悟,以及物质、精神的双重磨难的刘澳,对于澳华文学的前景还是充满信心。他说,"澳华作品与华人移民的生活最贴近,最容易产生共鸣。只要我们坚持不懈努力下去,澳华作家有朝一日去摘取诺贝尔文学奖的桂冠,也并非天方夜谭。"

10 崛起的新大陆(节选)
——澳华文学的粗线条述评

何与怀博士

刘澳善于创作长篇小说。他的博士论文以英文写作,标题是:Chinese—Australian Fiction: A Hybrid Narrative of the Chinese Diaspora in Australia,即:《澳大利亚华文小说:一种关于华人流散澳洲的混杂叙述》,被中、澳两国的学术专家和著名学人评为"优秀论文"。全书旨在探究澳华小说所体现的文化交流与跨国经验的流散主题和混杂文化价值。刘澳试图运用文化混杂这一概念来平衡中国中心主义与盎格鲁中心主义的张力,从一个学术研究者和一个流散小说家的双重角度为澳华小说创作进行多层次、多方位和多视角度透视与洞察。他运用中英文双语研究方法克服了澳大利亚英语学术研究领域对澳华中文原创小说缺席批评的局限,系统地、科学地分析论证了数十位澳华作家、批评家和学者的中文原著作品。与此同时,他运用多元文化方法对存在于中文研究领域的中国中心主义提出质疑。

刘澳发现,在中西文化的碰撞中,澳华小说构筑起一种混杂的"第三文化空间"。澳华小说不仅对华人流散文学作出了原创性的贡献,而且也成为澳洲移民文学的一个里程碑。澳华小说通过一种混杂的叙事方法展现了澳洲的风土人情,发出多元文化的最强音。同时,澳华小说大大丰富和发展了海外流散文学的主题意义和混杂特色。作为长篇小说《澳洲黄金梦》的作者,刘澳运用推走因素和吸引因素分析了澳华小说所表现出的澳洲华人自淘金时代以来的历史变迁和流散经验,同时揭示出澳华小说用积极的淘金华人形象来更正充斥于澳洲英文小说中的那些脸谱化的消极华人形象。

这部学术著作分析了澳华小说人物从"我是谁"的文化困惑走向一种"我就是我"的文化自信的全过程。这是第一部专门探讨华裔澳洲流散小说的英语专著,也填补了现有中文研究领域有关流散意义和文化混杂的学术空白。其学术意义不容低估。

11 漫游澳洲的中国骑士(节选)
——刘奥小说论

(摘自《华文文学》2004 年第 1 期)
郭媛媛 博士

综合刘奥的小说创作,我们可以形象地看到一个新移民在海外完成身份转换和文化定位的三部曲。刘奥在小说中体现出来的强烈中国心,亦使得他的小说有着一以贯之的风格。不管是力图全景式地展示赴澳留学生充满着血泪、历经生命的磨难的人生境遇的《云断澳洲路》,还是既描摹留澳新移民的卑微而尴尬的生命景观,也揭示经济大潮冲击下的中国人生存景况的《蹦极澳洲》,直至以讴歌和展示四代华人在澳洲奋斗成长史为己任的《澳洲黄金梦》,刘奥的文学创作,在纷至沓来而又良莠不齐的海外华人文学创作中独树一帜,有着自己特有而可以辨识的面貌,并成就了他不可小视的文学贡献。而其中作家的艺术剪影,被定格为在澳洲蹦极着的中国骑士。

刘奥的心理历程,正是新移民作家通过创作表现出的文化定位过程的写照:从亲历性的感性倾诉,到文化边际人的超越性观照,再到对中西两种文化的跨越融合。刘奥的努力和实践,完成的是一次飞跃:他要在主动向澳洲主流文化走近的同时,强化自己民族文化的特殊性和优良性,并希冀因此来促进所在国文化的健康发展。

刘奥用他的小说,为一个跨国的移民时代描摹出一个中国的文化骑士,一个在异国土地上和在错位人生境遇中的守望者。一旦他把这种守望当成了可以欣赏的生命诠释和人生态势的时候,他自己也已经成为了一种文化。而这种文化实现的不可预期,铸就了他透过作品所一直渴望实现的英雄梦。于是刘奥用作品站成了一个在中国文化失势时代和失势地域中的文化英雄。刘奥其实根本就是一个在澳洲的土地上写作的中国骑士:既在澳洲土地上生存,又在保守、继承和发展着中国文化的精神内核。

图书在版编目（CIP）数据

网上新娘/刘澳著. -北京：作家出版社，2011.7
 ISBN 978 - 7 - 5063 - 5837 - 8

 Ⅰ.①网… Ⅱ.①刘… Ⅲ.①长篇小说 - 中国 - 当代
Ⅳ.①I247.5

中国版本图书馆 CIP 数据核字（2011）第 064805 号

网上新娘

作　　者：刘　澳
责任编辑：刘英武　王　征
装帧设计：海马设计
出版发行：作家出版社
社址：北京农展馆南里 10 号　　　　邮码：100125
电话传真：86 - 10 - 65930756（出版发行部）
　　　　　86 - 10 - 65004079（总编室）
　　　　　86 - 10 - 65015116（邮购部）

E - mail：zuojia@ zuojia. net. cn

http：//www. zuojia. net. cn

印刷：北京汇林印务有限公司

成品尺寸：170 ×240

字数：330 千

印张：20

版次：2011 年 7 月第 1 版

印次：2011 年 7 月第 1 次印刷

ISBN　978 - 7 - 5063 - 5837 - 8

定价：29. 00 元